PRINCIPIO ATTIVO

Inchieste e reportage

Michele Ainis, Tina Anselmi, Claudio Antonelli, Franco Arminio, Avventura Urbana Torino, Andrea Bajani, Bandanas, Gianni Barbacetto, Stefano Bartezzaghi, Oliviero Beha, Marco Belpoliti, Daniele Biacchessi, David Bidussa, Paolo Biondani, Nicola Biondo, Tito Boeri, Caterina Bonvicini, Beatrice Borromeo, Alessandra Bortolami, Giovanna Boursier, Dario Bressanini, Carla Buzza, Andrea Camilleri, Olindo Canali, Davide Carlucci, Luigi Carrozzo, Gianroberto Casaleggio, Andrea Casalegno, Antonio Castaldo, Carla Castellacci, Giulio Cavalli, Mario José Cereghino, Massimo Cirri, Marco Cobianchi, Fernando Coratelli, Carlo Cornaglia, Roberto Corradi, Pino Corrias, Andrea Cortellessa, Riccardo Cremona, Gabriele D'Autilia, Vincenzo de Cecco, Luigi de Magistris, Andrea Di Caro, Franz Di Cioccio, Gianni Dragoni, Paolo Ermani, Giovanni Fasanella, Davide Ferrario, Massimo Fini, Fondazione Fabrizio De André, Fondazione Giorgio Gaber, Goffredo Fofi, Giorgio Fornoni, Nadia Francalacci, Massimo Fubini, Milena Gabanelli, Vania Lucia Gaito, Giacomo Galeazzi, don Andrea Gallo, Bruno Gambarotta, Andrea Garibaldi, Pietro Garibaldi, Claudio Gatti, Mario Gerevini, Gianluigi Gherzi, Salvatore Giannella, Francesco Giavazzi, Stefano Giovanardi, Franco Giustolisi, Didi Gnocchi, Peter Gomez, Beppe Grillo, Luigi Grimaldi, Dalbert Hallenstein, Guido Harari, Riccardo Iacona, Ferdinando Imposimato, Karenfilm, Giorgio Lauro, Alessandro Leogrande, Marco Lillo, Felice Lima, Stefania Limiti, Giuseppe Lo Bianco, Saverio Lodato, Carmelo Lopapa, Vittorio Malagutti, Ignazio Marino, Antonella Mascali, Antonio Massari, Giorgio Meletti, Luca Mercalli, Lucia Millazzotto, Davide Milosa, Alain Minc, Fabio Mini, Angelo Miotto, Letizia Moizzi, Giorgio Morbello, Loretta Napoleoni, Natangelo, Alberto Nerazzini, Gianluigi Nuzzi, Raffaele Oriani, Sandro Orlando, Max Otte, Massimo Ottolenghi, Antonio Padellaro, Pietro Palladino, Gianfranco Pannone, Arturo Paoli, Antonio Pascale, Walter Passerini, David Pearson (graphic design), Maria Perosino, Simone Perotti, Roberto Petrini, Renato Pezzini, Telmo Pievani, Ferruccio Pinotti, Paola Porciello, Mario Portanova, Marco Preve, Rosario Priore, Emanuela Provera, Sandro Provvisionato, Sigfrido Ranucci, Luca Rastello, Ermete Realacci, Marco Revelli, Piero Ricca, Gianluigi Ricuperati, Sandra Rizza, Vasco Rossi, Marco Rovelli, Claudio Sabelli Fioretti, Andrea Salerno, Giuseppe Salvaggiulo, Laura Salvai, Ferruccio Sansa, Evelina Santangelo, Michele Santoro, Roberto Saviano, Luciano Scalettari, Matteo Scanni, Roberto Scarpinato, Gene Sharp, Filippo Solibello, Giovanni Spinosa, Riccardo Staglianò, Franco Stefanoni, Luca Steffenoni, theHand, Bruno Tinti, Gianandrea Tintori, Marco Travaglio, Gianfrancesco Turano, Elena Valdini, Vauro, Concetto Vecchio, Giovanni Viafora, Anna Vinci, Carlo Zanda, Carlotta Zavattiero.

Autori e amici di

chiarelettere

Legenda delle immagini sul retro di copertina

1. Monsignor Carlo Maria Viganò, segretario generale del governatorato, scrive a Benedetto XVI denunciando gravi irregolarità nella gestione finanziaria della Santa Sede, 27 marzo 2011.
2. Gianni Letta, sottosegretario alla presidenza del Consiglio, scrive al segretario particolare del papa, padre Georg Gänswein, commentando l'esito di una raccomandazione avanzata dal Vaticano, 27 novembre 2010.
3. Lettera di donazione di Bruno Vespa per le opere di carità del Santo Padre, con richiesta di udienza privata, 21 dicembre 2011.
4. Lettera di donazione di Giovanni Bazoli, presidente del Consiglio di sorveglianza di Intesa Sanpaolo, per le opere di carità del Santo Padre, 22 dicembre 2011.
5. Dino Boffo, ex direttore di «Avvenire», scrive al segretario particolare del papa per denunciare i responsabili del «complotto» nei suoi confronti, 6 gennaio 2010.
6. Ordine di bonifico al direttore dello Ior Paolo Cipriani per trasferimento di una somma di denaro dalla Fondazione Joseph Ratzinger, 9 dicembre 2011.
7. Rapporto del presidente dello Ior, Ettore Gotti Tedeschi, al cardinale Tarcisio Bertone a proposito dell'intervento della Comunità europea contro l'esenzione Ici sugli immobili della Chiesa, 30 settembre 2011.
8. Tarcisio Bertone, segretario di Stato vaticano, scrive alla rappresentanza pontificia a Madrid precisando la posizione della Santa Sede sull'Eta (organizzazione terroristica basca), 10 gennaio 2011.
9. Appunto di padre Georg Gänswein relativo a un incontro con don Rafaele Moreno, assistente del fondatore dei Legionari di Cristo Marcial Maciel, riconosciuto colpevole di abusi sessuali sui minori, 19 ottobre 2011.
10. Appunto sul caso Emanuela Orlandi allegato al testo dell'Angelus del 18 dicembre 2011.
11. Documento riservato scritto in vista di una cena privata in Vaticano tra Benedetto XVI e i coniugi Napolitano, con gli indirizzi che la Santa Sede suggerisce allo Stato italiano, 19 gennaio 2009.
12. Relazione del capo della gendarmeria vaticana Domenico Giani sul caso di un'auto di servizio targata Stato Città del Vaticano (SCV) trovata crivellata di colpi d'arma da fuoco nel parcheggio di un ristorante a Roma, 10 dicembre 2009.

"Per la prima volta
ho percepito
di essere entrato
in una storia più
grande di me."

PRETESTO 1

→ *pagina 15*

"Non le ho fatte leggere a nessuno, come fai ad averle?"

Dino Boffo, ex direttore di «Avvenire», a Gianluigi Nuzzi, che lo informa di essere entrato in possesso delle lettere da lui inviate al papa e al cardinale Angelo Bagnasco, presidente della Conferenza episcopale italiana (Cei), riportate in questo libro.

"Sono venuto a conoscenza di un fondamentale retroscena, e cioè che a trasmettere a Feltri il documento falso sul mio conto è stato il direttore de 'L'Osservatore Romano', professor Gian Maria Vian."

Dalla lettera riservata di Dino Boffo al papa.

PRETESTO 2

→ *pagine 49, 34*

“Non credo che
il cardinale Bertone
fosse informato
fin nei dettagli...
ma Vian forse poteva
far conto di
interpretare
la *mens* del
suo superiore.”

Dalla lettera riservata di Dino Boffo al papa.

“Beatissimo padre, un mio
trasferimento dal governatorato
provocherebbe profondo
smarrimento in quanti hanno
creduto fosse possibile risanare
tante situazioni di corruzione.”

Lettera al papa di Carlo Maria Viganò, segretario generale del governatorato, l'ente che gestisce tutti gli acquisti e appalti della Santa Sede, rimosso dal suo incarico dopo aver scoperto gravi irregolarità.

PRETESTO 3

→ *pagine 36-37, 58*

"Monsignore Reverendissimo,
la Sua fiducia è ben riposta.
R. la merita tutta, è molto bravo.
Purtroppo però la situazione dell'Ansa
non consente accelerazioni.
Bisogna aver pazienza e aspettare.
Ma sarà un'attesa vigile e operosa.
Cercheremo di abbreviare i tempi...
A lei un pensiero grato con un saluto
devoto e – se mi concede – amichevole,
Gianni Letta."

Nell'autunno 2010 il sottosegretario alla presidenza del Consiglio Gianni Letta propone una raccomandazione all'Ansa su segnalazione del Vaticano.

"Perché il denaro gioca
un ruolo centrale...?
Dov'è la forza per
combattere nella curia
la tentazione del potere?
Dov'è l'umiltà e la libertà
donata dallo spirito?"

Lettera riservata del teologo spagnolo Adolfo Nicolás, il «papa nero» dei gesuiti, a Benedetto XVI, 12 novembre 2011.

PRETESTO4

→*pagine 123, 182*

"Caro monsignor Georg,
anche quest'anno
mi permetto di farLe avere
a nome della mia famiglia
una piccola somma
a disposizione della carità del papa...
Suo, Bruno Vespa.
p.s. Quando possiamo avere
un incontro per salutare
il Santo Padre?"

Lettera di Bruno Vespa al papa, indirizzata al segretario del pontefice padre Georg Gänswein, 21 dicembre 2011. L'ammontare della donazione è di 10.000 euro.

"Ci sono tre strade percorribili:
– abolire le agevolazioni Ici
(Tremonti non lo farà mai);
– difendere la normativa passata
limitandosi a fare verifiche
sulle reali attività commerciali e calcolare
il valore 'dell'aiuto di Stato' dato
(non è sostenibile);
– modificare la vecchia norma
che viene contestata dalla Ce
che si applicava ad attività che avessero
'esclusivamente' natura commerciale."

Settembre 2011. Ettore Gotti Tedeschi, presidente dello Ior, scrive al cardinale Tarcisio Bertone un rapporto «suggeritomi riservatamente dal ministro del Tesoro Giulio Tremonti».

PRETESTO 5

→ *pagine 93, 108-109*

Soci: Gruppo editoriale Mauri Spagnol Spa
Lorenzo Fazio (direttore editoriale)
Sandro Parenzo
Guido Roberto Vitale (con Paolonia Immobiliare Spa)
Sede: Via Melzi d'Eril, 44 - Milano

ISBN 978-88-6190-095-0
Prima edizione: maggio 2012
Seconda edizione: giugno 2012
Terza edizione: giugno 2012
Quarta edizione: giugno 2012

www.chiarelettere.it
BLOG / INTERVISTE / LIBRI IN USCITA

Gianluigi Nuzzi

Sua Santità

chiarelettere

Gianluigi Nuzzi è nato a Milano nel 1969. Ha prima collaborato al quotidiano «Corriere della Sera», poi come inviato speciale al settimanale «Panorama» e a «Libero». Dal 1994 segue le più rilevanti inchieste giudiziarie con implicazioni politiche e finanziarie. È ideatore e conduttore del programma televisivo *Gli Intoccabili* (in onda su La 7) dedicato all'approfondimento dei più importanti temi di attualità. Ha pubblicato il best seller sullo scandalo Ior e la tangente Enimont *Vaticano S.p.A.* (Chiarelettere 2009, tradotto in numerosi paesi) e *Metastasi* (con Claudio Antonelli, Chiarelettere 2010) sulla nuova 'ndrangheta del Nord.

Sommario

SUA SANTITÀ

SUA SANTITÀ

A Emiliana e Raffaele,
i miei genitori

Questo libro

La visita segreta

Benedetto XVI lascia il Palazzo apostolico su un'auto dai vetri oscurati e priva di insegne, senza scorta e senza avvisare i servizi di sicurezza interni. Sono i primi giorni di gennaio del 2012, un pomeriggio diverso dagli altri. Il papa non se ne accorge ma è seguito. Lungo il tragitto che da piazza San Pietro porta a via Aurelia antica, a pochi passi da villa Doria Pamphilj, tenendosi a un centinaio di metri di distanza, un uomo, che lavora in Vaticano ed è uno dei più fidati collaboratori di cardinali importanti, non perde di vista l'auto. Entrambi, seppur assai diversi per ruolo, carattere e cultura, si trovano di fronte a scelte che potranno segnare il futuro della Chiesa.

Joseph Ratzinger è addolorato per le rotture che si stanno consumando nella curia romana, nella comunità di porporati che esce sempre più lacerata dagli ultimi concistori. È consapevole che mettere in discussione, sebbene solo come ipotesi, la fragile alleanza con il segretario di Stato, cardinale Tarcisio Bertone, sarebbe una via senza ritorno.

Il nostro uomo invece è afflitto da una scelta dall'impatto più immediato. Deve decidere se portare a termine, o meno, la missione di verità che con la morte di Karol Wojtyla ha scelto di avviare, facendo proprio l'insegnamento del successore, Benedetto XVI: «In un mondo in cui la menzogna è potente, la verità si paga con la sofferenza». Ovvero, permettere a tutti di conoscere la verità dei sacri palazzi, affinché i mercanti siano cacciati dal tempio. Una decisione, qualunque essa sia, che cambierà per sempre la sua vita. L'uomo ha a cuore questo obiettivo, si è preparato nel tempo ad accettare ogni conseguenza. Anche quella di essere scoperto, pregiudicando il proprio futuro.

D'istinto ha seguito la rara uscita del papa dalla Città del Vaticano. Non tanto per individuarne la meta quanto per condividere idealmente, seppur a distanza, un momento segreto con chi guida la Chiesa nel mondo. E scegliere.

L'auto nera s'infila oltre il cancello di un convento di suore. È la Casa di procura dell'Istituto secolare di Schönstatt, movimento spirituale tedesco. Ratzinger sta andando a trovare una delle pochissime amicizie che mantiene a Roma da quando è salito al soglio di Pietro, al di là delle relazioni con monsignori e porporati. Lo attende un'anziana suora tedesca, Birgit Wansing, già sua fedele segretaria, con la quale si confronta nei ricordi, ascoltandone le parole e rimanendo gratificato dalla sua enorme stima. Oltre al fratello Georg, al banchiere tedesco Thaddäus Kühnel e alla fedele governante e insegnante di musica Ingrid Stampa, non sono in molti a godere di tale considerazione. La semplicità di queste persone esprime con forza l'avversione del papa per le geometrie del potere.

Fuori dal cancello la solitudine della scelta porta il nostro uomo a una passeggiata, immerso nei suoi pensieri. Rimanere sempre e comunque nell'assoluto silenzio e nella fedeltà più cieca, anche di fronte a soprusi e ingiustizie? Tradire la fiducia consolidata nel tempo e riposta in lui da tutti in curia, a iniziare dal papa, dal segretario di Stato, dai cardinali più importanti? Tacere o superare con una scelta di rottura la menzogna, il silenzio, la scarsa informazione che copre vicende, affari e segreti nella quotidianità d'Oltretevere?

Se oggi state leggendo questo libro è perché quella sera l'uomo rimasto fuori dal convento non è tornato indietro. Ha superato i dubbi, le paure, con la convinzione di fare una «cosa buona e giusta». Soddisfatto, ha riguardato un'ultima volta oltre il muro di cinta del convento per proseguire più determinato di prima. Ha scelto di far conoscere a tutti quanto accade in Vaticano.

«In alcuni momenti della vita – mi dirà pochi giorni dopo – o si è uomini o non lo si è. La differenza? Viene solo dal coraggio: di dire e fare la cosa che sai e ritieni giusta. Il mio coraggio è di far conoscere le vicende più tormentate della Chiesa. Rendere pubblici certi segreti, piccole e grandi storie che non superano il portone di bronzo. Solo così mi sento libero, affrancato dall'insopportabile complicità di chi, pur sapendo, tace.»

Poco dopo l'uomo ripassa in uno dei luoghi concordati e sicuri, scelti insieme per lasciare plichi, pennette usb o altre comunicazioni. E lì deposita l'ultima consegna, completando quella missione volontaria iniziata quasi per caso con i funerali di Giovanni Paolo II nell'aprile del 2005. Nei primi anni l'archivio segreto era costruito senza ordine, metodo, fine. Quest'uomo raccoglieva documenti, circolari, lettere, contabili bancarie in Vaticano e li studiava di notte nel suo studio privato, lontano da sguardi indiscreti. Poi, dopo tante domande senza risposta, dopo sorprese, amarezze e dubbi, la selezione si è fatta più attenta, mirata, programmata. Il disagio l'ha portato a esprimere nel tempo qualche critica, confrontandosi con chi, all'interno della comunità che vive e lavora nei sacri palazzi, la pensa come lui. Ne è nato un piccolo gruppo di persone con funzioni e ruoli diversi nei vari enti della Santa Sede, ma unite dalla stessa scelta: documentare, capire, confrontarsi mettendo da parte carte che svelano trame inedite, criticità e affari della Chiesa in ogni angolo della terra.

La scrivania di Benedetto XVI

Queste carte presentano una comune, affascinante e persino incredibile caratteristica: sono finite tutte nell'ufficio di uno degli uomini più potenti e influenti al mondo. Quelli che state per leggere infatti sono i dossier riservati che Benedetto XVI e i suoi due fedelissimi segretari, Georg Gänswein e il maltese Alfred Xuereb, hanno ricevuto negli anni più delicati dell'attuale papato. Dossier che sono arrivati dalla segreteria di Stato, dalle nunziature, da singoli cardinali e da ogni parte del mondo, sulle scrivanie dei segretari e nello studio privato del Santo Padre che, al terzo piano del Palazzo apostolico, si affaccia su piazza San Pietro.

Già a un primo esame i documenti rivelano qualcosa di importante. È evidente che in curia permane ancora oggi una volontà omissiva sui fatti. La volontà di non rendere pubblica ogni vicenda, soffocando nel silenzio le storie che possono imbarazzare o anche solo suscitare domande e dubbi nel rapporto tra cittadini, credenti e non, e rappresentanti della parola di Dio. Le parole di san Matteo sono tanto chiare e attuali quanto inascoltate: «Ciò che vi dico nelle tenebre ditelo in piena luce, ciò che vi si dice negli orecchi predicatelo dai tetti». Era la frase di speranza che apriva *Vaticano S.p.A.*, il mio saggio sui segreti delle finanze vaticane all'epoca di Wojtyla, svelati grazie allo sterminato archivio di monsignor Renato Dardozzi. Con questo pontificato la situazione non sembra cambiata.

Un'altra verità emerge e incrina un luogo comune assai diffuso su questo papa: non corrisponde al vero la vulgata che descrive Benedetto XVI come un teologo dogmatico lontano dagli affanni della curia romana e più in generale della Chiesa. Non è veritiera l'immagine di un pontefice dedito solo allo studio dei testi sacri e alle questioni dottrinali. Certo, Joseph Ratzinger rimane uno studioso colto e raffinatissimo, ma è anche un pastore che segue nei dettagli, con attenzione, le criticità della vita quotidiana, cercando di imporre un cambiamento talvolta ostacolato: le spinose questioni temporali, gli scandali che vanno gestiti e silenziati, le persecuzioni che ancora oggi vengono perpetrate contro i cristiani in varie parti del mondo. È un pontefice attento e dinamico, con un desiderio di luce e verità, ma inevitabilmente, a parere di chi scrive, vittima dei compromessi e di una «ragione di Stato» che ipoteca ogni cambiamento. Ratzinger chiede un continuo aggiornamento sulle vicende che più tormentano la Chiesa. Incide con misure anche radicali, cercando però un punto di mediazione con le diverse anime che compongono la Romana Chiesa.

Un'attività intensa che vede nell'appartamento pontificio il luogo fisico di una regia che abbraccia il mondo intero. Un ufficio semplice, una modesta libreria a ripiani, poltroncine basse, la scrivania in legno, due telefoni fissi, nessun cellulare. L'ufficio di Joseph Ratzinger, 265° pontefice nella storia del cattolicesimo, è tutto qui. Assenti le tecnologie d'avanguardia della Casa bianca. Nemmeno installati i sofisticati sistemi anti-intrusione. Eppure l'ufficio del Santo Padre è uno dei centri del potere mondiale. Il cuore pulsante della Chiesa, una stanza inaccessibile al miliardo di credenti che vivono sul pianeta. Da qui il papa dispensa consigli ai segretari, che filtrano i documenti più delicati. Da qui egli prende le decisioni più difficili.

Quelle che state per leggere sono le carte segrete di Benedetto XVI. Centinaia di documenti che svelano la quotidiana precarietà della Chiesa, tra verità inabissate, emergenze risolte, difficoltà permanenti e segreti gelosamente custoditi. Segreti rimasti tali fino a quando il nostro uomo, scorgendo per un attimo il profilo di Ratzinger tra le luci e le ombre di una sera di gennaio, si è definitivamente convinto che far conoscere i documenti, al di là delle conseguenze personali, fosse l'unica scelta possibile.

Se state leggendo questo libro significa che né il Vaticano né altri ne hanno bloccato la pubblicazione. Abbiamo adesso la possibilità di conoscere e valutare dossier, informazioni, scritti che per la prima volta nella storia della Chiesa cattolica fuoriescono dalla curia. Tutti noi ora abbiamo accesso ai sacri palazzi, non solo agli splendori della Cappella Sistina, ai tesori dei musei, alla dottrina della Chiesa, ma, appunto, alla scrivania di Benedetto XVI, ai segreti sul denaro, sugli affari, sulle congiure svelate nelle carte che arrivano all'appartamento pontificio. Con un grazie da subito a quell'uomo coraggioso che per tanti mesi ho incontrato. Senza di lui questo libro non sarebbe mai stato scritto.

Fonte informativa Maria

Nelle stanze di Benedetto XVI

Joseph Ratzinger si sveglia ogni mattina alle 6.30-6.45, nell'appartamento pontificio al terzo piano del Palazzo apostolico. Dopo l'igiene personale percorre il corridoio che lo porta fin quasi alla Cappella privata dell'appartamento, dove alle 7.30 celebra messa. Dopo il rito, verso le 8, rimane in preghiera con il breviario, e intorno alle 8.30 trascorre qualche decina di minuti in sala da pranzo per la colazione con i suoi più stretti collaboratori. A tavola il papa preferisce latte, caffè decaffeinato, pane con burro e marmellata e, di rado, una fetta di dolce.[1]

A curare ogni sua esigenza nella residenza ci sono le persone della famiglia pontificia. Innanzitutto lo staff dell'appartamento: Paolo Gabriele, aiutante di camera del papa, una sorta di maggiordomo, e le Memores Domini di Comunione e liberazione, Carmela, Loredana, Cristina e, l'ultima arrivata, Rossella, che dal dicembre 2010 sostituisce la romagnola Manuela Camagni, morta investita sulla Nomentana, a Roma, in una delle sue rare uscite da porta Sant'Anna. Quattro collaboratrici alle quali non sfugge nessuna richiesta o osservazione del Santo Padre. Ci sono poi i due segretari particolari. Il più conosciuto è padre Georg Gänswein, presbitero e teologo tedesco con un passato di vicario del duomo a Friburgo, fino a quando è arrivato a Roma. Nella capitale ha diviso i suoi impegni tra la Congregazione per la dottrina della fede, allora guidata dal cardinale Ratzinger, e la cattedra di Diritto canonico alla Pontificia Università della Santa Croce.[2] Da tutti è chiamato padre Georg o don Giorgio. Il secondo segretario è il maltese Alfred Xuereb della diocesi di Gozo, classe 1958, minutante della segreteria di Stato.

Lo stile di vita di Benedetto XVI è quasi monacale, i momenti privati sono condivisi con pochissime persone. Un esempio eloquente può venire dal pranzo. Paolo VI sedeva a tavola con i propri segretari. Giovanni Paolo II preferiva invitare vescovi e cardinali, meglio se polacchi. Benedetto XVI è legato alle Memores che cucinano, tengono in ordine l'appartamento, ascoltano e sorridono alle battute del pontefice. Pranza quasi sempre con loro. In particolare, ai fornelli si alternano Loredana e Carmela, entrambe pugliesi, che assecondano i gusti semplici del padrone di casa. Piatti dai sapori forti con uso costante di pepe e peperoncino. Primi spesso a base di pesce, come le penne al salmone, uno dei piatti preferiti del Santo Padre. Mentre per i secondi la preferenza va alla carne, che viene cucinata tutti i giorni a eccezione del venerdì, quando Ratzinger chiede un piatto unico a base di filetto di pesce e verdure. Niente crostacei o pietanze complicate. Alla sera minestre, zuppe o una tazza di latte. Il Venerdì santo il pasto semplice diventa frugale: un piatto con patate lesse e formaggio. L'unica eccezione è per il dolce, quello preferito è soprannominato scherzosamente dal pontefice «vergini ubriache», assomiglia a un soffice muffin, insaporito da qualche goccia di alcol per dolci. Un autentico strappo alle regole: il papa è quasi astemio, a tavola non beve mai vino.

Le Memores vivono allo stesso piano del Palazzo apostolico, ma le loro camere si affacciano sul retro. Lì dormono, pregano, tengono gli effetti personali. Alcune custodiscono anche il necrologio che il papa ha voluto che venisse pubblicato su «L'Osservatore Romano» quando è mancata Manuela Camagni: è stata la prima volta che un papa ha firmato una partecipazione funebre.

I momenti conviviali con la famiglia pontificia e i segretari lasciano di rado spazio a colazioni con qualche amico o parente stretto, come il fratello Georg, o ai pranzi di lavoro al rientro dai viaggi. In quest'ultimo caso a tavola si può ritrovare un gruppo ristretto: padre Federico Lombardi, direttore della sala stampa vaticana, il professor Giovanni Maria Vian, direttore de «L'Osservatore Romano», il maestro delle celebrazioni liturgiche pontificie, monsignor Guido Marini, e l'assessore per gli Affari generali alla segreteria di Stato, monsignor Peter Brian Wells.[3]

Pranzi e cene testimoniano l'assoluto *low profile* del Santo Padre. Come ospiti, sono invitate quelle persone, anche semplici, che nel passato lo hanno aiutato, come l'ex autista di fiducia, che una volta ha avuto l'onore di sedere al suo tavolo. A ricevere lo stesso inatteso invito nel 2006 è stato anche Camillo Cibin, storico capo della gendarmeria, ombra di Paolo VI e Giovanni Paolo II: un modo per ringraziarlo in prossimità della pensione, dopo che l'ufficiale ha servito con assoluta devozione tre papi. Le foto di Cibin fecero il giro del mondo quando il 13 maggio 1981 riuscì a bloccare Ali Agca subito dopo l'attentato a Wojtyla. Ratzinger fece estendere l'invito anche ai familiari dell'ufficiale.

Tra i cardinali, invece, di sicuro il tedesco Joachim Meisner, già vescovo di Berlino e ora arcivescovo di Colonia, è tra gli amici di più antica data. Con lui Ratzinger mostra una certa familiarità, tanto magari da condividere semplici distrazioni come il telegiornale nel salotto della televisione o qualche spartito di Mozart quando di rado il papa suona il pianoforte. Sempre che non si imponga l'agenda degli incontri, nell'appartamento di rappresentanza al secondo piano, o le udienze di tabella (le udienze periodiche con i cardinali o altre personalità della curia), come quella del lunedì con il segretario di Stato Bertone, o pubbliche, come quelle del mercoledì nell'Aula Paolo VI, nei pressi della Basilica.

Ci sono poi altre donne che collaborano con il pontefice con ruoli più defilati. La prima è una laica, sempre di Comunione e liberazione, per le sedute di fisioterapia al pomeriggio nell'ambulatorio, un'area per la salute attrezzata e che, con lo studio dentistico, ha sostituito la sala chirurgica nella zona degli studi medici papali. Un'altra donna è Ingrid Stampa, la professoressa di musica. E ancora, una delle poche persone capaci di comprendere senza errori la calligrafia del pontefice, la storica segretaria, Birgit Wansing, che Benedetto XVI era andato a trovare nel convento sull'Aurelia antica in visita privata agli inizi di gennaio del 2012. Sia Stampa che Wansing fanno parte del movimento spirituale Schönstatt, fondato da Joseph Kentenich. Birgit Wansing è un'addetta di segreteria di prima classe e dipende ancora dalla segreteria di Stato, Ingrid Stampa è invece uno dei pochi «consiglieri» non ufficiali: dal 1991 era la governante nell'appartamento da 300 metri quadrati in piazza della Città leonina a Roma, dove Ratzinger viveva da cardinale.

Si apre la porta del Vaticano

Nel giornalismo investigativo gli appuntamenti «al buio» sono frequenti. Capita di incontrare persone che non conosci, di cui sai poco o nulla, che vogliono vederti perché hanno una storia da raccontare, documenti da mostrare. In genere, per filtrare e comprendere rapidamente la rilevanza della storia, ci si fa mandare in redazione per email una sintesi. A volte però chi contatta non si fida. In questi casi, solo un colloquio permette di capire se siamo di fronte a qualcosa che merita attenzione. Gli incontri con questi sconosciuti avvengono in redazione o in qualche bar affollato, in modo da tutelarsi a vicenda.

Nella mia attività mi è capitato di vivere situazioni improbabili, più vicine ai romanzi che alla vita quotidiana. Una mattina a Firenze sono stato pedinato per mezza giornata da persone mandate da un generale della guardia di finanza che dovevo incontrare nel pomeriggio. Una situazione kafkiana: mi ha fatto seguire per sincerarsi che a mia volta non fossi seguito. Mi è capitato di incontrare fonti fino a quel momento sconosciute in posti assurdi, come tra le carcasse di auto da rottamare presso un demolitore alle porte di Brescia, o di essere bendato e portato in un appartamento a Trieste per un incontro con un collaboratore di giustizia.

Mai però ho vissuto come in quest'ultimo anno, da quando sono entrato in contatto con la fonte principale che ha fornito le centinaia di documenti alla base di questo libro. Mai mi è capitato di dover gestire silenzi, attese e precauzioni spesso perfino maniacali. Per la prima volta ho percepito di essere entrato in una storia più grande di me. «La prudenza è uno stile» cercò di spiegarmi una volta la mia fonte interna al Vaticano. «In curia si fa sempre la scelta che fa meno rumore.» Aveva ragione. Il nostro rapporto è stato costruito fin dall'inizio per essere invisibile, per mimetizzarsi nella casualità della vita di tutti.

Solo oggi comprendo che ogni passo era frutto di un calcolo, di una riflessione. Per evitare di rimanere impigliati nella rete di quello che un esperto come il cacciatore di nazisti Simon Wiesenthal ha sempre indicato come «l'apparato di intelligence migliore e più efficace al mondo», ovvero il sistema di informazione e sicurezza vaticana. Solo oggi mi è chiaro che questo flusso informativo, questa crepa nelle invalicabili mura leonine, doveva essere protetto a ogni costo. La mia fonte non doveva destare sospetti nei movimenti, quando parlava, nella vita di tutti i giorni. Nessun tentennamento. Doveva fingere con ogni superiore, persone di potere, intuito e carisma, come il segretario di Stato, Tarcisio Bertone, e al tempo stesso cercare di reperire le informazioni più rilevanti, i documenti più segreti che dovevano superare i controlli delle guardie svizzere e uscire dal piccolo Stato. Una doppiezza portata avanti per mesi, simile solo a quella del classico agente segreto, di chi, addestrato per anni, vive da infiltrato e sotto copertura.

A me toccava un ruolo altrettanto complicato. In situazioni come questa l'elemento psicologico gioca una parte determinante. Non commettere passi falsi e costruire un rapporto di fiducia. Presentarsi ed essere l'interlocutore capace di raccogliere incertezze e confidenze. Infondere sempre la sicurezza necessaria per affrontare ogni imprevisto. Soprattutto, non avere mai paura.

Questo è accaduto fin dal primo incontro, anzi dal primo contatto. La fonte ha considerato il mio saggio *Vaticano S.p.A.*, sui segreti finanziari della Chiesa, un punto incontrovertibile di garanzia: ero il giornalista giusto da approcciare, sia per il taglio documentaristico che avevo dato al libro sia per la tutela che avevo assicurato a chi aveva fornito i documenti fino a quel momento segreti. C'era però un problema da risolvere: bisognava creare un primo contatto. La fonte ha scelto la strada più complicata, ma di certo la più sicura: una strada lontana dal mondo dei media, evitando l'incontro diretto, telefonico, epistolare o via email.

Siamo nella primavera del 2011 quando si rifà vivo un vecchio e caro amico che non sentivo da tempo. È un professionista lontano dal mondo del Vaticano e anche dai palazzi di giustizia che frequento da anni. Mi chiede di incontrarci a Milano per un caffè. È una scusa per parlarsi a voce che raccolgo con favore. Ci vediamo e, dopo i convenevoli di rito, mi porta un'ambasciata. Un suo amico avrebbe alcune notizie sul Vaticano che vorrebbe rendere pubbliche. Non mi dice né sa altro. La storia non mi pare di particolare interesse, ma m'incuriosisce il dinamismo di questo vecchio amico che si prende l'impegno di raggiungermi a Milano per segnalarmi questa possibile «fonte» di notizie. Almeno così sembra. Sorrido e gli dico di passare pure il mio numero di cellulare. È l'aggancio. Il «contatto» – chiamiamolo così, non avendone mai conosciuto la vera identità – mi chiama con un nome di fantasia.

Da Milano prendo il treno. Appuntamento questa volta a Roma, in un bar vicino a piazza Mazzini. Qui accade qualcosa di strano. All'incontro si presentano due persone. Due italiani sui quarant'anni, vestiti con cura e sobrietà. Mi fanno domande sui miei interessi, su come lavoro, sulle mie sensibilità professionali. Si informano su come un giornalista «protegge» chi gli passa notizie riservate. I modi affabili, il tono gentile, ma linguaggio e gestualità non sono da ecclesiastico. Anzi, ogni tanto sfugge loro qualche parola che ricorda più le caserme che le sacrestie. La sensazione netta è che non siano loro i miei interlocutori.

Si chiacchiera del niente tra sconosciuti all'ora dell'aperitivo. Ci si scruta. Ci si guarda intorno. In realtà – scoprirò solo dopo – a quell'appuntamento non siamo in tre. Ci sono anche un paio di angeli custodi che non vedo, ma che controllano. Chi c'è, chi passa, chi si ferma. Sono sotto osservazione. Un insieme di precauzioni che qualificano con evidenza il rilievo di chi sta valutando se avvicinarsi, se entrare in contatto con me. La conferma arriva all'incontro successivo. Sempre i soliti due, qualche chiacchiera. Questa volta siamo in un altro bar, saletta interna, più appartata. Una scelta che si spiega in pochi minuti quando il più anziano mette la mano in tasca, tira fuori in modo plateale un foglio piegato in quattro e me lo consegna. È uno scritto anonimo infarcito di parole irripetibili rivolte contro un paio di monsignori.

Con gli anonimi non si va lontano. Ringrazio ma declino, non m'interessa. Loro si guardano e sorridono. Non capisco. Continuano, sorridono in silenzio. Sono soddisfatti. Era solo un'esca. Una mossa per vedere come reagivo. Passano pochi minuti e mi propongono una passeggiata, quindi un giro in auto. Salire con degli sconosciuti? Il rischio è oggettivo, ma l'istinto mi dice di fidarmi. Salgo, posto posteriore della lunga monovolume, per andare a incontrare la mia fonte. Inizia così un viaggio che deve ancora concludersi.

L'incontro con la fonte

Restiamo in auto quasi un'ora. In realtà, la distanza da percorrere è di poche centinaia di metri, basterebbero alcuni minuti. Invece ripercorriamo le stesse strade più volte. I due uomini vogliono essere sicuri di non avere la «coda», di non essere seguiti, per questo applicano banali tecniche di contropedinamento, quelle descritte nei libri di spionaggio o che si vedono al cinema.

L'incontro con la fonte principale avviene in un appartamento di un palazzo liberty vicino alla Santa Sede, quartiere Prati. Una casa non arredata, che mi spiegano essere da qualche tempo sul mercato degli affitti della capitale. L'agente immobiliare deve aver prestato le chiavi. Nessuna insegna, nessun campanello da suonare. Entriamo: corridoio, cucina, bagno. Ecco la sala, vuota, una sedia di plastica. La mia fonte è seduta, parliamo.

Cattolico praticante, da circa vent'anni lavora in Vaticano, legge abitualmente il Vangelo tanto da ricordarne a memoria numerosi passi. Nelle conversazioni cita parole della Bibbia, ripete spesso frasi di Benedetto XVI e dei santi. Questa persona esprime disagio e sofferenza. Disagio per le verità che conosce, sofferenza per la scelta di rendere tutto pubblico, incontrando in clandestinità un giornalista. Eppure vede come certe vicende sembrano eterne.

«Dopo la morte di Karol Wojtyla – mi confida – ho iniziato a mettere da parte copie di alcuni dei documenti di cui venivo in possesso per la mia attività professionale. Nei primi anni l'ho fatto sporadicamente. Quando vedevo che la verità che emergeva sui giornali e nei discorsi ufficiali non corrispondeva alla verità verificata sulle carte, mettevo da parte tutto in una cartella per poi cercare di approfondire e capire. A un certo punto mi sono fermato e prima di uno dei miei tanti traslochi ho deciso di buttare via quasi tutto. Negli ultimi anni, però, la situazione è peggiorata, l'ipocrisia in Vaticano regna incontrastata. Gli scandali si moltiplicano. E, guardi, non penso solo a quello della pedofilia che ci affligge tanto da portare il pontefice a dire che "la più grande persecuzione non viene dai nemici fuori ma nasce dal peccato nella Chiesa". Penso alla nuova inchiesta per riciclaggio allo Ior, la banca vaticana, allo scandalo dei Legionari di Cristo taciuto per anni, alla vicenda delle case di Propaganda Fide, alle strategie a tenaglia di Comunione e liberazione, al suicidio di Mario Cal, che guidava con don Verzé l'ospedale San

Raffaele a Milano. Senza dimenticare le guerre intestine, con vittime illustri come il giornalista Dino Boffo, direttore di "Avvenire", quotidiano della Conferenza episcopale italiana. E poi ancora le vicende insolute, come la strage delle guardie svizzere, il caso Emanuela Orlandi fino all'Ambrosiano, con l'arcivescovo Paul Casimir Marcinkus e la maxitangente Enimont riciclata nella banca dei papi. Finché non si fa piena chiarezza, certe vicende rimarranno sospese per sempre.»

Basti pensare che Marcinkus ancora oggi in Vaticano è ricordato da molti come un monsignore buono, vittima ingannata nel dissesto del Banco ambrosiano di Roberto Calvi. Un prelato per taluni addirittura generoso. D'estate si arrampicava sui ponteggi degli edifici in ristrutturazione per portare l'acqua ai muratori. Persino Benedetto XVI ricorda a qualche cardinale di aver ricevuto proprio da Marcinkus in regalo un armadio per il guardaroba quando dalla Germania si trasferì a vivere in curia. Nemmeno si prende in considerazione né si riflette sulle verità giudiziarie emerse negli anni su certi monsignori e porporati. Sarebbe forse troppo dirompente prendere in esame fatti come quelli cristallizzati nell'estate del 2010 nelle motivazioni della sentenza della Corte d'appello di Roma al processo per l'omicidio del banchiere Roberto Calvi: «Cosa nostra nelle sue varie articolazioni – si legge – impiegava il Banco ambrosiano e lo Ior come tramite per massicce operazioni di riciclaggio». All'epoca a comandare lo Ior c'era quel Marcinkus che dissetava gli operai sui ponteggi. E solo in questi mesi, con colpevole ritardo, la Santa Sede ha deciso di perseguire il riciclaggio. Fino all'aprile del 2010, infatti, questo reato non era nemmeno contemplato.

«Negli anni mi sono ritrovato con colleghi, amici – prosegue la fonte – che vivono o lavorano qui in Vaticano. Ci siamo confrontati e abbiamo capito che nutriamo le stesse perplessità, muoviamo le stesse critiche, e ci sentiamo frustrati perché impotenti di fronte ai troppi soprusi, interessi personali, verità taciute. Siamo un gruppo che vuole documentarsi e agire: chi lavora all'Apsa, l'ente che gestisce finanze e patrimonio, chi al governatorato che sovrintende su appalti e forniture, chi alla segreteria di Stato e via via fino alla gendarmeria vaticana. Nessuno conosce tutti gli altri. Da parte mia, ho ripreso a fotocopiare documenti. Lo Ior con presidente Ettore Gotti Tedeschi, le vicende dei Legionari, le mosse di Comunione e liberazione, la congiura contro monsignor Carlo Maria Viganò, cacciato perché stava colpendo una cricca... Penso che, se queste carte diverranno pubbliche, l'azione di riforma avviata da Ratzinger avrà una sua inevitabile accelerazione. La conoscenza determina il cambiamento. E sarà di ristoro per chi subisce in sofferenza e solitudine quanto accade nella curia romana, senza poter intervenire come vorrebbe. L'impotenza è il sentimento più diffuso. Non possiamo fare niente perché non ne abbiamo il potere. Non possiamo fare niente perché certe realtà fanno parte del Vaticano e tutti temono forse che cambiare sarebbe un'implicita ammissione di errore.» Di questi incontri ce ne saranno diversi in poche settimane.

Conseguenze incandescenti

Decidiamo insieme come muoverci per evitare passi falsi. Innanzitutto un nome in codice. Quale? «Maria» mi dice d'istinto la fonte. Sorride. Sorrido anch'io. Penso: «Maria, l'insospettabile postina». Con Maria, quindi, non può esserci comunicazione via telefono, email o lettere. La consegna dei documenti raccolti in plichi avverrà a date fisse in posti scelti con anticipo. I dettagli operativi, proprio a tutela di Maria e di tutti i suoi contatti, non possono essere svelati. Rimangono un segreto tra noi.

La situazione che si prospetta non ha precedenti e già si annuncia incandescente. Gli effetti emergeranno solo mesi dopo, a fine gennaio del 2012, quando dedico una puntata del mio programma d'inchiesta su La7, *Gli Intoccabili*, alla vicenda di monsignor Carlo Maria Viganò, il segretario generale del governatorato incaricato di risanare il bilancio, di far ordine nei conti di appalti e fornitori e rimasto poi – almeno stando alle sue denunce – vittima di una congiura, tanto da essere spedito come nunzio apostolico a Washington. La storia ha dell'incredibile, fa il giro del mondo. A pochi giorni di distanza è seguita da una serie di articoli con altri documenti interni della Santa Sede, pubblicati da «Libero» e da «il Fatto Quotidiano». Mai erano uscite tante carte dal Vaticano. Sono le prime di molte altre ancora inedite che troverete in questo libro.

Dalla sala stampa del Vaticano il direttore, padre Federico Lombardi, e a ruota vaticanisti, commentatori, cardinali, monsignori e opinionisti, cercano di capire e decifrare quanto accade. Si parla di «corvi», «talpe», anche di «fango», pur di mettere in ombra la verità che emerge. Le analisi indicano scontri tra porporati, narrano di guerre tra cordate, divisioni tra gruppi fedeli a Bertone e altri vicini al presidente della Conferenza episcopale italiana (Cei), il cardinale Angelo Bagnasco. Gruppi contrapposti, con visioni diverse sulla dottrina e sui rapporti con la politica, a iniziare da quella italiana. Ci sono i cosiddetti «siriani», che si rifanno al cardinale genovese Giuseppe Siri (morto nel 1989). Un'area che aggrega figure diverse, come i concittadini

Mauro Piacenza, cardinale in predicato come futuro segretario di Stato, monsignor Ettore Balestrero, sottosegretario della sezione per i Rapporti con gli Stati della segreteria di Stato, e Francesco Moraglia, patriarca di Venezia. In Italia, i «siriani» – si mormora – vorrebbero un centrodestra senza Berlusconi con l'area critica centrista del Pd. C'è l'area che fa riferimento a Bagnasco, che vorrebbe i cattolici in prima linea nella politica e con una presenza trasversale nei partiti. C'è il monolite di Bertone allineato per anni con la cordata cattolica nell'era di Berlusconi, a iniziare da Gianni Letta. E così c'è chi tratteggia lotte clandestine all'ultimo dossier. Chi, come padre Lombardi, lamenta una Vatileaks dentro le mura, non rendendosi conto che proprio così si riconosce l'esistenza di scontri e cordate nel presente come nel passato, palesando a tutti le miserie e certi umani confini dell'agire d'Oltretevere.

Cosa più grave, non è percepita o non si vuole vedere la pura, semplice, drammatica verità. Siamo di fronte a un'onda tellurica più profonda, a un'insofferenza nei quadri, nella dirigenza dei sacri palazzi. Un malanimo contagioso che si diffonde e si coagula in un'azione collettiva di reazione rispetto al malaffare e ai giochi di potere. Sono i semplici granelli di sabbia a mettere a repentaglio macchine rese invincibili dalla stratificazione degli interessi.

A indagare sulla fuoriuscita di documenti, Benedetto XVI schiera una commissione d'inchiesta interna presieduta da Julian Herranz, colto giurista e, soprattutto, figura di rilievo dell'Opus Dei, per ventidue anni assistente di Josemaría Escrivá de Balaguer. Il 25 aprile 2012 la segreteria di Stato diffonde una nota per informare laici e presbiteri che la commissione dovrà «fare piena luce» sulla «recente divulgazione in televisione, sui giornali e in altri mezzi di comunicazione di documenti coperti dal segreto d'ufficio». Herranz sarà coadiuvato da altri porporati in pensione, che hanno lavorato per anni nei sacri palazzi: il prefetto emerito di Propaganda Fide Josef Tomko e Salvatore De Giorgi, già arcivescovo di Palermo. Il gruppo fissa una tabella di marcia con la cosiddetta «tecnica del carciofo» per individuare, ufficio per ufficio, i possibili responsabili dell'emorragia di documenti, disponendo di ascoltare testimoni e possibili sospetti, e facendo tesoro dell'attività svolta dalla gendarmeria e dalla segreteria di Stato. «Dovrebbero indagare con la stessa solerzia anche su altre vicende come il caso Orlandi», commenta la fonte Maria.

---

[1] «Benedetto XVI ha mantenuto la disposizione delle stanze nelle quali è vissuto il suo predecessore Giovanni Paolo II. Così, alle stanze ufficio dei segretari personali, fa seguito lo studio privato del papa in corrispondenza della seconda finestra sulla facciata che domina piazza San Pietro, dalla quale appunto il pontefice si affaccia ogni domenica per l'Angelus. Segue la camera da letto ad angolo, con l'ultima finestra sulla facciata orientale, dove staziona una cyclette per l'esercizio fisico. A seguire il bagno, lo studio dentistico, la sala da pranzo, la cucina, l'office verso est, mentre a nord si trovano il guardaroba e le dispense. Straordinaria è la cucina rinnovata con fuochi, pensili, forni, utensili elettrici a scomparsa e luci a incasso nel controsoffitto, il tutto offerto da una ditta tedesca. [...] Al piano di sopra nei "soffittoni" sono stati ricavati appartamenti per i segretari.» Claudio Rendina, *L'oro del Vaticano*, Newton Compton, Roma 2010.

[2] Presbitero e teologo tedesco, 55 anni, monsignor Georg Gänswein è l'ombra di Benedetto XVI da quando quest'ultimo è salito al soglio di Pietro. Ordinato presbitero a Friburgo nel 1984, padre Georg ha svolto le funzioni di cappellano nella propria diocesi, per poi diventare vicario del Duomo e segretario personale dell'arcivescovo di Friburgo nel 1994. L'anno dopo è arrivato in Vaticano, prima come collaboratore della Congregazione del culto divino e della disciplina dei sacramenti, poi alla Congregazione per la dottrina della fede, diretta, siamo nel 1996, da Joseph Ratzinger. È qui che padre Georg diventa strettissimo collaboratore del futuro papa Bene-

detto XVI. Gänswein ottiene anche una cattedra di Diritto canonico presso la Pontificia Università della Santa Croce a Roma, appartenente all'Opus Dei. Nel 2000 Giovanni Paolo II gli concede il titolo di cappellano di Sua Santità, e nel 2003 diventa assistente personale di Ratzinger che, eletto papa nel 2005, lo nomina prelato d'onore di Sua Santità. Ma se nei primi anni del pontificato di papa Ratzinger la figura di monsignor Gänswein è rimasta piuttosto dietro le quinte, soprattutto rispetto all'attivismo del suo predecessore (don Stanislaw Dziwisz che, negli ultimi anni del mandato di Wojtyla, aveva assunto un ruolo rilevante nei rapporti fra Giovanni Paolo II e il mondo esterno), negli ultimi tempi, invece, Gänswein ha fatto qualche passo avanti anche dal punto di vista mediatico. Irriso e imitato da comici e personaggi tv, padre Georg è pian piano diventato famoso. Non soltanto per le cronache mondane, catapultato sui giornali per le immagini in cui giocava a tennis e partecipava a ricevimenti nei salotti romani, inseguito da gossip incrociati tra chi lo dipingeva come un seduttore e chi azzardava l'ipotesi di una sua omosessualità. Ma anche per un ruolo sempre più in vista, che la fama mediatica ha rafforzato. Spalla impeccabile del pontefice, uomo ombra di Ratzinger, Gänswein è stato al centro di voci movimentate anche riguardo la sua affidabilità, al punto che si è insinuato che potesse essere sostituito (o quanto meno affiancato) da Josef Clemens, già segretario di Ratzinger quando era alla Congregazione per la dottrina della fede. Come scrive il sito Vaticaninsider.it, «fin dall'inizio, come egli stesso spiegò in un'intervista concessa qualche anno fa alla Radio vaticana per farsi conoscere, uno dei suoi compiti principali è stato quello di "proteggere" il papa dall'enorme quantità di documenti, lettere, richieste che gli arrivano. In questo senso deve svolgere un lavoro di filtro, cercando di sottoporre a Benedetto XVI solo le questioni realmente importanti o che richiedono la sua diretta approvazione. È un lavoro non solo di responsabilità ma che, evidentemente, dimostra la piena fiducia di cui gode da parte del pontefice». La sua figura sta quindi pian piano diventando più influente. Recentemente ci sono state almeno due sue uscite significative: l'ultima al fianco del ministro dell'Economia Giulio Tremonti in un incontro organizzato, nel giugno 2011, all'Università cattolica di Roma; e prima a Perugia, nel febbraio 2011, l'intervento pubblico forse più significativo svolto dal segretario del pontefice. Don Georg, che in quell'occasione riceveva la laurea *honoris causa* dall'Università per stranieri di Perugia, tenne un lungo intervento sui rapporti fra Stato e Santa Sede in Italia, arrivando a proporre uno statuto speciale per Roma che comprendesse la sua natura di capitale del cattolicesimo. E fu molto duro con l'Italia e il suo sistema politico. «Forse ci vuole un po' di pulizia interna – disse il presule tedesco rispondendo alle domande dei giornalisti a conclusione della cerimonia – le radici ci sono, c'è solo un po' di polvere, cose che danno un po' di ombra.» È stato proprio lui a difendere il papa da numerosi attacchi. Intervistato nell'aprile 2010 dal settimanale tedesco «Bild» (in occasione del viaggio in Usa del papa, nei giorni in cui era caldo lo scandalo sulla pedofilia nel clero), Gänswein disse una cosa chiara: «Nessuno ha mai condannato con tanta forza gli abusi come il Santo Padre e la Chiesa cattolica». Secondo Gänswein aveva fatto bene il papa a rispondere col silenzio alle molteplici accuse: «Le critiche costruttive – ha detto – sono sempre giuste. Ma non credo che in questo caso le critiche abbiano avuto tale scopo».

Sbaglia chi ritiene che don Georg abbia un profilo più modesto del suo predecessore, don Stanislaw Dziwisz. Il successore sta crescendo nel ruolo grazie al carattere riservato e schivo del Santo Padre. Grazie anche ai rapporti, seppur altalenanti, con il cardinal Bertone: era stato il segretario di Stato a sostenere la sua promozione subito dopo il conclave, a discapito dell'ex storico collaboratore Josef Clemens, pupillo del papa quando era cardinale. Il ruolo di Gänswein si è misurato anche nei giorni della formazione del governo Monti.

[3] Caso diverso, invece, per i pranzi di famiglia con il fratello Georg che, alla vigilia delle feste religiose, ogni tanto introduce il banchiere tedesco Kühnel, che reca vari doni per il pontefice, come nel 2010 e nel 2011: alberi di Natale e candele. Georg coltiva anche rapporti con padre Josef Clemens, l'ex segretario del fratello, che vive dall'altro lato di piazza San Pietro, nel palazzo del Sant'Uffizio, allo stesso piano e vicino di casa di altri porporati fedelissimi del papa, come il commissario dei Legionari di Cristo, il cardinale Velasio De Paolis.

Le lettere segrete di Boffo al papa

Metodo Boffo, copyright vaticano

Con la fonte Maria ogni volta che ci incontriamo fissiamo un nuovo appuntamento con data variabile. Magari alla stessa ora per tre giovedì consecutivi. Così vado nel luogo prescelto e attendo venti, trenta minuti. Se non si presenta, considero l'appuntamento rinviato al giovedì successivo. È sempre andata bene perché abbiamo evitato di lasciare tracce telefoniche e perché abbiamo scelto luoghi insospettabili, appartamenti o uffici dove eravamo soli. I documenti venivano depositati in nascondigli che nei romanzi di spionaggio sono chiamati «buche» o «caselle», a ricordare il gergo dei servizi segreti durante la guerra fredda.

Una volta Maria si presenta a mani vuote. Mi sfugge una reazione, una smorfia di amarezza. La coglie all'istante e mi guarda con ironia. «Con la fatica che facciamo, i rischi che corriamo, sorride pure?» penso. Invece si sfila la giacca. «Aiutami» dice. Si volta di spalle, lungo la schiena si è attaccato tredici fogli ripiegati con cura in due. Me li consegna. Li apro, li leggo. Sono tre lettere choc di Dino Boffo, l'ex direttore di «Avvenire», impallinato nell'estate 2009 da una campagna stampa su «Il Giornale» che lo portò alle dimissioni.[1] Dopo lo scandalo, Boffo scrive a Ratzinger e al presidente della Cei, cardinale Bagnasco. Un carteggio inedito tra uno dei più fidati collaboratori e amici di Bagnasco, Boffo appunto, e padre Georg Gänswein, il segretario privato di Benedetto XVI. Missive nelle quali Boffo racconta quanto accaduto, ne spiega i motivi, indica con nomi e cognomi gli esecutori, ipotizza i mandanti e spiega i moventi della sua morte professionale. Nero su bianco, la filigrana di una congiura che porta il giornalista cattolico ad accusare addirittura il segretario di Stato Tarcisio Bertone, il più vicino e fedele collaboratore del Santo Padre, in una micidiale operazione che ha rischiato di portarlo persino al suicidio, se è vero quanto mi hanno confidato diversi suoi amici in questi mesi di ricerche.

Bisogna leggere bene queste lettere. Se Boffo, seppur in modo riservato, attacca frontalmente Bertone, scrivendo a padre Georg perché informi con le parole più opportune il pontefice, significa che l'ex direttore di «Avvenire» parte in contropiede. Significa che si sta giocando una partita ai massimi livelli e che la guerra a bassa intensità tra cordate in Vaticano non conosce più quartiere. Il fatto poi che Boffo, dopo un breve purgatorio, venga riabilitato, nell'autunno del 2010, come direttore di rete di Tv2000, la televisione di proprietà della Cei, suona non tanto come lieto fine di una torbida vicenda ma come compromesso vaticano su una questione che, dopo aver arrecato danni enormi, poteva finire fuori controllo. Non ci sono tregue né armistizi.

Così, dopo un anno di direzione all'insegna del *low profile*, è del 25 ottobre 2011 l'intervista politica della definitiva riabilitazione di Boffo, rilasciata al «Corriere della Sera». Nessun accenno alla congiura, ormai ufficialmente alle spalle, da dimenticare. Il direttore della tv dei vescovi suona il fine ricreazione per il mondo cattolico, evidenziando la necessità che i credenti diano, tutti, un contributo al futuro politico del paese. È un richiamo forte: «In questa stagione il silenzio è peccato – è il suo monito –, la delega non è più tollerabile per intero, il paese ha bisogno di noi, ciascuno è chiamato a offrire il contributo che può e sa dare».

Pochi giorni dopo, il 12 novembre, cade un governo già da settimane in agonia. Il premier Silvio Berlusconi, in declino di consenso, soprattutto dopo la scoperta dei festini ad Arcore, e in rottura con il mondo cattolico, si dimette. L'asse granitico che Gianni Letta garantiva tra Oltretevere e Palazzo Chigi non è più indiscutibile. Berlusconi lascia il posto al professor Mario Monti, il «tecnico», che formerà uno dei governi più in empatia con il Vaticano. Sono ben tre i ministri e diversi i sottosegretari che Monti sceglie in perfetta armonia con la Santa Sede.

Tornando all'intervista di Boffo al «Corriere della Sera», nemmeno un accenno è riservato alla storia che lo costrinse alle dimissioni quando, a fine agosto del 2009, «Il Giornale» di Vittorio Feltri pubblicò a caratteri cubitali la notizia di una condanna subita nel 2004 per molestie ai danni di una persona (con decreto penale firmato dal gip di Terni divenuto nel frattempo definitivo). Nell'articolo si rendeva noto che, allegato alla condanna, vi era una specie di appunto giudiziario che indicava Boffo come «noto omosessuale già attenzionato alla polizia di Stato per questo genere di frequentazioni».[2] La notizia deflagrò in quei giorni di fine estate, diventando un caso. Si scoprì presto che la storia era ben diversa. La sedicente informativa era una bufala clamorosa. Un autentico appunto infamante infilato ad arte come accompagnamento di una notizia vera (la condanna) in realtà già in qualche modo anticipata dai media.[3]

L'obiettivo di chi ha passato le carte non è nemmeno tanto nascosto: un atto di accusa contro Bagnasco e Camillo Ruini, già numero uno della Cei. Sono loro i veri obiettivi, gli imputati morali. Con uno schema d'accusa logico e semplice: conoscendo Boffo non hanno evitato alla Chiesa lo scandalo di aver sostenuto un omosessuale condannato per molestie alla guida di media cattolici strategici. Ci vorranno giorni, settimane, perché si ristabilisca la verità, ridimensionando la vicenda.

Parte della stampa attribuisce a Feltri la regia dell'accaduto. Ecco coniate nuove allocuzioni come «metodo Boffo» per far intendere che certa stampa di destra non fa informazione, prende di mira qualcuno, lo distrugge solo perché è in rotta di collisione con il proprio politico di riferimento, ovvero Berlusconi. In apparenza il ragionamento è impeccabile. C'è il fatto che la notizia è falsa almeno a metà e già nota per l'altra metà. C'è il presunto movente da accreditare: Boffo e «Avvenire» negli ultimi mesi hanno criticato il decadimento morale di Berlusconi.[4] Diventa facile per taluni la conclusione: gli avversari vengono colpiti pubblicando notizie già uscite, infarcite di balle colossali, per annientare il nemico. Insomma, si attribuisce una volontà intimidatoria a certi articoli: chi osa criticare il grande capo viene diffamato, come Boffo. Che valga per tutti.

È una partita che appassiona più la giostra dei media, gli addetti ai lavori o il grande pubblico? Difficile dirlo. Di certo rimane sullo sfondo, in ombra, la questione più importante: la genesi della vicenda. Attribuendo a Feltri anche il ruolo di coprotagonista, il nodo rimane comunque irrisolto: chi lavora nella fabbrica dei veleni? Chi ha costruito il falso che ha portato Boffo alle dimissioni? Chi e perché l'ha passato a «il Giornale»? Sui giornali si susseguono indiscrezioni, mezze parole senza riscontri ufficiali: una telefonata di Bertone a Feltri, un articolo, sempre su «il Giornale», non firmato, che sarebbe stato scritto da Giovanni Maria Vian, direttore de

«L'Osservatore Romano», un ipotetico ruolo della sicurezza vaticana. Vian reagisce con sdegno, liquidando come «fanta-vaticano» le indiscrezioni che trapelano.

Pochi i dati certi. La velina spacciata per atto giudiziario porta un titolo esplicito («Riscontro a richiesta di informativa di Sua Eccellenza») e pochi mesi prima della pubblicazione era stata recapitata a un gran numero di vescovi in Italia ed era circolata soprattutto tra i membri dell'Istituto Toniolo, la cassaforte dell'Università cattolica dove Boffo è consigliere. Spedita da chi? Mistero. Il 2 settembre 2009 Feltri indica di aver ricevuto i documenti dai «servizi segreti vaticani»,[5] che però, come osserva padre Lombardi, ufficialmente non esistono. Che sia un rimando alla gendarmeria diretta dall'ex agente del Sisde Domenico Giani? Parole, chiacchiere, nessuna prova. «Il Foglio» di Giuliano Ferrara si spinge oltre: «Al "Foglio" risulta da buona fonte che alcune telefonate fatte con lo scopo di avvalorare il documento falso sono arrivate a Feltri da Vian». Quest'ultimo, a chi gli chiede, nega e smentisce.

Il colpo di scena però arriva un paio di mesi dopo le dimissioni di Boffo. Agli inizi di dicembre Feltri racconta di aver ricevuto da una «personalità della Chiesa della quale ci si deve fidare istituzionalmente» la carta in questione. Di chi si tratta? Di qualcuno insospettabile e autorevole se il direttore spiega di non aver «dubitato neppure per un attimo di questa persona perché non si poteva dubitare di lei». Una presa di posizione che spinge Boffo a una mossa inedita, diretta, frontale. Fino a quel momento il giornalista cattolico aveva scelto una posizione defilata. Nessun commento, solo la pazienza certosina con la quale per settimane ha cercato di mettere insieme i pezzi, per capire chi è stato il regista di quanto accaduto. Una vera e propria indagine difensiva, analizzando la stampa, informandosi da amici e conoscenti nel mondo dell'informazione, politico e dei media. A Boffo l'aspetto terminale della vicenda, ovvero la pubblicazione su «il Giornale» del dossier, interessa fino a un certo punto. A lui preme capire chi ha costruito questa storia. E le battute di Feltri sul personaggio insospettabile mutano i suoi piani. Perché quanto svela Feltri, il direttore de «il Giornale», coincide sorprendentemente con quanto Boffo ha scoperto in quelle settimane di indagine. Elementi che sconvolgono.

Prima di Natale si confronta con alcuni cardinali e decide di condividere i risultati della sua inchiesta privata con chi, a questo punto, deve sapere. Gli indizi, le prove, le accuse sono di una gravità tale che solo una persona deve esserne messa a conoscenza. Deve essere questa la conclusione se Boffo, alla fine, non coinvolge Bagnasco ma si rivolge a padre Georg Gänswein perché sia lui a gestire la situazione. Boffo vuole informare padre Georg di quanto scoperto e vuole che rimanga traccia di tutto. Così decide di non chiedere un appuntamento al fidatissimo di Ratzinger, preferisce scrivergli una lettera con il suo *j'accuse. Verba volant, scripta manent.* L'ex direttore di «Avvenire» indicherà quelli che ritiene essere i responsabili in Vaticano. Persone scelte direttamente dal papa come collaboratori e che godono della sua piena fiducia.

Boffo al papa: «Sua Santità, ecco i colpevoli»

Boffo prepara quindi il terreno. Vista la situazione delicata, e non avendo un rapporto tale con Gänswein da investirlo direttamente della vicenda, si affida a un intermediario autorevole che avvicina in quei giorni il segretario di Benedetto XVI per rappresentargli la volontà dell'ex direttore di «Avvenire» di far conoscere i delicati elementi emersi. Padre Georg si mostra disponibile. Boffo prepara con cura la missiva.

Poi, il 6 gennaio 2010, poco prima di cena, in un orario in cui il segretario del papa si trova probabilmente solo in ufficio, dalla sua casa di campagna a Onè di Fonte, vicino a Treviso, l'ex direttore di «Avvenire» infila cinque fogli nel fax. La missiva è indirizzata direttamente a padre Georg. Sul frontespizio la parola «riservatissima» annuncia il tenore dello scritto. Un *j'accuse* a rapida combustione che merita la lettura integrale e che possiamo dividere in tre parti. Nella prima Boffo indica quelli che sarebbero i responsabili. Nella seconda le motivazioni che avrebbero provocato la campagna contro di lui, nella terza c'è la ricerca di una via d'uscita, perché l'ex direttore è rimasto senza lavoro:

> *Reverendissimo Monsignore,*
> Lei probabilmente saprà che cosa mi è capitato tra la fine del mese di agosto e oggi, ossia delle dimissioni dalla direzione di «Avvenire» e degli altri media Cei a cui sono stato costretto a causa di una campagna denigratoria, e della ritrattazione di queste stesse accuse da parte del suo principale propalatore, il dottor Vittorio Feltri, direttore de «il Giornale». Ritrattazione avvenuta a tre mesi esatti dalle mie dimissioni, ossia il 4 dicembre 2009. Ebbene, è da questa ritrattazione che devo prendere le mosse per argomentare le circostanze che sono all'origine della presente lettera. Quella ritrattazione infatti, benché non abbia raggiunto le punte di notorietà mediatica toccate dalle dimissioni, mi ha messo nelle condizioni di entrare in una certa confidenza con un mondo in precedenza a me sconosciuto.
> Nei contatti informali che precedettero la decisione del dottor Feltri di ritrattare, e culminati con la visita del mio avvocato al direttore de «il Giornale» per fargli prendere visione di tutte le

carte relative al caso da lui cavalcato, e specialmente nei contatti che da allora sono seguiti con esponenti vari di quel quotidiano, sono venuto a conoscenza di un fondamentale retroscena, e cioè che a trasmettere a Feltri il documento falso sul mio conto è stato il direttore de «L'Osservatore Romano», professor Gian Maria Vian. Il quale non ha solo materialmente passato il testo della lettera anonima che agli inizi dello scorso mese di maggio era circolata negli ambienti dell'Università cattolica e della curia romana, volta a ostacolare la mia riconferma nell'organo di controllo della stessa università, ossia il Comitato Toniolo, ma ha dato ampie assicurazioni che il fatto giudiziario da cui quel foglio prendeva le mosse riguardava una vicenda certa di omosessualità, che mi avrebbe visto protagonista essendo io – secondo quell'odioso pettegolezzo – un omosessuale noto in vari ambienti, a cominciare da quello ecclesiastico, dove avrei goduto di colpevoli coperture per svolgere indisturbato il delicato ruolo di direttore responsabile di testate riconducibili alla Conferenza episcopale italiana.

Boffo accusa addirittura il direttore de «L'Osservatore Romano». Sarebbe stato Vian a consegnare «materialmente» l'anonimo, da cui scatta la campagna de «il Giornale», facendosi garante che la storia penale scaturiva dall'omosessualità certa del direttore di «Avvenire». Vian invece tace, non prende mai posizione, ma sa che la segreteria di Stato non crede a queste accuse. E soprattutto sa che sarà sempre difeso nel Palazzo apostolico.

È un'accusa grave che Boffo rende ufficiale al Santo Padre, puntando l'indice contro il direttore del foglio della Santa Sede, un professionista scelto dal pontefice nell'ottobre del 2007. Era stato proprio Benedetto XVI a volere il professor Vian come direttore de «L'Osservatore Romano» inviandogli un'affettuosa lettera di nomina nella quale «con grande stima e sincero affetto» affermava tra l'altro che «la profonda formazione culturale come storico del cristianesimo, [...] l'appartenenza a un'illustre famiglia di grande tradizione cristiana nel fedele servizio alla Santa Sede, costituiscono una sicura garanzia per la delicata funzione a lei affidata». Boffo deve percepire la gravità e l'enormità dell'accusa che rivolge colpendo uno dei collaboratori più vicini al papa. Ma certezza e determinazione sono ben meditate e granitiche.

Naturalmente non mi sfugge, Monsignore, l'enormità di questa rivelazione, né io che ho patito le conseguenze della calunnia potrei mai lasciarmi andare a qualcosa di analogo. Mi decido a parlare, e a parlare oggi in una sede alta e riservata, perché non posso infine tacere quello di cui sono venuto a conoscenza e che tocca così da vicino la missione della Santa Sede. Inutile che Le precisi come sia stato attento a non cadere a mia volta vittima di tranelli, e come abbia per settimane avuto difficoltà a credere a ciò che mi si rivelava. D'altra parte, Monsignore – come tacerlo? – è questo inatteso tassello che rischia di apparire ragionevole di fronte a una serie di circostanze rimaste in qualche modo sospese. Si pensi ai dieci giorni in cui si è materialmente orchestrata la campagna diffamatoria de «il Giornale», incurante di qualunque obiezione che nel frattempo gli veniva rivolta sia su «Avvenire» che su altri giornali, e incurante altresì delle pressioni che gli arrivavano per via informale e riservata da soggetti di per se stessi del tutto credibili e autorevoli. Ma quella versione gli era stata garantita – al dire di Feltri – «da un informatore attendibile, direi insospettabile», e quindi perché indietreggiare? Forse che non era possibile che la supposta immoralità del direttore di «Avvenire» fosse stata sconosciuta ai suoi superiori? Oppure, altro scenario ancora più inquietante, che i suoi superiori – pur sapendolo – l'avessero per convenienza coperto? Intanto Feltri, nel proprio delirio, aveva cura di lasciare qualche traccia, come quando (e lo fece fin dal primo giorno) parlò di «regolamento di conti interno alla Chiesa», oppure quando arrivò a insinuare che «la velina proveniva dalla gendarmeria vaticana».

La ricostruzione è drammatica e si spinge oltre, fino a individuare un mandante, quantomeno morale, di quello che è accaduto. Il nome che emerge, pur con un coinvolgimento più sfumato, meno diretto, ma comunque dirompente, è quello del cardinale Bertone. Certo, per Boffo, Bertone non era «informato fin nei dettagli dell'azione condotta da Vian», ma avrebbe avuto interessi a distruggere il direttore di «Avvenire» per minare la «continuità» tra i cardinali Ruini e Bagnasco. In altre parole, Vian – è sempre l'accusa di Boffo – avrebbe potuto «contare di interpretare la *mens* del suo superiore», ovvero di Bertone, come già sarebbe accaduto in passato.

In verità, a sostegno del coinvolgimento di Bertone, stando almeno allo scritto, non ci sono prove inappuntabili ma deduzioni, indizi efficaci, come una battuta che la stampa a fine agosto aveva attribuito a Paolo Bonaiuti, all'epoca portavoce del premier Berlusconi:

> E come non annotare, almeno tra di noi, Monsignore, che l'intervista apparsa sul «Corriere della Sera» del 31 agosto e rilasciata dal professor Vian non a titolo personale ma nel suo ruolo di direttore de «L'Osservatore Romano», e nella quale ampiamente mi si criticava, finisce per apparire oggi come qualcosa di diverso da un'iniziativa improvvida e vanesia? Impossibile non chiedersi, tra l'altro, perché non si sia trovato il modo di ridimensionare quell'intervista, se non anche di prendere le distanze da essa e da ciò che stava causando, nonostante una richiesta esplicita in tal senso avanzata dal presidente della Cei. Non credo, per essere con Lei schietto fino in fondo, che il cardinale Bertone fosse informato fin nei dettagli sull'azione condotta da Vian,

ma quest'ultimo forse poteva contare, come già in altri frangenti, di interpretare la *mens* del suo superiore: allontanato Boffo da quel ruolo, sarebbe venuto meno qualcuno che operava per la continuità tra la presidenza del cardinale Ruini e quella del cardinale Bagnasco. Un collegamento, quello tra l'iniziativa di Vian e il cardinale Bertone, che più di qualcuno potrebbe erroneamente aver supposto, se lo stesso portavoce dell'onorevole Berlusconi, Paolo Bonaiuti, poteva rispondere *off the record* a qualche cronista accreditato a Palazzo Chigi: «Abbiamo fatto un favore a Bertone».[6] Da qui probabilmente il disagio che all'inizio della vicenda il premier aveva lasciato trasparire, per prendere poi pubblicamente le distanze dalla campagna scandalistica, infine per impegnarsi con Feltri – questo è dato certo – perché ritrattasse e sanasse la ferita inferta a Boffo.

Vede, Monsignore, i giornalisti sono soggetti strani, a volte sparano notizie senza avere le pezze d'appoggio appropriate, altre volte raccolgono frammenti e li lasciano maturare nei loro taccuini, in attesa che gli eventi abbiano un loro sviluppo. Ebbene, mi è noto, essendo stato al riguardo interpellato da taluni colleghi, che qualcuno di loro è in possesso di singolari affermazioni che nei giorni della polemica Vian ha fatto nei riguardi, ad esempio, del «coraggio dimostrato da Feltri» con la sua denuncia, come sono a conoscenza della frase che nelle stesse ore a Feltri è sfuggita in redazione: «Ah, Vian, in questi giorni è meglio che non lo chiami direttamente...». Così oggi negli ambienti vicini a «il Giornale» c'è chi ironizza sul fatto che il direttore de «L'Osservatore Romano» si è consegnato mani e piedi a uno spregiudicato come Feltri... Al pari di altri, sono anch'io a conoscenza dell'indiscrezione pubblicata nel mese di ottobre da Sandro Magister sul suo blog, là dove si attribuisce esplicitamente a Vian la paternità di un certo articolo di difesa della campagna diffamatoria uscito su «il Giornale» stesso a firma (inventata) di Diana Alfieri. Le assicuro che la replica di Vian a tale indiscrezione è stata così contorta da suscitare, tra gli stessi addetti ai lavori, più dubbi di quelli che avrebbe dovuto placare. Eppure, fino a quel momento io pensavo che fossimo sul piano delle illazioni o dei sospetti. Oggi invece mi trovo nella condizione di non potermi obiettivamente sottrarre a quanti attestano come sicuro il fatto che Vian è l'ispiratore della vicenda.

Possibile che Vian si sia spinto a lasciare gli studi che l'appassionano per trasformarsi in postino di veleni? Boffo, dopo averne demolito il carattere – «è abituato fin troppo ad arrischiare» nei suoi contatti con i giornalisti –, va alla sostanza, affrontando un argomento che, scontri e dossier a parte, è di assoluto e comune interesse: il ruolo della Chiesa rispetto alla politica. Secondo Boffo, Vian non vorrebbe alcuna influenza di Romana Chiesa sugli indirizzi e le scelte della politica, mentre l'ex direttore di «Avvenire» rivendica l'importanza di «obbligare la politica a tenere conto delle posizioni della Chiesa stessa».

Dietro il «caso Boffo» ci sarebbe stata quindi una convergenza di posizioni e interessi. Non solo quello apicale di colpire l'anello di congiunzione, la continuità tra Ruini e Bagnasco, ma uno scontro di visioni nei rapporti tra governo italiano e Cei:

> Se non c'è motivo di dubitare sulle spiegazioni ripetutamente accampate da Feltri per «giustificare» la propria campagna, ossia svergognare chi aveva osato obiettare su alcune scelte della vita privata di Berlusconi, nulla di documentato posso dire sulle motivazioni che hanno indotto il professor Vian ad agire nel senso qui rilevato. Ma a parte il fatto che nei suoi contatti con i giornalisti il personaggio è abituato fin troppo ad arrischiare, potrei dar credito alle riserve da Vian stesso avanzate circa il mio modo di concepire il ruolo del media Cei, quello cioè di assicurare alla Chiesa italiana una voce pubblica orchestrata in modo tale da obbligare la politica a tenere conto delle posizioni della Chiesa stessa. Il caso della povera Eluana era stato al riguardo emblematico per i critici di «Avvenire» di allora per cui solo

superando la direzione in carica si poteva sperare di attenuare il peso della Chiesa sulla politica, rendendola più flessibile e adeguata a nuovi futuri scenari. E proprio qui si profila quel dato di ingenuità che tutto sommato connota l'operare del direttore de «L'Osservatore». Ma questo non è discorso che propriamente mi riguarda.

Il quadro che delinea Boffo è inquietante, tanto da spingere l'ex direttore a congedarsi con alcune frasi sibilline. Domande che il giornalista lascia come in sospeso. Dopo aver indicato i protagonisti e le comparse dell'intrigo, Boffo garantisce l'assoluto silenzio sulla vicenda. Avverte comunque il segretario del papa che il rischio è imminente. Altri potrebbero scoprire la verità anche perché, «nonostante eventuali promesse», «i retroscena della vicenda possono uscire sulla stampa in qualunque momento»:

> Mi chiedo invece, e ora che si fa? Monsignore, le assicuro che non muoverò un dito perché tale ricostruzione dei fatti sia risaputa: i superiori interessi della Chiesa restano per me la bussola che determina il mio agire. Ho perso, è vero, il mio lavoro, e un lavoro in cui credevo molto, ma non coltivo desideri di vendetta. È chiaro tuttavia che ciò che è accaduto non è più oggi un segreto a «il Giornale», e quindi che i retroscena della vicenda possono uscire sulla stampa in qualunque momento, nonostante eventuali promesse. Non manca infatti chi è già all'opera per risalire, con i propri mezzi, alla verità dei fatti. Per questo, Monsignore, ritengo giusto informarLa su quello che ho appreso, e così in qualche modo allertarLa su uno scenario che potrebbe tra non molto presentarsi. Ovvio che, per quanto qui scritto, io resti a disposizione. Con ciò voglia, Monsignore, scusarmi per l'incomodo e considerarmi come Suo, Dino Boffo.

Boffo, l'infamia dell'omosessualità

Padre Georg riceve la lettera e si può ipotizzare che si sia confrontato con il papa, visto che Boffo chiama in causa ben due strettissimi collaboratori del pontefice. Non vi è però certezza. Di sicuro l'11 gennaio 2010, dopo qualche giorno, il segretario di Benedetto XVI decide di rispondere. Non con una lettera, dando così ufficialità al dialogo epistolare, ma a voce. Gänswein telefona direttamente a Boffo esprimendo sì «carità sacerdotale», ma chiedendo di saperne di più. I toni, seppur diplomatici, devono essere stati anche asciutti, propri di questo tedesco dai modi diretti. Con Boffo, il segretario particolare fa infatti riferimento alle voci sulla sua omosessualità, come traspare dalla missiva seguente, che l'ex direttore di «Avvenire» gli invierà l'indomani. Il 12 gennaio parte una seconda lettera al segretario di Ratzinger. Frontespizio: «Busso per una seconda volta e mi scuso. Conto di non disturbare oltre. Con il più devoto e grato ossequio, suo Dino Boffo»:

> *Monsignore reverendissimo,*
> desidero anzitutto e sinceramente ringraziarla per la carità sacerdotale e per la franchezza che mi ha riservato nella telefonata di ieri, 11 gennaio 2010. Dio sa se mi dispiace di aver arrecato così tanto disturbo. [...] Parlavamo del pettegolezzo che, se ho capito, sarebbe circolato già in qualche Ufficio, e Le raccontai con confidenza l'unica traccia che mi poteva in qualche modo suggerire un collegamento, quella che passava per monsignor Angelo Pirovano [capo ufficio della segreteria di Stato, *nda*]. Ma poi, a telefonata conclusa, mi sono ricordato, e mi spiace di non essere stato subito pronto, che – poteva essere nel 2000 o 2001 – mi capitò di sentire che un certo monsignor Pio Pinto, che allora lavorava se non erro alla Sacra

Rota, e nel quale mi ero imbattuto nell'anno in cui occupai un appartamento che mi era stato gentilmente offerto nelle soffitte del palazzo di Propaganda Fide in piazza di Spagna, aveva parlato non proprio bene di me. Egli, un tipo singolare e un po' visionario, aveva l'abitazione nello stesso palazzo, e ogni tanto incontrandoci ci si soffermava per fare due chiacchiere, con l'impegno che saremmo andati una sera o l'altra a cena insieme, ma la cosa a me non interessava più di tanto perché le chiacchiere curiali non sono mai state il mio forte. Dico un tipo singolare, perché non raramente questi lasciava di sera il portone di casa socchiuso e io, rientrando magari sul tardi, puntualmente prendevo dello spavento. Ebbene, ricordo che già non abitavo più lì quando un giorno mi si dice che quel sacerdote avanzava sospetti espliciti sul sottoscritto. Onestamente non mi turbai più di tanto, e ricordo di aver detto al mio divertito interlocutore che Pinto probabilmente aveva scambiato la visita serale di alcuni miei colleghi di Sat2000 – la tv era allora agli inizi e per me era importante sfruttare le occasioni per conoscere quei ragazzi e ragazze – con chissà chi. Ma per me la cosa è finita lì, e devo dire che l'avevo quasi scordata. Tutto qui, Monsignore. Mi pareva importante completare l'informazione sulle uniche tracce che a me il pettegolezzo incredibilmente avanzato fa tornare alla mente.

Quindi l'affondo su Vian, smentendo di essere omosessuale:

Mi consenta tuttavia di osservare che ciò di cui Vian si è reso purtroppo responsabile si pone a un altro livello. Questi si imbatte in un foglio anonimo, vistosamente contraffatto (in quale modulo della Repubblica italiana l'imputazione a carico di un cinquantenne viene fatta citando il nome e cognome dei suoi decrepiti genitori?), oltre che calunnioso (nelle carte di Terni non si fa mai parola né riferimento a qualsivoglia circostanza rapportabile a omosessualità, come Feltri ha dovuto prendere atto), e che cosa fa? Lo prende e lo passa – lui, direttore de

«L'Osservatore Romano» – a un collega noto per la spregiudicatezza, dando assicurazione di autenticità, con la prospettiva che si voglia imbastire una campagna pubblica (e strumentale) contro il direttore del quotidiano cattolico. Qual è il senso morale e il sentire ecclesiale di una tale operazione?
Monsignore, non Le posso nascondere che qualcosa della Sua cortesissima telefonata di ieri mi aveva in un primo momento lasciato come attonito. Ma Le assicuro, davanti a Dio, che sono sereno, e che non posso dubitare che il principio di realtà anche in questa circostanza si affermi. Le ripeto, se io fossi un omosessuale, tanto più un omosessuale impenitente, davvero i colleghi delle mie tre redazioni con i quali ho passato ore, giorni e anni affrontando qualunque argomento e mettendo in pagina le posizioni della Chiesa su tutti gli argomenti sollecitati dall'attualità, non si sarebbero accorti che qualcosa non andava? Davvero avrei potuto conservare fino a oggi la loro stima di credenti e di padri di famiglia? Inoltre, Monsignore, non essendo più un giovanetto, nella mia vita sono passato come tutti attraverso vari ambienti. Dai trenta ai quarant'anni sono stato animatore del settimanale diocesano di Treviso, e presidente di un'Azione cattolica molto vivace che faceva, per dire, una cinquantina di campi scuola ogni estate (Lei conosce Lorenzago, ecco, quella era una delle sedi dei nostri campi): possibile che nessuno avesse trovato qualcosa su cui ridire? In precedenza, dai 22 ai 30 anni fui un giovanissimo «dirigente» (si fa per dire) del Centro nazionale dell'Azione cattolica (allora in via della Conciliazione 1, presidente era il professor Agnes), e con me crebbero decine e decine di altri giovani, sui quali poi Giovanni Paolo II avrebbe fatto conto per lanciare le Gmg [Giornate mondiali della gioventù, *nda*]: anche allora, possibile che nessuno avesse trovato qualcosa da ridire? Infine, in questi ultimi nove anni a Roma ho abitato in un appartamentino ricavato da un appartamento «padronale» più vasto, e la proprietaria, madre zelante di due figli, quando il mese scorso l'ho salutata per fine locazione, per poco non si metteva a piangere. Possibile che, con un'entrata dell'appartamento visibile dalla sua cucina, non abbia mai visto

nulla? Perdoni la tirata, ma è solo un piccolo sfogo che affido al sacerdote sperimentato e saggio, confidando nella Sua benevolenza. In ogni caso, mi compatisca e mi abbia sinceramente come suo, Dino Boffo.

Il papa vuole sapere

In curia sono momenti di grande tensione. Solo qualche giorno dopo Benedetto XVI scoprirà – stando a diverse fonti – che non tutti gli articoli sul caso Boffo vengono inseriti nella sua personale rassegna stampa predisposta dalla segreteria di Stato.[7] Il papa decide di aprire un'inchiesta interna sull'accaduto affidata proprio al fedelissimo segretario Gänswein.

Intanto Boffo continua le ricerche. È il 1° febbraio quando a Milano, in una saletta interna del ristorante toscano Da Berti, si tiene un incontro chiarificatore tra lui e il direttore de «il Giornale». All'uscita è Boffo a svelare una micidiale confidenza di Feltri – «Mi ha chiesto perché Bertone e Vian ce l'avessero tanto con me» –, dando sostegno indiretto alle tesi sostenute nelle missive mandate al segretario di Benedetto XVI. Rincara Feltri: «Nella conversazione Boffo non mi ha chiesto quale fosse la mia fonte perché ovviamente lo sapeva già e la conosceva meglio di me». Su Bertone e Vian, su un loro possibile coinvolgimento, escono allusioni sempre più dirette su alcuni quotidiani.

Per primo è «Il Foglio» di Giuliano Ferrara a indicare una fonte in qualche modo istituzionale. Boffo tace. Nessuna intervista, nessuna dichiarazione. Ma le allusioni continuano, al punto che la segreteria di Stato esce con un comunicato ufficiale. Per volontà espressa del Santo Padre finisce in prima pagina su «L'Osservatore Romano» e attacca «la campagna diffamatoria contro la Santa Sede, che coinvolge lo stesso Romano Pontefice». Nel mirino tutti quei giornali che tenterebbbero di «attribuire al direttore de "L'Osservatore Romano", in modo gratuito e calunnioso, un'azione immotivata, irragionevole e malvagia».[8] Massimo Franco, acuto osservatore di cose vaticane sul «Corriere della Sera», fotografa la situazione: «Il quotidiano del fratello del premier è stato solo lo strumento di una partita iniziatasi nei sacri palazzi; giocata per mesi sotto traccia, e legata non tanto a una sorta di santa alleanza fra Berlusconi e spezzoni delle gerarchie cattoliche, ma a una sottile sfida per il primato nella Chiesa di oggi, e magari anche negli equilibri del prossimo conclave. Insomma, non è chiaro chi alla fine abbia favorito chi, fra potere politico ed ecclesiastico. È sempre più chiaro, invece, che un caso ritenuto chiuso e sepolto in realtà non lo è».[9]

La verità corre su molteplici binari, ma ai più la situazione rimane nebulosa fino a quando non trapela un'ulteriore interessante indiscrezione sull'autore del dossier: «Con ogni probabilità un'informativa confezionata tempo prima dalla gendarmeria su richiesta dell'allora sostituto alla segreteria Leonardo Sandri», il cardinale argentino prefetto della Congregazione per le Chiese orientali.[10] Posto che sia vero, Sandri per conto di chi avrebbe agito? Sono domande importanti. Rimangono lì, non cadono nel vuoto.

Di certo l'abilità linguistica di Boffo è efficace. Ricostruisce la verità, convinto di poterla dimostrare, cercando di spogliare il racconto dalla valenza personale in maniera che venga fuori l'oggettività e non la soggettività dei fatti. Strategia che rende forti nella Chiesa: se per descrivere quanto accaduto ti autocoinvolgi, lasciando intendere a un testimone, un ecclesiastico che vuol capire, che probabilmente ci sono dei fatti personali, immediatamente perdi forza. Con i tempi lenti ma inesorabili della Chiesa, le accuse di Boffo non finiscono nel cassetto. Gänswein ne parla con il Santo Padre, anche Bagnasco ha a cuore la vicenda. Nel Palazzo apostolico si replica una scena già vista: congiure, scontri, che il Santo Padre è chiamato a redimere per salvare l'unità della Chiesa, arginare una deriva, intervenire con rapidità per limitare i danni.

Passano i mesi e nulla sembra smuoversi, almeno in superficie. Sino al primo anniversario delle dimissioni di Boffo da «Avvenire». È il 2 settembre 2010, quando su «il Fatto Quotidiano» Marco Travaglio gli indirizza una lettera aperta.[11] «Lei ha lodevolmente scelto la strada del silenzio» incalza Travaglio. Perché? Dopo che, tra l'altro, «abbiamo appreso da Feltri che lei non ha mai denunciato "il Giornale". [...] Forse è venuto il momento di rompere il riserbo e fare definitivamente chiarezza sul suo caso. [...] C'è qualcosa che non sappiamo?». Travaglio non conosce l'esistenza delle missive al segretario del papa. Né la ragnatela che Bagnasco, in contatto con Gänswein, sta cercando di costruire per «recuperare» il direttore di «Avvenire». A iniziare da un contratto giornalistico di collaborazione fissa con i media della Cei che già era stato firmato senza dar pubblicità all'evento. Boffo si sente di nuovo sotto attacco. Decide di rompere il riserbo. Non pubblicamente, certo. A modo suo, prende carta e penna e scrive a Bagnasco.

Boffo a Bagnasco: «L'imbroglio è troppo grande»

È passato un anno e il «caso Boffo» ancora non è archiviato. Anzi, Feltri ne parla in televisione, ogni scontro politico vede qualcuno vittima del «metodo Boffo», almeno secondo quanto sostiene una parte della sinistra. E lui? L'ex direttore di «Avvenire» è senza lavoro, afflitto da una profondissima amarezza che spazza via tutto nella sua casetta a Onè. Ma non la lucidità di fronte alle scelte, la necessità di confidare a Bagnasco le continue sollecitazioni a rilasciare interviste, anche a importanti giornalisti come Ezio Mauro, direttore del quotidiano «la Repubblica». Tutti lo invitano a dire finalmente la verità, a ricordare quanto accaduto, fin nella parte che, se fosse confermata, sarebbe clamorosa, ovvero quella «svolta da Bertone-Vian».

La lettera a Bagnasco è un documento crudo che fotografa esattamente la situazione, manifesta i pericoli, tanto che Boffo dice di rivolgersi al porporato «in ginocchio»:

> *Eminenza,*
> vorrei tanto che Lei mi avesse davanti e potesse avvertire tutta la mia desolazione. Desolazione anzitutto di trovarmi nella necessità di importunarLa sapendo quali sono gli affanni quotidiani cui deve far fronte. Dio sa quanto vorrei poter risolvere da solo queste mie grane. E desolazione c'è in me per questa ripresa di attenzione sulla vicenda che mi ha e ci ha interessato. Accludo l'articolo di Marco Travaglio apparso nella prima pagina de «il Fatto» di oggi. È il coronamento che mancava alla sottile giostra persecutoria di questi ultimi giorni.
> Non so se ha bene presente chi è il giornalista Travaglio. Per capirci: è il più puntuto, inesorabile e documentato avversario di Berlusconi. Più ancora di Santoro. È il giornalista «nemico» per antonomasia. Lui avrà seguito la trasmissione televisiva dell'altro giorno, con Feltri che faceva i suoi numeri da circo, ha sentito che se tornasse indietro Feltri sarebbe più cauto, ha sentito le insinuazioni avute nei confronti dei vescovi, ha sentito Feltri ricordare che io non avrei fatto querela né penale né civile, e gli è scattata la mosca al naso. Com'è possibile che Boffo stia

ancora zitto? Cosa nasconde o cosa lo preoccupa? I suoi vecchi padroni (lui ragiona così) perché l'hanno mollato? Non è che per caso è sceso a patti col suo torturatore, ha preso dei soldi per tacere e ora se ne sta alla larga? Per la gente come Travaglio è inspiegabile che, con quello che mi è stato fatto, io non abbia impugnato la bandiera e sia andato sulle barricate con loro. Lui, in sostanza, mi vorrebbe stanare naturalmente nell'ottica della sua causa.
Cosa faccio? Faccio un'intervista per dire la mia e dare ragguagli sulla mia situazione? Ancora ieri, Ezio Mauro de «la Repubblica» si è offerto di venire a casa mia e farmela come direttore, l'intervista. Ma lo stesso «il Fatto» me l'ha chiesta, «Il Foglio», «La Stampa», «il Resto del Carlino». Non avrei problemi cioè a poter parlare, ma io non sono ancora convinto che sia la strada migliore, perché andrei di fatto a rinfocolare le polemiche e comunque finirei per arrecare danno a qualcuno, tanto più che se parlo non è che possa sorvolare del tutto sulla parte svolta da Bertone-Vian [...].[12] Eminenza, glielo chiedo in ginocchio, se questo può aiutarLa a intuire lo spirito con cui oso parlarLe: non crede che la Chiesa dovrebbe dare o fare un qualche segno che, dal suo punto di vista, mi riabiliti agli occhi del mondo? E si possa in tal modo sperare di far scendere la febbre... Non le nascondo infatti l'idea che si sono fatti anche altri di cui mi fido, ossia che a colpire la categoria dei miei colleghi giornalisti oggi non siano tanto le uscite pazze di Feltri o del suo dirimpettaio Travaglio, tutti li sanno misurare, ma il silenzio della Chiesa, che loro interpretano come un fatto sospetto. Dimenticano che Lei ha parlato, eccome. Che Lei ha fatto fare una dichiarazione anche dopo il 4 dicembre, quando ci fu la ritrattazione di Feltri. Purtroppo poi c'è stata la rivelazione del coinvolgimento superiore, e ha riportato in auge in taluno i sospetti. Certo, se potessi dire che la Cei mi sta comunque aiutando, sarebbe una cosa diversa e griderebbe, a chi vuol sapere, che non sono proprio abbandonato a me stesso, che la Cei a suo modo mi è solidale, che sono semplicemente a casa, ad aspettare che il procedimento abbia termine, ma non mi sento un reietto agli occhi del mio ex

> Editore… Le chiedo in punta di piedi: facciamo uscire questa cosa (dell'articolo 2, per grazia della Cei)[13] così che circoli e raffreddi un po' il clima? Ci sono controindicazioni? Forse sì… O pensa, Eminenza – e qui mi faccio davvero tremolante – che si possa risolvere, la faccenda del segnale da dare, in altro modo? D'altro canto, se io oggi do la notizia che accetto la proposta di lavoro che mi proviene da «La Stampa», forse che non ci sarà in questo clima qualcuno che obietterà che me ne vado dal mio ambiente perché, perché, perché. Non voglio metterLa in angustie, non voglio nulla, Eminenza. Vorrei solo sparire, ma sparire non posso, e allora sono qui a parlarGliene ancora una volta con il cuore in mano, analizzando passo passo con Lei questa faccenda, che non vuole finire (ma forse – ed è l'ultima spiegazione che riesco a darmi – l'imbroglio che ci sta sotto è troppo grande perché sia frantumato e assorbito anonimamente nelle pieghe della storia, che pur ha una bocca buona…). Non ho parole per scusarmi con Lei, che è persona e vescovo a cui voglio molto bene, e che mi dispiace non sa quanto disturbare in questo modo.

Non è chiaro se l'intervento su Bagnasco sortisca qualche effetto. Rimangono però dei fatti. Il numero uno della Conferenza episcopale italiana, subito dopo aver ricevuto il fax, incarica il proprio segretario, don Marco Galli, di girare immediatamente la lettera a Benedetto XVI passando per l'assistente personale Gänswein. È una vicenda che tocca direttamente il vertice della Chiesa: il papa, due suoi stretti collaboratori (Bertone e Vian) e il presidente della Cei. Un altro fatto certo: passa appena un mese – è il 18 ottobre 2010 – e Boffo viene reintegrato al vertice di Tv2000, la televisione dei vescovi, come direttore di rete. Andrà a ricoprire esattamente il ruolo che aveva prima delle accuse di Feltri. Non è invece chiaro se vi sia stato, come assicurano più fonti, un incontro diretto tra Ratzinger e l'ex direttore di «Avvenire» e se il pontefice abbia nell'occasione ringraziato Boffo per il suo silenzio.

Di certo quanto accaduto merita una riflessione. Il pontefice aveva infatti disposto delle riservate verifiche sulle accuse fulminanti che l'ex direttore di «Avvenire» aveva rivolto ai suoi più stretti collaboratori, a Giovanni Maria Vian e al segretario di Stato Tarcisio Bertone. Non conosciamo i risultati di questa inchiesta interna, affidata con ogni probabilità al segretario Gänswein. Ma conosciamo i sorprendenti effetti che vanno messi in fila: Boffo è stato fatto a pezzi da una campagna mediatica basata in gran parte su dati falsi, ha raccolto elementi di assoluta gravità sui più stretti collaboratori del papa e ha deciso di renderli noti al segretario particolare del pontefice.

Cosa succede? In un paese normale delle due l'una: se Boffo ha detto la verità, ci sarebbero stati provvedimenti contro il cardinale Bertone e Vian, se invece Boffo (che negli scritti conferma le accuse ai due anche a distanza di otto mesi) ha scritto cose non vere, non merita certo ruoli di responsabilità, anzi va messo ai margini del sistema essendosi permesso di gettare ombre sui collaboratori più stretti del papa. Tra l'altro non è nemmeno un ecclesiastico, ma un laico, non gode quindi di quel minimo di tutela in più che in Vaticano viene riservata a chi indossa la tonaca.

Invece, in modo clamoroso, Boffo viene valorizzato, ripreso, reintegrato, stipendiato. Vian, il presunto «postino dei veleni», rimane al suo posto, alla strategica direzione del quotidiano della Santa Sede, come pure il cardinale Bertone, numero due del Vaticano.

Per correttezza decido di informare Boffo. È un incontro difficile ma devo affrontarlo. Devo dirgli che ho trovato le sue lettere. Scelgo le parole, le pronuncio con calma, lui nasconde un sussulto, gli occhi diventano lucidi, rimane ammutolito. «Non le ho fatte leggere a nessuno, come fai ad averle?» Non sa nulla del gruppo legato a Maria, alla mia fonte principale in Vaticano. E aggiunge una postilla che da quel giorno mi ronza in testa. Mi dice che avendo letto quelle missive devo aver paura. Io lo prendo seriamente. Deve essere convinto che la pubblicazione di questo carteggio provocherà smottamenti nei sacri palazzi. È la prima volta che una congiura, che colpisce anche la politica italiana, viene messa a nudo. Da quel giorno, quando torno a casa a Roma, vedo se i piccoli segnali anti-intrusione che lascio sono stati violati da qualcuno. Anche perché in Vaticano c'è chi si dice vittima di una congiura gemella, con una coincidenza davvero inconsueta di attori e comprimari. E, soprattutto, sempre con l'insinuazione che vuole il cardinale Bertone indicato come potenziale carnefice.

---

1 Boffo si dimise dalla direzione di «Avvenire» con una lettera al cardinale Angelo Bagnasco il 3 settembre 2009.

2 Gabriele Villa, *Boffo, il supercensore condannato per molestie*, «Il Giornale», 28 agosto 2009.

3 Nel gennaio 2002 Boffo viene denunciato per ingiuria e molestia. Il 9 agosto 2004 il gip del Tribunale di Terni Augusto Fornaci firma un decreto penale contro Boffo per il reato di molestia alle persone (art. 660 Cp). Il giornalista viene condannato al pagamento di un'ammenda, che esegue, mentre è ritirata la querela per ingiuria. A settembre 2005 il giornalista Mario Adinolfi dà la notizia sul suo blog facendo riferimento a un «decreto penale di condanna» e indicando un imprecisato «direttore di un quotidiano cattolico».

4 Da seguire la sequenza di prese di posizione di Boffo sullo scandalo a luci rosse che ha colpito Berlusconi. Pochi mesi prima del «caso Boffo», il giornale «Avvenire» da lui diretto aveva infatti iniziato a criticare sempre più apertamente il premier Berlusconi, auspicando che scegliesse uno stile di vita più sobrio: «... continuiamo a coltivare la richiesta di un presidente che con sobrietà sappia essere specchio, il meno deforme, all'anima del paese» (5 maggio). Il 24 luglio Boffo pubblica alcune lettere di lettori che esprimono rammarico e disagio per le notizie sulla vita privata di Berlusconi. A queste Boffo risponde condividendo la critica: «Le "rivelazioni" – non sappiamo

quanto autentiche – che si succedono, a disposizione di chi ha la curiosità di continuare a leggerle o ad ascoltarle, non aggiungono (probabilmente) nulla a uno scenario che già era apparso nella sua potenziale desolazione». È fine luglio quando Boffo decide di pubblicare e rispondere a un'altra lettera, questa volta di un sacerdote che si stupisce del silenzio della Chiesa sullo stile di vita di Berlusconi: «Sia il presidente cardinal Bagnasco sia il segretario generale monsignor Crociata hanno colto le occasioni pastorali che si sono presentate per prendere posizione in modo netto sul piano dei contenuti come della prassi. Chiunque è stato raggiunto dai loro interventi ha capito quello che si doveva capire: alla comunità cristiana tocca tenere alto il contenuto della fede, e non cedere a compromessi». Infine, il 12 agosto 2009 la messa in mora del premier: «La gente ha capito il disagio, la mortificazione, la sofferenza che una tracotante messa in mora di uno stile sobrio ci ha causato».

[5] Feltri ne fece riferimento durante la trasmissione radiofonica *Radio anch'io* su Radiouno il 2 settembre 2010.

[6] Alessandro De Angelis, *Silvio si vendica: Max e Uolter nel mirino*, «Il Riformista», 29 agosto 2009.

[7] Gian Guido Vecchi, *Rassegna stampa del papa, è giallo: «Su Boffo tolti gli articoli polemici»*, «Corriere della Sera», 9 febbraio 2010.

[8] La nota della Santa Sede prosegue così: «Dal 23 gennaio si stanno moltiplicando, soprattutto su molti media italiani, notizie e ricostruzioni che riguardano le vicende connesse con le dimissioni del direttore del quotidiano cattolico italiano "Avvenire", con l'evidente intenzione di dimostrare una implicazione nella vicenda del direttore de "L'Osservatore", arrivando a insinuare responsabilità addirittura del cardinale segretario di Stato. Queste notizie e ricostruzioni non hanno alcun fondamento. [...] È falso che responsabili della gendarmeria vaticana o il direttore de "L'Osservatore" abbiano trasmesso documenti che sono alla base delle dimissioni, il 3 settembre scorso, del direttore di "Avvenire"; è falso che il direttore de "L'Osservatore" abbia dato – o comunque trasmesso o avallato in qualsiasi modo – informazioni su questi documenti, ed è falso che egli abbia scritto sotto pseudonimo, o ispirato, articoli su altre testate. [...] Appare chiaro dal moltiplicarsi delle argomentazioni e delle ipotesi più incredibili – ripetute sui media con una consonanza davvero singolare – che tutto si basa su convinzioni non fondate, con l'intento di attribuire al direttore de "L'Osservatore", in modo gratuito e calunnioso, un'azione immotivata, irragionevole e malvagia. Ciò sta dando luogo a una campagna diffamatoria contro la Santa Sede, che coinvolge lo stesso Romano Pontefice».

[9] Massimo Franco, *Una ferita che resta*, «Corriere della Sera», 10 febbraio 2010.

[10] Come ricorda Stefano Liviadotti ne *I senza Dio. L'inchiesta sul Vaticano*, Bompiani, Milano 2011.

[11] Marco Travaglio, *Boffonchiando*, «il Fatto Quotidiano», 2 settembre 2010.

[12] La lettera prosegue con un feroce inciso contro Feltri: «Potrei andare leggero, potrei dire esplicitamente che non mi va di coinvolgere la Chiesa, ma anche solo una frase così lascerebbe intendere qualcosa. D'altra parte, se parlo posso negare completamente quella che a tutt'oggi risulta essere la realtà dei fatti? Sarebbe prudente ed evangelico negare, o è più prudente ed evangelico starmene zitto? Questo è il punto. Tra l'altro, io non ho nessuna remora oggi come oggi a far togliere la riservatezza al fascicolo del tribunale, ma certo andrei – pur senza volerlo – a scatenare l'attenzione dei media sulle due famiglie, alle quali io – ben inteso – non debbo nulla, ma che mi è sempre apparso più prudente tenere alla larga giacché non conosco al punto da potermi fidare delle loro reazioni. E comunque, sarebbe una vita che probabilmente solleva me (la reazione di chi oggi legge quel fascicolo è: tutto qui?), ma non chiuderebbe la vicenda in un freezer, e riecciterebbe probabilmente il bailamme. Ecco perché finora, nonostante tutto, e nonostante le mille provocazioni di Feltri, ho preferito starmene zitto. Lui però (stupidissimo) non è stato a sua volta zitto perché sente di nuovo addosso la scadenza (prevista a fine mese) dell'Ordine nazionale dei giornalisti che dovrebbe confermare o meno la sentenza già emessa dall'Ordine regionale della Lombardia. Chiaro che lui i sei mesi di sospensione dalla firma del giornale – questa la pena già inflittagli, e ora da confermare – non li vuole, tanto più dopo la battaglia recentemente fatta su Fini. Lui non vuole trovarsi sconfessato. E pensa così, parlando come sta parlando e agitandosi come si sta agitando, di attenuare le proprie responsabilità circa il mio caso, senza invece rendersi conto che accresce il proprio danno, e infatti i suoi stessi avvocati in tal senso si sono espressi proprio ieri col mio avvocato, dicendosi disperati perché non ascolta nessuno e agisce d'impulso».

[13] Boffo fa probabilmente riferimento al secondo comma dell'articolo 2 della legge professionale 69/1963 dell'Ordine dei giornalisti, che dice testualmente: «Devono essere rettificate le notizie che risultino inesatte, e riparati gli eventuali errori».

Corruzione nei sacri palazzi

Bertone liquida il monsignore della pulizia in Vaticano

L'appuntamento risolutivo tra il cardinale Tarcisio Bertone e monsignor Carlo Maria Viganò è fissato per martedì 22 marzo 2011. Nel luglio 2009 Benedetto XVI aveva scelto Viganò – un presule lombardo amante del rigore e della trasparenza, dal carattere brusco e diretto, con una vita passata nella diplomazia vaticana – come segretario generale del governatorato, l'ente che gestisce tutti gli acquisti (dalla benzina alle vettovaglie), gli appalti e le costose ristrutturazioni edili d'Oltretevere.[1]

Viganò è inquieto. Prevede un incontro difficile per tre motivi. Innanzitutto ritiene di essersi fatto troppi nemici rimettendo in ordine i conti e le spese di un ente nevralgico per le economie vaticane. Tagli d'interessi e costi ipotecano equilibri e privilegi consolidati. È anche convinto che questi nemici, perdendo affari e utili, si siano avvicinati tra loro per vendetta, cercando protezioni potenti. A iniziare, forse, da quella di Bertone, che negli ultimi anni è riuscito a costruire una ragnatela di potere, nominando cardinali e monsignori di sua fiducia alla guida di numerosi enti chiave in Vaticano.

Il terzo motivo viene da un articolo apparso solo qualche giorno prima dell'incontro. Un pezzo pubblicato su «il Giornale», non firmato, gravido d'inesattezze e allusioni.[2] Il classico sasso nello stagno, un segnale inquietante che annuncia bufera. L'anonimo estensore mette Viganò all'indice. Lo bolla come «di osservanza sodaniana [fedele quindi all'ex segretario di Stato Angelo Sodano, *nda*], legato nelle strategie a quella che dai più è definita un'area ostile al cambiamento apportato da Benedetto XVI».

La realtà è diversa ma non deve essere rilevante per l'articolista anonimo: è stato infatti proprio il pontefice a volere questo monsignore pignolo al governatorato. Poi, nero su bianco, ecco formulato l'atto di accusa: «In questi tempi di crisi – prosegue l'articolo – [Viganò] non è riuscito a dare il colpo d'ala alle finanze statali. Sotto gli occhi di molti si consumano i ritardi legati al restauro del colonnato del Bernini per cui non si riescono a trovare finanziatori o, meglio, chi dovrebbe attrarli non riesce nell'opera e in molti si lamentano dei metodi di gestione, ormai superati, da piccolo parroco di provincia». In verità è inconfutabile che Viganò abbia aiutato in modo determinante il presidente del governatorato, cardinale Giovanni Lajolo, a portare in pochi mesi i bilanci da un profondo passivo all'attivo. Ma la conclusione dell'articolo suona come una condanna all'esilio in contumacia: «Si sta studiando una nuova figura che assurga a ruolo di segretario del governatorato promuovendo l'attuale a funzioni più notarili e non operative, fuori dalla curia romana, salvo un atto di grazia che lo vedrebbe a capo della prefettura degli Affari economici». Una previsione che incrocia i sussurri e conferma le indiscrezioni, raccolte da Viganò, che lo vedono già di fatto «dimesso» e destinato ad altro incarico.

Così, quel 22 marzo 2011, il presule entra nel Palazzo apostolico, sale alla terza loggia, arriva nell'anticamera e, dopo l'attesa di rito, incontra finalmente il segretario di Stato. L'appuntamento dura pochi minuti e lascia impietrito il presule. Bertone gli comunica che con tre anni di anticipo dovrà lasciare l'incarico di segretario generale. Perché? Il porporato è sbrigativo, liquida la cosa con poche parole. Accenna a una motivazione che suona risibile. Gli imputa le tensioni che si vivono all'interno dell'ente. Ma è un ragionamento zoppicante: se in Vaticano dovessero dimettersi tutti quelli che determinano tensioni, sarebbe una falcidia. Tutto qui. Il presule estrae le carte, mostra a Bertone i bilanci preventivi del nuovo anno, gli fa vedere con orgoglio che il rigore ha dato frutti: i conti sono tornati in utile grazie a una cura fatta senza guardare in faccia a nessuno. Bertone è inamovibile e lo congeda.

Viganò comprende così che il sogno di diventare cardinale e prendere il posto del presidente Lajolo sfuma. I due si salutano freddamente. Entrambi sanno che lo scontro, che finirà mesi dopo su tutti i giornali del mondo, è appena iniziato.

Dopo l'incontro con Bertone, Viganò nemmeno immagina che arriverà presto a individuare quelli che poi indicherà come i protagonisti di una congiura contro di lui. È furibondo. Si sente umiliato. Non solo non gli è riconosciuto quanto fatto, ma viene «dimesso» anzitempo, vedendosi negata quella berretta cardinalizia che gli era stata promessa proprio da Bertone, seppur in modo inconsueto: è il pontefice, infatti, e non il segretario di Stato, a poter garantire questa promozione. È il papa che «crea» i cardinali.

Il carattere severo e tignoso gli impedisce di incassare senza reagire, ma Viganò dispone ancora di un quadro della situazione troppo parziale per scegliere la prima mossa. Ha bisogno d'informazioni qualificate. Nei giorni successivi si confronta in curia tenendo tre porporati come punti di riferimento: il presidente della prefettura Velasio De Paolis, che sovrintende a tutti i conti del piccolo Stato, Paolo Sardi, patrono del Sovrano ordine militare di Malta, e Angelo Comastri, vicario generale del papa per la Città del Vaticano. Il suo superiore, Lajolo, lo rassicura dicendogli di non preoccuparsi, ma è chiaro che la situazione sta precipitando quando Viganò scopre che proprio Bertone ha già fatto filtrare la notizia della rimozione. Non si può più perdere tempo.

È domenica, il governatorato è chiuso. Il presule si mette al lavoro sulle bozze di due lettere micidiali, mai lette nella storia della Chiesa, che lo porteranno a uno scontro senza ritorno con il segretario di Stato. La prima è indirizzata proprio a Bertone. Viganò riassume l'incontro del 22 marzo, affinché rimanga traccia scritta, poi l'affondo: esprime la sua più «determinata intenzione che sia fatta chiarezza su questa vicenda» e chiede che sia istituita una commissione d'inchiesta. Rivendica il diritto di «conoscere chi mi ha accusato, di che cosa sono stato accusato, che prove sono state addotte contro di me, a difesa del buon governo dello Stato, e in pari tempo della mia buona fama, ai sensi del diritto canonico». Una mossa obbligata, «in coerenza con l'assoluta trasparenza del mio agire, con la fedeltà con cui in tanti anni ho prestato servizio alla Santa Sede, ma soprattutto in ossequio e obbedienza ai ripetuti appelli del Santo Padre di fare pulizia nella Chiesa»:

Eminenza,
nell'udienza concessami il 22 marzo corrente, Vostra Eminenza mi comunicava che non era Sua intenzione mantenere quanto mi aveva in più circostanze promesso fin dal 2007, cioè che mi avrebbe nominato segretario generale del governatorato per collaborare con l'eminentissimo cardinale Lajolo nel mettere ordine nelle varie attività dello Stato, per poi succedergli, al momento venuto, come presidente del medesimo. Conscio dei rischi che comportava il fare pulizia, secondo il desiderio di Sua

> Santità, specialmente in attività di carattere economico e finanziario, in coscienza mi sentii obbligato ad accettare tale incarico, confidando sull'appoggio della segreteria di Stato e sulla Sua parola, per portare a compimento e sanare situazioni notoriamente compromesse. Nel medesimo incontro, Vostra Eminenza mi comunicava, altresì, che aveva deciso di rimuovermi dall'attuale incarico. Quanto Vostra Eminenza mi ha comunicato mi lasciava ancor più esterrefatto perché corrispondeva pienamente con il contenuto di un articolo non firmato, ultimo di una serie, pubblicato su «il Giornale», gravemente offensivo della verità e della mia persona, in cui si chiedeva appunto a Vostra Eminenza la mia rimozione dall'incarico di segretario generale, a motivo della mia totale incapacità a esercitare tale funzione. [...][3]

Il presule è convinto che i suoi successi al governatorato siano indiscutibili e incontrovertibili. Solo i dati di bilancio parlano chiaro e possono azzerare qualsiasi malignità e informazione pilotata. Ma così non è.

> A totale smentita del contenuto di detto articolo, Le consegnavo la bozza del bilancio consuntivo del 2010 del governatorato, da cui risulta un avanzo di 34.451.797,00 euro, contro un disavanzo di 7.815.183,00 euro dell'anno precedente, cioè con netto incremento annuo di 42.266.980,00 euro. Con mio ulteriore sconcerto, Vostra Eminenza rimase del tutto insensibile anche di fronte a una prova così macroscopicamente evidente della totale mistificazione della verità dei fatti e della grave ingiustizia che si stava perpetrando a danno del governo dello Stato e della mia persona. [...] Devo pertanto ritenere che le motivazioni che hanno indotto Vostra Eminenza a cambiare così radicalmente giudizio sulla mia persona siano frutto di gravi calunnie contro di me e il mio operato, non solo gravemente lesive del mio diritto alla buona fama, ma che rappresentano, nel contesto statuale in cui esercito la mia responsabilità, un vero e proprio attentato al governo dello Stato.

Al pontefice: 550.000 euro per il presepe

Viganò imbusta la lettera. Prima di spedirla ne scrive un'altra ancor più insidiosa, direttamente a Benedetto XVI, per informarlo di ciò che sta accadendo e fotografare esattamente quanto fatto in questi anni di tagli e sacrifici. Rivolgersi in termini così perentori a Bertone senza informare Ratzinger sarebbe infatti una mossa suicida. Le due missive devono essere consegnate in contemporanea. L'arcivescovo sceglie le parole con cura. Si sta rivolgendo al Santo Padre, ma questo non gli impedisce di superare ogni remora. E avverte il pontefice che un suo trasferimento bloccherebbe l'opera di pulizia svolta contro le «tante situazioni di corruzione e prevaricazione da tempo radicate». È la prima volta che un presule denuncia, senza preamboli, «tante situazioni di corruzione», utilizzando una parola finora bandita in Vaticano:

> *Beatissimo Padre,*
> mi vedo purtroppo costretto a ricorrere a Vostra Santità per un'incomprensibile e grave situazione che tocca il governo del governatorato e la mia persona. [...] Un mio trasferimento dal governatorato in questo momento provocherebbe profondo smarrimento e scoramento in quanti hanno creduto fosse possibile risanare tante situazioni di corruzione e prevaricazione da tempo radicate nella gestione delle diverse direzioni. Gli eminentissimi cardinali De Paolis, Sardi e Comastri conoscono bene la situazione e potrebbero informarne Vostra Santità con piena conoscenza e rettitudine. Pongo nelle mani di Vostra Santità questa mia lettera che ho indirizzato all'Eminentissimo cardinale segretario di Stato, perché ne disponga secondo il Suo augusto volere, avendo come mio unico desiderio il bene della Santa Chiesa di Cristo. Con sinceri sentimenti di profonda venerazione, di Vostra Santità devotissimo figlio.

Seguendo i consigli di chi lo stima e incoraggia, Viganò chiede e ottiene per il 4 aprile 2011 un incontro con il pontefice, nel quale gli illustra la situazione. Al papa lascia un appunto riservato in cui entra nei dettagli, formula accuse di inadempienze e privilegi, ripercorrendo l'attività di risanamento svolta.

È un documento che merita la lettura integrale perché evidenzia un'impensabile stratificazione d'interessi. L'appunto affronta la situazione finanziaria «disastrosa»:

> Quando accettai l'incarico al governatorato il 16 luglio 2009, ero ben conscio dei rischi a cui andavo incontro, ma non avrei mai pensato di trovarmi di fronte a una situazione così disastrosa. Ne feci parola in più occasioni al cardinale segretario di Stato, facendogli presente che non ce l'avrei fatta con le sole mie forze: avevo bisogno del suo costante appoggio. La situazione finanziaria del governatorato, già gravemente debilitata per la crisi mondiale, aveva subito perdite di oltre il 50-60 per cento, anche per imperizia di chi l'aveva amministrata. Per porvi rimedio, il cardinale presidente aveva affidato di fatto la gestione dei due fondi dello Stato a un Comitato finanza e gestione, composto da alcuni grandi banchieri, i quali sono risultati fare più il loro interesse che i nostri. Ad esempio, nel dicembre 2009, in una sola operazione ci fecero perdere 2 milioni e mezzo di dollari. Segnalai la cosa al segretario di Stato e alla prefettura degli Affari economici, la quale, del resto, considera illegale l'esistenza di detto comitato. Con la mia costante partecipazione alle sue riunioni ho cercato di arginare l'operato di detti banchieri, dai quali necessariamente ho dovuto spesso dissentire. Sull'operato di questo comitato può ben riferire il professor Gotti Tedeschi che ne è stato membro fino alla sua nomina allo Ior, e sa bene quanto ho cercato di fare per tenere sotto controllo il suo operato.

Viganò sottopone a Ratzinger le criticità che emergono da ogni parte nella gestione del governatorato, indicando i risparmi più significativi, come quello da 850.000 euro nella manutenzione dei giardini vaticani. Con quella somma si è cambiata la centrale termica che permette il riscaldamento di tutti gli appartamenti e gli uffici del piccolo Stato:

> La direzione della ragioneria dello Stato e l'ufficio filatelico e numismatico erano in condizioni pietose: i rispettivi direttori completamente esautorati, il personale in conflitto l'uno contro l'altro. Il mio predecessore era solito trattare con il funzionario che gli era più simpatico, prescindendo completamente dalla catena di comando che prevede responsabilità e compiti in una struttura gerarchica. La direzione dei servizi tecnici era quella più compromessa da evidenti situazioni di corruzione: i lavori affidati sempre alle stesse ditte, a costi almeno doppi di quelli praticati fuori del Vaticano, i nostri tecnici e operai completamente demotivati, perché i lavori invece di essere eseguiti da loro venivano dati a ditte esterne, a costi esorbitanti, ecc. Un regno diviso in piccoli feudi: edilizia interna, edilizia esterna, gestione dei magazzini caotica, una situazione inimmaginabile, del resto ben nota a tutti in curia. In poco più di un anno e mezzo, con grande sforzo e nonostante un costante boicottaggio da parte di chi forse da decenni deteneva il controllo del potere, ho cercato di riprendere in mano la situazione. Ho scorporato la gestione dei giardini vaticani dalla direzione dei servizi tecnici, affidandone la responsabilità al signor Luciano Cecchetti, che lavorava alle ville pontificie. In meno di un anno si è ottenuto un risparmio di 850.000 euro. Con questo denaro si è potuta rinnovare l'intera centrale termica dello Stato. Avrei desiderato che il Santo Padre potesse visitarla per incontrare gli operai dei diversi laboratori e impianti. [...][4]

Il combattivo arcivescovo incontra ostacoli di ogni tipo. A Benedetto XVI evidenzia anche come questa «opera di risanamento è ancora solo iniziata, spesso apertamente contrastata, a volte chiaramente boicottata» da chi doveva garantire, evidentemente, privilegi e interessi. Se si bloccasse la riforma «significherebbe quindi compromettere tutto e soprattutto esporre a vendette e rivalse umilianti quelli più fedeli che mi hanno seguito in quest'opera di rinnovamento».

I risultati raggiunti negli ultimi anni sono clamorosi: si sono ridotti – è una carta forte di Viganò – quasi della metà i costi dei lavori in carico, tagliando quindi voce per voce e incidendo su ogni singola spesa. Un esempio fra i tanti: il presepe di piazza San Pietro, che nel 2009 era costato ben 550.000 euro, nel 2010 ne costerà 300.000. Anche le gare d'appalto ora vengono «effettuate regolarmente». Riguardo ai fornitori sono stati fissati «accordi quadro con importanti ditte come la Siemens, con sconti fino a oltre il 50 per cento». Rafforzate anche le misure di «sicurezza dello Stato e delle ville pontificie [oggetto di strani furti, *nda*]», messi sotto controllo con l'inventario dei magazzini e l'installazione di telecamere collegate alla centrale operativa della gendarmeria. Viganò ripete i risultati incoraggianti di bilancio già condivisi con Bertone. Dati che potrebbero essere modificati:

> È in atto un tentativo, anche con il concorso del sopra citato Comitato finanza e gestione, di manipolare questo bilancio per nascondere i risultati positivi del primo anno della mia gestione. De Paolis ne è al corrente. Tutto ciò è stato possibile grazie a un costante sforzo, per eliminare corruzione, interessi privati e disfunzioni ampiamente diffusi nelle varie amministrazioni. Nessuna meraviglia, quindi, che sia iniziata una campagna stampa contro di me, e azioni per screditarmi presso i superiori, per impedire la mia successione al presidente Lajolo, tanto che ormai è stata data per scontata la mia fine.

Viganò deve essere talmente sconvolto dalla decisione di Bertone che nella conclusione di questo drammatico «testamento morale» commette un clamoroso errore. Viola regole non scritte ma statuarie nella quotidianità della Santa Sede, rischiando di scivolare dalla posizione di chi denuncia fatti gravi a quella di chi vuol mettere il pontefice d'imperio dinanzi a un bivio:

> La notizia dell'udienza che Vostra Santità mi ha concesso è stata letta al governatorato e in curia come l'ormai certa mia rimozione dal governatorato. Ciò creerebbe grande sconcerto e prostrazione nella gran maggior parte dei dipendenti, nel governatorato e in curia. Per la parte sana che ama il Santo Padre, l'eventuale mia rimozione, anche per una promozione a un incarico più importante, sarebbe considerata una sconfitta difficile da accettare, che incrinerebbe la fiducia nella stessa persona del Santo Padre, a cui sta tanto a cuore che si faccia ordine e pulizia nella Chiesa e nella Sua casa in Vaticano. A Sua Santità non ho nulla da chiedere per me, ma solo che mi dia un segno che mostri ai dipendenti del governatorato che il Santo Padre mi rinnova la Sua fiducia. Se il Santo Padre si degnasse di approvarli, sono certo che sarebbe un segno formidabile per dare fiducia a tanti fedeli servitori di Sua Santità, che non desiderano se non servirLo con onestà, generosità e piena dedizione alla Sua persona.

Insomma, per chi ama il pontefice – è l'incauta conclusione dell'arcivescovo – la rimozione sarebbe una sconfitta difficile da accettare, tanto che «incrinerebbe la fiducia nella stessa persona del Santo Padre». Il tono non sarà certo minaccioso, ma è sbagliato. Viganò pone Benedetto XVI di fronte a una scelta: lasciare il monsignore al governatorato, sconfessando Bertone, oppure assecondare il piano del segretario di Stato, rompendo addirittura il rapporto di fiducia con chi lavora in curia.

Piaccia o non piaccia, è chiaro che in Vaticano nessuno può essere così perentorio nei confronti del pontefice. Il papa esercita un potere politico e spirituale assoluto. Viganò ha deciso di rendere pubblico un disagio profondo, avviando una clamorosa battaglia nei sacri palazzi, che potrebbe perdere. I rischi sono altissimi: sia per il linguaggio utilizzato nella lettera sia perché queste denunce violano la consegna al silenzio e la disposizione al compromesso, tipiche del piccolo Stato e consolidate ormai nei secoli.

La congiura contro il cambiamento

Come Boffo, anche Viganò indaga per individuare chi sono e capire come si muovono i suoi nemici. È convinto che la scelta di Bertone di rimuoverlo malgrado i risultati ottenuti sia frutto «di gravi calunnie contro di me e il mio operato». Qualcuno calunnia il presule per metterlo fuori gioco. Ma chi? La risposta che cerca non tarda ad arrivare. Anzi, il monsignore è convinto che si sia consumata una vera e propria congiura ai suoi danni, tale da indurre il segretario di Stato alla scelta della rimozione. E proprio a lui, l'8 maggio 2011, Viganò manda un'altra lettera «riservata-personale» perché «con spirito di lealtà e fedeltà, reputo mio dovere riferire a Vostra Eminenza fatti e iniziative di cui sono totalmente certo, emersi in queste ultime settimane, orditi espressamente al fine di indurre Vostra Eminenza a cambiare radicalmente giudizio sul mio conto, con l'intento di impedire che il sottoscritto subentrasse a Lajolo come presidente del governatorato, cosa in curia da tempo a tutti ben nota».

Prima di leggere questo incredibile resoconto è d'obbligo una premessa. Per valutare i fatti nella prospettiva più corretta. Quanto sostenuto da Viganò, se confermato, sarebbe davvero inquietante. Passo dopo passo, giorno dopo giorno, il numero due del governatorato ricostruisce e annoda vicende ed episodi apparentemente lontani tra loro, facendoli rientrare in una cospirazione ai suoi danni, coinvolgendo persone di potere fuori e dentro la Santa Sede. È una visione talmente circostanziata e, soprattutto, grave, che lascia sorpresi e increduli. Rimane difficile pensare che quanto espresso dal monsignore nella sua denuncia sia vero, ma è anche indiscutibile che, dopo queste lettere, a Viganò è stato affidato un incarico delicato, strategico e di rilievo, quale quello di ambasciatore vaticano addirittura negli Stati Uniti. Un segno concreto, un'espressione di piena e incondizionata fiducia. Se Viganò fosse stato un visionario che accusa laici e sacerdoti ingiustamente sarebbe stato perseguito, isolato, messo in condizione di non nuocere. Non si capisce come possa aver ricevuto un simile incarico se non, forse maliziosamente, interpretandolo come una sorta di «esilio dorato» per chi troppo sa e troppo ha visto:

> Persone degne di fede hanno [...] spontaneamente offerto a me e a sua eccellenza monsignor Corbellini, vicesegretario generale del governatorato, prove e testimonianze dei fatti seguenti. Con l'avvicinarsi della scadenza di detto passaggio di incarichi al governatorato, nella strategia messa in atto per distruggermi agli occhi di Vostra Eminenza, vi è stata anche la pubblicazione di alcuni articoli su «il Giornale» contenenti calunniosi giudizi e malevole insinuazioni contro di me. Già nel marzo scorso, fonti indipendenti, tutte particolarmente qualificate – il dottor Giani [Domenico, responsabile della gendarmeria, *nda*], il professor Gotti Tedeschi, il professor Vian e il dottor Andrea Tornielli, all'epoca vaticanista de «il Giornale» – avevano accertato con evidenza uno stretto rapporto tra la pubblicazione di detti articoli e il dottor Marco Simeon, almeno come tramite di veline provenienti dall'interno del Vaticano. A conferma, ma soprattutto a complemento di tale notizia, è giunta a monsignor

Corbellini e a me la testimonianza, verbale e scritta, di Egidio Maggioni, persona ben introdotta nel mondo dei media, ben conosciuta e stimata in curia, fra gli altri, dal dottor Gasbarri [Alberto, direttore tecnico di Radio vaticana, *nda*], da monsignor Corbellini e da monsignor Zagnoli, già responsabile del Museo etnologico-missionario dei Musei vaticani. Maggioni ha testimoniato che autore delle veline provenienti dall'interno del Vaticano è monsignor Paolo Nicolini, delegato per i settori amministrativo-gestionali dei Musei vaticani. La testimonianza di Maggioni assume un valore determinante in quanto egli ha ricevuto detta informazione dallo stesso direttore de «il Giornale», signor Alessandro Sallusti, con il quale il Maggioni ha una stretta amicizia da lunga data.

L'implicazione di monsignor Nicolini, particolarmente deplorevole in quanto sacerdote e dipendente dei Musei vaticani, è confermata dal fatto che il medesimo monsignore, il 31 marzo scorso, in occasione di un pranzo, ha confidato al dottor Sabatino Napolitano, direttore dei servizi economici del governatorato, nel contesto di una conversazione fra appassionati di calcio, che prossimamente, oltre che per la vittoria del campionato da parte dell'Inter, si sarebbe festeggiata una cosa ben più importante, cioè la mia rimozione dal governatorato. Napolitano confidò, a sua volta, a un fidato collaboratore anch'egli presente al pranzo, detta stupefacente vanteria, aggravata dall'arroganza con cui Nicolini dava per certo che lui stesso avrebbe preso il mio posto come segretario generale.

Su Nicolini sono emersi comportamenti gravemente riprovevoli per quanto si riferisce alla correttezza della sua amministrazione, a partire dal periodo presso la Pontificia università lateranense, dove, a testimonianza di monsignor Rino Fisichella, furono riscontrati a suo carico: contraffazioni di fatture e un ammanco di almeno 70.000 euro. Così pure risulta una partecipazione di interessi del medesimo nella società Sri Group, di Giulio Gallazzi, società questa attualmente inadempiente verso il governatorato per almeno 2.200.000 euro e che, antecedentemente, aveva già defraudato «L'Osservatore Romano» (come conferma-

tomi da don Elio Torreggiani) per oltre 97.000 euro e l'Apsa [l'ente che gestisce il patrimonio immobiliare del Vaticano, *nda*] per altri 85.000 (come assicuratomi da monsignor Calcagno). Tabulati e documenti in mio possesso dimostrano tali affermazioni e il fatto che Nicolini è risultato titolare di una carta di credito a carico della suddetta Sri Group, per un massimale di 2500 euro al mese.[5]
Per quanto riguarda il dottor X, pur essendo per me più delicato parlarne, atteso che dai media risulta essere persona particolarmente vicina a Vostra Eminenza, non posso tuttavia esimermi dal testimoniare che, da quanto personalmente sono venuto a conoscenza in qualità di delegato per le rappresentanze pontificie, il dottor X risulta essere un calunniatore (nel caso a mia precisa conoscenza, di un sacerdote)e che lui stesso è un omosessuale. Tale sua tendenza mi è stata confermata da prelati di curia e del servizio diplomatico. Su questa grave affermazione che faccio nei confronti del dottor X sono in grado di fornire i nomi di chi è a conoscenza di questo fatto, compresi vescovi e sacerdoti.[6]

Il «congiurato» Simeon: figlioccio di Bertone, Geronzi e Bisignani

Il vero detonatore di questa vicenda sarebbe Marco Simeon, indicato in questa missiva come soggetto che avrebbe portato le veline a «il Giornale» ma che, più che altro, dal lontano 2002 è un superprotetto di Bertone. Il suo pupillo. Trentatré anni, figlio di un benzinaio di Sanremo, Simeon si muove con dimestichezza in Vaticano. Laureato in legge, inizia la sua fulgida carriera proprio nella città ligure, dove incontra uno dei suoi primi alleati, il vescovo Giacomo Barabino. Il giovane si distingue nel raccogliere soldi per le iniziative della parrocchia, della diocesi, della Chiesa. Simeon dà prova di doti non comuni, promuovendo iniziative pubbliche anche eclatanti, come quella che gli riuscì, poco più che ventenne, quando portò nella sua città Giulio Andreotti. Senza dimenticare l'incontro con il neocardinale Piacenza, che gli affida la segreteria generale della fondazione che sostiene la Pontificia commissione per i beni culturali della Chiesa. Per capire ancora meglio il personaggio, vale la pena leggere l'incipit del profilo tratteggiato nel libro *La colata*:

> L'occasione della vita è nel 2000 quando, attraverso amicizie sanremesi, [Simeon] riesce ad avere un appuntamento con il cardinale Angelo Sodano, segretario di Stato di papa Giovanni Paolo II. Gli porta in omaggio una bottiglia di pregiato olio di olive taggiasche, la passione del porporato. «In quella sala eravamo in una decina tutti intimoriti» racconterà agli amici. «Io allora tiro fuori la macchina fotografica e gli dico: "Eminenza, facciamo una fotografia?". I segretari mi guardano terrorizzati. Ma lui accetta e sorride e facciamo la foto.» Da lì in poi, la corsa è inarrestabile. Nel 2005 il cardinal Bertone lo chiama nel consiglio di amministrazione dell'ospedale Galliera di Genova, e contemporaneamente lo nomina priore del Magistrato di Misericordia [storica fondazione genovese da oltre 592 anni, *nda*]. Un anno dopo eccolo entrare nel cda della Fondazione Carige.[7]

Bagnasco, nuovo arcivescovo di Genova, partecipa alle cene conviviali del Magistrato di Misericordia, ma quando il mandato di Simeon va in scadenza, nel 2010, ben si guarda dal rinnovarglielo e sceglie come successore un notaio, Piermaurizio Priori, che non usa mezze misure: «La precedente gestione ha costretto la fondazione a indebitarsi [...] per le cene, le "cardinal dinner", ho pagato tanti debiti, molti di quelli che dovevano erogare grandi cifre hanno reputato che non fosse più il caso [...] discontinuità se non altro nelle spese e nelle pomposità dell'Ente rispetto al passato».[8] Il giovane però non dispera. È intraprendente. Una porta si chiude, cento se ne aprono. La svolta successiva è il collegamento con il banchiere Cesare Geronzi che lo porta prima in Capitalia, come responsabile delle relazioni istituzionali, poi a Mediobanca. Creando tensioni e frizioni. A Capitalia in molti non possono vedere Simeon, a iniziare da uno dei manager all'epoca più vicini a Geronzi, Matteo Arpe. Stessa situazione a Mediobanca dove, infastiditi dai metodi del ligure, un paio di importanti manager, a cominciare da Alberto Nagel, in un incontro tesissimo chiedono a Geronzi la testa di Simeon: il giovane verrà paracadutato in Rai con l'incarico di direttore delle Relazioni istituzionali e internazionali.

A sollevare perplessità sull'operato di Simeon sono anche alcune operazioni immobiliari, come la mediazione nella vendita alla Lamaro costruzioni dei fratelli Toti di un convento delle suore dell'Assunzione, villa più parco in via Romania, nel quartiere Parioli a Roma. Simeon porta a casa un milione e 300.000 euro di provvigione, creando malumori in curia. A Bertone arriva una precisa relazione con tanto di allegati sulle attività immobiliari del giovane, ma la documentazione rimane lettera morta. Simeon è e rimane un pupillo del segretario di Stato. Nulla cambia, nemmeno quando aleggiano leggende sul suo conto (come l'adesione all'Opus Dei, smentita dal portavoce Pippo Corigliano),[9] o il suo nome compare in inchieste e intercettazioni senza mai però finire direttamente coinvolto.

Di certo Simeon è amico fedele di Luigi Bisignani, lo stesso lobbista che agli inizi degli anni Novanta aveva portato proprio allo Ior, la banca del papa, una parte significativa della mazzetta Enimont, per sciogliere il matrimonio dell'epoca tra la Montedison di Raul Gardini e dei Ferruzzi e l'Eni di Gabriele Cagliari. Così in Vaticano viene riciclata la più grande tangente mai scoperta nella storia della Repubblica. Quando esplode il caso Viganò, nel febbraio del 2012, in un'intervista a Carlo Tecce su «il Fatto Quotidiano», Simeon ribadisce l'asse con Bertone: «È un maestro, mi ha sempre consigliato le strade migliori. [...] Il mio unico capo è il Santo Padre. [...] È falso che io sia il vaticanista occulto de "il Giornale". Viganò ha ricevuto notizie sbagliate. [...] Smentisco qualsiasi rottura fra il papa e Bertone».

Ultimo appello a Ratzinger

La chiamata in causa di Simeon porta la tensione ai massimi livelli. In quei giorni, la commissione istituita per valutare le accuse mosse da Viganò ascolta diversi protagonisti delle vicende esposte dal monsignore. Che non parlano con i giornalisti essendo vincolati dal segreto pontificio. Senza attendere la conclusione dei lavori della commissione, Benedetto XVI prende la sua decisione e formalizza la scelta di mandare Viganò negli Stati Uniti. La comunicazione ufficiale è del 2 luglio 2011, giorno in cui Bertone consegna *brevi manu* al monsignore il documento di nomina.

La battaglia sembra persa. «Di certo una battaglia assai accesa – spiega oggi un cardinale di primo piano –, Viganò ha personalizzato troppo, coinvolgendo il segretario di Stato. E chi in Vaticano non protegge il segretario di Stato? Certi personaggi vanno sempre protetti pubblicamente, altrimenti si potrebbe arrivare a delle conseguenze molto gravi che bisogna evitare.» Viganò verrà quindi spedito negli Usa. Lo scoramento nel monsignore è immaginabile. Cerca comunque di salvare quanto può puntando almeno su un rinvio del trasferimento. Per questo il 7 luglio si rivolge ancora e direttamente al pontefice con una nuova lettera. Lo prega di far slittare la data di qualche mese per evitare che il fatto venga letto «come una punizione». E muove ancora delle critiche:

> *Beatissimo Padre,*
> in altre circostanze tale nomina sarebbe stata motivo di gioia e segno di grande stima e fiducia nei miei confronti ma, nel presente contesto, sarà percepita da tutti come un verdetto di condanna del mio operato e quindi come una punizione. Nonostante la grave lesione alla mia fama e gli echi negativi che questo provvedimento provocherà, la mia risposta non può essere che di piena adesione alla volontà del Papa, come sempre ho fatto durante il mio ormai non breve servizio alla Santa Sede. Anche di fronte a questa dura prova, rinnovo con profonda fede la mia obbedienza assoluta al Vicario di Cristo. L'incontro concessomi da Vostra Santità il 4 aprile scorso mi aveva recato grande conforto; così come la successiva notizia che il Papa aveva istituito una speciale commissione *super partes*, incaricata di chiarire la delicata vicenda in cui sono stato coinvolto; e così pure mi era sembrato ragionevole sperare che ogni eventuale provvedimento a mio riguardo sarebbe stato preso solo a conclusione dei lavori di detta commissione.[10] Mi ha poi ancor più addolorato il sapere, a seguito dell'udienza con il cardinale segretario di Stato il 2 luglio corrente, che Vostra Santità condivide il giudizio [...] che io sarei colpevole di aver creato un clima negativo al governatorato, rendendo sempre più difficili le relazioni tra la segreteria generale e i responsabili degli uffici, tanto da rendere necessario il mio trasferimento.
> Al riguardo, desidero assicurare Vostra Santità che ciò non corrisponde minimamente alla verità. Gli altri cardinali membri della Pontificia commissione del governatorato, che sanno bene come ho agito in questi due anni, potrebbero informarLa con maggior obiettività, non essendo essi parte in causa in questa vicenda, e provare facilmente quanto siano lontane dal vero le

informazioni che Le sono state riferite sul mio conto, che sono poi state il motivo della Sua decisione nei miei confronti. Mi angustia poi il fatto che, dovendo purtroppo prendermi cura personalmente di un mio fratello sacerdote più anziano, rimasto gravemente offeso da un ictus che lo sta progressivamente debilitando anche mentalmente, io debba partire proprio ora, quando ormai intravedevo di poter risolvere in pochi mesi questo problema familiare che tanto mi preoccupa. Santità, per le ragioni sopra esposte, mi rivolgo a Lei con fiducia per chiederLe, a tutela della mia buona fama, di rinviare per il tempo necessario l'attuazione della decisione da Lei già presa, che in questo momento suonerebbe come un'ingiusta sentenza di condanna nei miei confronti, basata su comportamenti che mi sono stati falsamente attribuiti, e di affidare il compito di approfondire la reale situazione di questa vicenda, che vede coinvolti anche due cardinali, a un organo veramente indipendente, quale ad esempio la Segnatura Apostolica. Ciò permetterebbe di far sì che il mio trasferimento possa essere percepito come un normale avvicendamento e di consentirmi, altresì, di trovare più facilmente una soluzione per mio fratello sacerdote. Qualora Vostra Santità me lo concedesse, desidererei ardentemente, a onore del vero, poterLe fornire personalmente gli elementi necessari a chiarire questa delicata vicenda, di cui certamente il Santo Padre è stato tenuto all'oscuro. Con profonda venerazione, rinnovo a Vostra Santità sentimenti di filiale devozione.

Perché e in che termini sono coinvolti due cardinali, cosa avrebbero compiuto non si è mai capito. Di certo Viganò indica il particolare retroscena per sottolineare come su questa vicenda possano esercitarsi fortissime pressioni. Rimangono ampie zone oscure in un momento di grande tensione per la piccola cittadella, come testimoniano i velenosi anonimi che proprio in quel periodo arrivano nelle buche delle lettere di porporati e monsignori sia contro Bertone, oggetto di minacce di morte, sia contro monsignor Giuseppe Sciacca, già indicato come successore di Viganò al governatorato. Un trasferimento che quindi fa rumore e crea forte malessere.

A difesa di Viganò: porporati e la governante del papa

A sostegno del monsignore si coagula un fronte interno ed eterogeneo, che avvia iniziative personali e di gruppo. Scendono in campo diversi porporati italiani di rilievo, seppur avanti con gli anni: Giovanni Battista Re, l'ex segretario di Stato Angelo Sodano, il bibliotecario di Santa Romana Chiesa Raffaele Farina e lo svizzero Georges Cottier, proteologo della Casa pontificia. Alcuni vanno a parlare con il segretario del pontefice, altri scrivono direttamente a Ratzinger. A fare un passo avanti in nome di tutti è il cardinale Agostino Cacciavillan, un passato anche lui da diplomatico come Viganò. Agli inizi di agosto Cacciavillan si rivolge a monsignor Giovanni Angelo Becciu, sostituto della segreteria di Stato, affinché inoltri «alla benevola considerazione del Santo Padre – si legge su un cartoncino vergato a mano dall'anziano porporato – l'unito appunto riservato». Si tratta di un documento che suona come un appello per fare in modo che Ratzinger ritorni sui suoi passi. Quasi una petizione che arriva sulla scrivania di Benedetto XVI, in cui si chiede di non mandare il presule fuori le mura, ma di promuoverlo, assicurandogli la nomina cardinalizia.

È Cacciavillan a scrivere, dopo aver sentito gli altri cardinali del gruppo, forse perché conosce impegno e fatiche dell'incarico negli Stati Uniti, essendo stato nunzio apostolico negli Usa per otto anni. A buon titolo può esprimere l'inopportunità innanzitutto anagrafica che Viganò lo segua in quel ruolo. Quest'ultimo compirà infatti 71 anni il 16 gennaio 2012, è troppo anziano: gli Usa sono un paese vasto, attraversato da problematiche profonde che richiedono «straordinario impegno – scrive Cacciavillan a Ratzinger –, con tante esigenze di lavoro, di viaggi». L'età avanzata potrebbe sia provocare «un disagio personale» del candidato nunzio, sia suscitare la diffidenza nella comunità dei vescovi:

> I vescovi degli Stati Uniti potrebbero accoglierlo con un senso di sorpresa, di perplessità. Perché uno di questa età e con un importante incarico in Vaticano non ottiene una promozione colà? A Washington tutti i nunzi venivano da un'altra nunziatura; perché ora un segretario del governatorato? Quindi il sospetto che ci sia stato qualche cosa [...], e cioè riprenderebbero certe voci uscite anche sulla stampa, ossia un «allontanamento punitivo», mentre monsignor Viganò ritiene di essere vittima, di aver subito qualche trattamento non corretto [...] Oppure voci di tensioni e contrasti tra lui e i superiori. In ogni caso, voci sgradevoli e incresciose, che ovviamente sarebbe meglio evitare.

Cacciavillan offre quindi un argomento solido per ricomporre la frattura. Anzi, sostiene che la nomina a nunzio sarebbe vissuta nella Chiesa americana come una sospetta *diminutio*, contrariamente al principio classico del *promoveatur ut amoveatur*. Proprio su questo punto, confermando l'antico detto, il porporato giudica senza remore «molto più normale e comprensibile un trasferimento promozione a Roma *et quidem* alla prefettura degli Affari economici, che era stata destinata al compianto monsignor Pietro Sambi». Una rimozione con promozione quindi. Il piano viene presentato al pontefice come già predisposto nei dettagli dopo gli incontri con Re, Sodano e gli altri cardinali. È stato sentito anche il successore di Viganò al governatorato, monsignor Sciacca, per evitare che possa risentirsi.[11]

Un piano che però non è per nulla condiviso nel palazzo apostolico. Così a settembre c'è il passaggio delle chiavi: Viganò lascia l'ufficio del governatorato a monsignor Sciacca. Un mese dopo, a sorpresa, il presule incontra però un altro sostegno significativo e inatteso. Fuori dalle logiche e dalle geometrie di potere. È quello di una delle poche donne che il pontefice ascolta: Ingrid Stampa, la fedele governante di Benedetto XVI, che a inizio autunno vive giorni di profonda amarezza, come pochi altri inquilini del palazzo che ospita la «famiglia» del Santo Padre. In cuor suo spera che Viganò rimanga comunque in Vaticano, magari proprio alla prefettura degli Affari economici, come suggeriscono i cardinali. Certo, Viganò perderebbe l'incarico al governatorato, ma non subirebbe l'onta di un allontanamento che verrebbe vissuto da tutti come una punizione: dover lasciare il piccolo Stato nel cuore di Roma dopo una vita passata dentro le mura leonine. La Stampa spera di parlarne direttamente al papa, scegliendo, tra le sue preghiere serali, le parole più giuste per tentare di influenzare in qualche modo scelte che paiono ormai definitive. Con un certo coraggio si espone in prima persona con Benedetto XVI in un incontro collocabile tra settembre e ottobre del 2011. Il contenuto del colloquio non è noto ma l'esito anche in questo caso è negativo. E così quel malessere dentro le mura cresce. «Tutti noi – ricorda ora la fonte Maria – leggevamo la storia di Viganò come quella di un monsignore di coraggio, vittima di una cospirazione. Il Santo Padre non sembrava percepire la dimensione di questa vicenda, forse perché informato solo in parte o tenuto all'oscuro.»

Ogni iniziativa sembra destinata a fallire. Il destino di Viganò è ormai scritto. Ratzinger non lo difende. Anzi, lascia carta bianca al suo primo collaboratore, acerrimo nemico proprio dell'ormai ex segretario generale del governatorato. Bertone non vede l'ora che sia allontanato dai giochi della curia romana. A novembre Viganò si prepara per il volo intercontinentale che l'attende: sarà lui a prendere il posto di monsignor Sambi, deceduto a Baltimora a luglio. La mattina del 7 novembre il gelido incontro di saluto con il papa nell'udienza di rito. Al suo posto da qualche settimana c'è anche un nuovo presidente: dal 1° ottobre, infatti, il cardinale Giuseppe Bertello, nunzio apostolico in Italia, ha preso il posto di Lajolo.[12] Eppure i grattacapi di Viganò non sono finiti. Altre criticità lo attendono negli Usa.

La difesa a quadrato del Vaticano

Quando la storia di una presunta Tangentopoli vaticana supera le mura leonine con la puntata de *Gli Intoccabili* su La7 dedicata alla vicenda, il Vaticano fa quadrato, inizialmente difendendo anche Viganò per poi scaricarlo, stringendosi tutti, almeno in apparenza, a Bertone. Due i punti centrali sui quali si insiste, sia nei primi comunicati di padre Lombardi sia in quello congiunto diffuso settimane dopo e firmato da Lajolo e dal nuovo vertice del governatorato:[13] nessuna corruzione, nessuna congiura.

La stessa linea accomuna tutta la Santa Sede. Si nega che possano esserci casi di corruzione: «Corruzione non mi pare – afferma giocando un po' con le parole il cardinale De Paolis, presidente emerito della prefettura che controlla gli affari economici in Vaticano – forse fenomeni di mancanza di correttezza, ma la correttezza è oggettiva, non è cattiveria o malafede, tutti nella vita possiamo avere la mancanza di correttezza».[14] Se Viganò è riuscito a risparmiare, riducendo, come è pronto a dimostrare, del 50 per cento i costi delle commesse, è per bravura sua e non perché qualcuno ci guadagnava.

Altro punto: si nega la congiura contro il presule. Anzi, la spedizione oltreoceano è da leggersi come un incarico di prestigio. «Tutto sommato – prosegue serafico De Paolis – ha conservato la stima del papa, perché mandare un nunzio a Washington è un'altissima responsabilità... Anche se ha avuto dei contrasti non mi sembra abbia danneggiato in modo rilevante la sua figura. Perché il Santo Padre gli ha conservato stima e fiducia, tanto che appunto l'ha nominato nunzio.» Le sue denunce erano allora sagge ma mal riposte? «Non lo so io – svicola De Paolis –, i problemi sono da vedere sotto diversi profili... come mai una volta prevale un profilo e non un altro... sono questioni legate alle persone e al modo di rapportarsi che fan parte della vita... Diversi tipi di sensibilità.»[15]

Il passaggio successivo è dare una spiegazione credibile al perché Viganò abbia accusato porporati e prelati. Ci pensa in un'intervista a Tgcom24 l'ex superiore del presule lombardo, il cardinale Lajolo, che per ridimensionare la vicenda liquida le accuse di Viganò come «dettate da un animo ferito». Insomma, chi le ha formulate «ha seguito piste sbagliate» cadendo in «errori» e «contraddizioni». Ed è un rosario di smentite, rettifiche. Chi sminuisce il ruolo di Viganò, chi le sue accuse. Chi, come Simeon, nega di essere un congiurato e di aver avuto attriti con Viganò, chi, come Nicolini, pur essendo chiamato in causa e duramente accusato da Viganò, oggi rimane in sella, responsabile amministrativo dei Musei vaticani. Insomma, innocente e inamovibile. Questo «persino dopo un provvedimento – scrive nel marzo del 2012 il quotidiano "la Repubblica" – "di rimozione" deciso nel luglio scorso dalla Commissione disciplinare del Vaticano. "Se Nicolini è ancora lì, dopo il nostro pronunciamento, vuol dire che è ben protetto *in alto loco*", lamentano alcuni esponenti della stessa Commissione disciplinare, dove sembra che qualcuno stia pensando di appellarsi al papa».

Lajolo abbozza una visione minimalista di quanto accaduto: «Viganò formulò quelle accuse perché si vide messo ingiustamente in cattiva luce da alcune notizie stampa, e ne rimase profondamente ferito. Nel cercare i responsabili, egli partì da sospetti, rivelatisi infondati, e si mise su una pista sbagliata, che lo portò a inserire il suo caso in un quadro più ampio con una serie di analisi che un più attento e spassionato esame ha rivelato erronee. Non mi pare che si possa dire che egli sia stato punito. L'ufficio di nunzio apostolico negli Stati Uniti è un incarico di grandissimo prestigio, che gli offre l'occasione di dare ottima prova di sé». E i costi del presepe? «Non c'è dietro alcuno sperpero ingiustificabile» ribatte il porporato.

Forse, però, per comprendere l'operato di Viganò, è meglio rivolgersi a chi ha lavorato con lui. Chi ha vissuto giorno dopo giorno l'azione di pulizia portata avanti nel governatorato era il suo braccio destro, monsignor Giorgio Corbellini, memoria storica dell'ente. Corbellini è approdato al governatorato nel 1992, ai tempi del potente cardinale venezuelano José Rosalio Castillo Lara, per rimanerci diciannove anni, fino al settembre 2011. Quando, nell'incontro del gennaio 2012, pronuncio il nome di Viganò, il monsignore ha come un sussulto. Si irrigidisce, mi chiede se è proprio necessaria l'intervista. «Sì, per capire.» Per Corbellini l'opera di Viganò è stata fondamentale in quanto ha cercato di allineare l'attività del governatorato «con i principi di fondo del Santo Padre», sebbene si possano sempre incontrare difficoltà perché «dove ci sono gli uomini ci possono essere dei rischi». Per questo Viganò «si è impegnato molto – prosegue l'ex braccio destro del presule – per maggior trasparenza sugli appalti. Il Vaticano è un continuo cantiere, non è cosa di poco conto: si tratta di gestire e ristrutturare edifici e strutture di notevolissimo pregio, quindi il non intervenire vuol dire porsi successivamente davanti alla necessità d'interventi assai più costosi. Abbiamo pensato di incidere su settori specifici che sembravano problematici, come nel caso dei giardini, dove non c'era una gestione oculata. Non si trattava di scorrettezze quanto di mancanza di ordine nella gestione dei conti: in un anno siamo riusciti a risparmiare credo la metà di quello che di solito si spendeva, arrivando a 700.000 euro, che sono stati destinati a un intervento che non era previsto: la nuova centrale termica».

Ma è vero che ogni fornitore in Vaticano ha un santo in paradiso? «Non è una tendenza negativa, bisogna tenere chi ha dato buona prova del proprio lavoro. È stato fatto con Viganò un albo che formalmente non esisteva, anche se c'era sicuramente già un elenco dei fornitori abituali. Poi è anche vero che le gare d'appalto sono gare non nel senso tecnico, perché i nostri superiori si riservano la possibilità di operare scelte diverse valutando non solamente l'aspetto economico.»

Bancarotta delle diocesi americane

Novembre 2011. Appena insediato a Washington nell'elegante palazzo a due piani al 3339 della Massachusetts Avenue che ospita la nunziatura, nel quartiere diplomatico della capitale, il nuovo ambasciatore, monsignor Carlo Maria Viganò, ritrova sulla scrivania i problemi che aveva appena lasciato in Vaticano: far quadrare i conti, imporre rigore. La storia del monsignore neodiplomatico viene seguita ancora dal gruppo della mia fonte. «Per lui – mi dice Maria una sera davanti a due pizze consumate nei cartoni a casa mia – la sorpresa suona come una beffa. Non è piacevole per un uomo preciso, pignolo, tignoso e, soprattutto, amareggiato, ritrovarsi a risolvere questioni di denaro e di malcostume dopo esser stato allontanato da Roma e mandato in una sorta di esilio "dorato", proprio a causa delle frontali denunce di malagestione del denaro in Vaticano.» Sulla scrivania il diplomatico trova diverse questioni critiche, da gestire immediatamente e senza compiere passi falsi. I rapporti con la segreteria di Stato sono infatti tesi dopo l'epilogo fallimentare del braccio di ferro con Bertone.

Viganò ne ha viste tante in una carriera diplomatica di prestigio, ma mai gli era capitato di imbattersi in un tornado come quello che si è abbattuto sui conti della Chiesa negli Stati Uniti: i pesanti riflessi economici dei processi ai sacerdoti pedofili. Una storia che va avanti ormai da dieci anni quando, dopo le prime avvisaglie nel 2001, nel 2002 esplode il caso nella diocesi di Boston costretta a risarcire 6,2 milioni di dollari alle vittime di preti pedofili, convincendole così a evitare i tribunali. Nel 2007 le diocesi negli Usa avevano sborsato già 900 milioni di dollari tra accordi e patteggiamenti. Ed era solo l'inizio. Negli ultimi anni la somma è lievitata a dismisura. Siamo a «4500 casi di pedofilia nella Chiesa degli Stati Uniti – scrive il vaticanista de "La Stampa" Giacomo Galeazzi[16] –, con 2,6 miliardi di dollari di risarcimenti pagati fino a oggi».[17] Somme che mandano all'aria i conti delle curie. Sono già sette quelle che hanno finora presentato istanza di fallimento per scandali legati agli abusi sessuali. Al commissariamento della diocesi di Milwaukee è seguita la bancarotta di quella di Fairbanks, che ha sborsato risarcimenti a 150 vittime di abusi nel 2008.

Il primo caso che Viganò affronta è quello segnalato da monsignor William Francis Malooly, vescovo di Wilmington, la diocesi che si estende su tutto il Delaware e la costa orientale del Maryland, con 230.000 fedeli. Lo scandalo degli abusi sessuali su minori da parte dei sacerdoti della sua diocesi aveva determinato la decisione di presentare nel 2009 istanza di fallimento per sanare i numerosi contenziosi pendenti. Ora all'orizzonte, dopo anni di battaglie legali, c'è la prospettiva di patteggiare un megarisarcimento da 77 milioni di dollari, come spiegherà nel febbraio 2012 un portavoce del vescovo al «Washington Post». Per questo Malooly, già mesi prima, aveva cercato di correre ai ripari. Il 7 ottobre 2011 aveva inviato un report riservato in nunziatura per ottenere un prestito da dieci milioni di dollari. Denaro necessario come ossigeno per raddrizzare i bilanci e poter onorare il risarcimento indicato nel patteggiamento. Il nuovo nunzio analizza i conti e si accorge che mancano i fondi. Il fenomeno dei risarcimenti rischia di mettere in ginocchio la Chiesa cattolica negli Stati Uniti. Così il 23 novembre Viganò gira il problema direttamente alla Santa Sede. Fa predisporre un messaggio cifrato, utilizzando codici criptati che ricordano quelli della Seconda guerra mondiale. Messaggio da mandare subito a Roma per far capire che la situazione potrebbe precipitare. Viganò batte cassa. Il destinatario è uno dei cardinali più in ascesa, Piacenza, prefetto della congregazione per il clero, ligure come Bagnasco e Bertone. Il testo è diretto:

> Prego comunicare congregazione per il clero: con rapporto n. 14.180 in data del 7 ottobre c.a., è stata inviata a codesto dicastero la richiesta dell'Ecc.mo monsignor Malooly, vescovo di Wilmington, di un prestito per una somma di US$ 10,000,000 (dieci milioni di US dollari), al fine di pagare l'obbligo imposto dalla Corte federale di bancarotta. Il presule abbisogna di tre

settimane per contrattare il prestito in parola. Data l'urgenza della scadenza si prega cortesemente di far pervenire a questa nunziatura una risposta a detta richiesta. †Viganò.

La preoccupazione del nunzio è che vicende come quelle di Wilmington possano indebolire ulteriormente la Chiesa negli Usa e metterla in una posizione meno incisiva, soprattutto in vista del delicato appuntamento con le primarie per le presidenziali negli Stati Uniti, momento di rilievo nei rapporti tra la comunità di vescovi americani e i partiti democratico e repubblicano. Di certo, quando la vicenda Viganò nel febbraio del 2012 diventa di dominio pubblico, i rapporti tra nunziatura Usa e segreteria di Stato subiscono un ulteriore raffreddamento e mettono lo stesso Viganò in difficoltà. In un primo momento i suoi nemici lo indicano come la fonte che avrebbe passato i documenti ai media, eventualità impossibile conoscendo la riservatezza del monsignore che, più volte contattato con fax, email e telefonate in nunziatura, non ha mai risposto. L'aspetto più problematico della questione è comunque quello relativo ai rapporti tra la comunità di vescovi negli Stati Uniti e la Santa Sede. Se il diplomatico che dovrebbe costituire l'anello di congiunzione è messo in mora dal Vaticano, chi terrà i rapporti? È questa la domanda che rivolge una delegazione di vescovi Usa, che sorvola l'Atlantico per ottenere risposte. Le stesse risposte che ancora oggi deve dare Viganò.

---

[1] Nato a Varese nel 1941, ordinato sacerdote nel 1968, Viganò è stato già nunzio apostolico in Nigeria negli anni Novanta e nel 1998, nell'ambito della segreteria di Stato, gli è stata affidata la delega per le rappresentanze pontificie.

[2] Il 12 marzo sul quotidiano di via Negri nella rubrica «Sotto la Cupola» compare l'articolo dal titolo emblematico *Le finanze del Vaticano non decollano: cercasi governatore*, firmato con la sigla di fantasia «TOs». Sul punto, mesi dopo, agli inizi del 2012, il direttore Alessandro Sallusti, non rivelando l'identità di chi si cela dietro la firma «TOs», spiegherà che l'estensore dell'articolo era una fonte interna della Santa Sede, utilizzata per alcuni articoli.

[3] Nella lettera Viganò sottolinea anche che, dopo la pubblicazione dell'articolo, Bertone non ha reagito, lasciandolo quindi «profondamente amareggiato per la mancanza di una sola parola di solidarietà di Vostra Eminenza nei miei confronti e di deplorazione e neppure di dissociazione da parte Sua dal contenuto e dai toni diffamatori di detto articolo – come invece aveva fatto Andrea Tornielli, vaticanista de "il Giornale" ora passato a "La Stampa" perché in completo disaccordo con il suo direttore su questo genere di articoli anonimi, da lui definiti "mafiosi", basati su veline provenienti dall'interno del Vaticano – a totale smentita del contenuto di detto articolo». Nei mesi successivi Tornielli, pur prendendo le distanze dall'articolo e criticandolo, negherà di aver utilizzato il termine «mafiosi».

[4] Viganò ha anche portato a termine una riorganizzazione degli uffici, introducendo criteri di trasparenza nell'assegnazione dei lavori con un controllo sullo stato d'avanzamento e di spesa: «Ho costituito tre nuovi uffici presso il segretario generale: l'ufficio acquisti beni e servizi, l'ufficio controllo interno e l'ufficio programmazione e controllo di gestione, stabilendo nuove procedure per l'apertura dei lavori, garantendone la copertura economica e un'analisi previa un monitoraggio in corso d'opera e il collaudo alla fine dei medesimi».

[5] Su monsignor Nicolini, Viganò è assai duro: «Altro capitolo che riguarderebbe sempre Nicolini – prosegue il documento – concerne la sua gestione ai Musei vaticani. Su questo punto numerose sarebbero le cose da dire che toccano diversi aspetti della sua personalità: volgarità di comportamenti e di linguaggio, arroganza e prepotenza nei confronti dei collaboratori che non mostrano servilismo assoluto nei suoi confronti, preferenze, promozioni e assunzioni arbitrarie fatte a fini personali; innumerevoli sono le lamentele pervenute ai superiori del governatorato da parte dei dipendenti dei Musei che lo considerano persona spregiudicata e priva di senso sacerdotale. Poiché i comportamenti sopra descritti di Nicolini, oltre a rappresentare una grave violazione della giustizia e della carità, sono perseguibili come reati, sia nell'ordinamento canonico che civile, qualora nei suoi confronti non si dovesse procedere per via amministrativa, riterrò mio dovere procedere per via giudiziale».

[6] Un altro presunto cospiratore sarebbe un manager laico che lavora in Vaticano: «A tale azione di denigrazione e di calunnie nei miei confronti ha

contribuito anche Saverio Petrillo, che si è sentito ferito nel suo orgoglio per un'inchiesta condotta dalla gendarmeria pontificia. Era un atto dovuto a seguito di un furto avvenuto l'anno scorso nelle Ville pontificie di cui il medesimo Petrillo non aveva informato né i superiori del governatorato né la gendarmeria. A provocare poi una sua ulteriore reazione contro di me è stata la decisione presa dal presidente Lajolo (e non da me) di affidare la gestione delle serre delle Ville al signor Luciano Cecchetti, responsabile dei giardini vaticani, con l'intento di creare una sinergia fra le esigenze di questi ultimi e le risorse disponibili nelle Ville pontificie, il cui debito di gestione annuale raggiunge i 3 milioni e mezzo di euro. Anche per quanto riguarda questo inaccettabile comportamento del dottor Petrillo, non mancano certo i testimoni, dato che se ne è pubblicamente vantato ("Viganò ha passato ogni limite e deve essere rimosso dal governatorato") con persone leali che me ne hanno dato testimonianza, dall'Appartamento privato fino ai corridoi del governatorato».

[7] Ferruccio Sansa, Andrea Garibaldi, Antonio Massari, Marco Preve, Giuseppe Salvaggiulo, *La colata*, Chiarelettere, Milano 2010.

[8] Al.C., *Il cardinal dinner di Simeon? La cena dei debiti*, «Il Secolo XIX», 31 dicembre 2010.

[9] È una email pubblicata il 14 giugno 2011 da «Il Secolo XIX», firmata Pippo Corigliano, portavoce dell'Opus Dei, che chiarisce come «Simeon non è "targato" Opus Dei perché non è un fedele della Prelatura».

[10] Per Viganò è infatti importante che la commissione concluda i suoi accertamenti «anche perché non apparisse punito chi, per dovere d'ufficio, aveva segnalato al suo immediato superiore, il cardinale Lajolo, fatti e comportamenti gravemente riprovevoli che, del resto, monsignor Corbellini, vicesegretario generale, aveva invano più volte già riportato e documentato al medesimo superiore – molto prima della mia venuta al governatorato – e che, in mancanza di un intervento del medesimo cardinale, si era sentito in dovere di riferire anche in segreteria di Stato».

[11] «Monsignor Sciacca, uomo e sacerdote di grandi qualità e capacità (pure lui con qualche difetto) – prosegue la lettera di Cacciavillan al pontefice –, conferma, come sempre ha pensato e detto, la propria disponibilità per la nomina alla prefettura degli Affari economici (segretario, vescovo), già decisa tempo addietro. Inoltre, egli prega vivamente che tale nomina venga pubblicata insieme con quella del nuovo presidente del governatorato, nell'ipotesi che Viganò continui per qualche tempo al governatorato con il nuovo presidente. Questo desiderio di Sciacca io sosterrei caldamente come valido, sotto vari aspetti. Così terminerebbero la disagevole incertezza del monsignore e commenti circa il medesimo. Se Viganò continua al governa-

torato, ad esempio per un paio di mesi, con il nuovo presidente, dovrebbero sperabilmente colà calmarsi le acque. Quindi l'arcivescovo Viganò accetterebbe volentieri la nomina a prefetto della prefettura degli Affari economici della Santa Sede. Sciacca, intanto già segretario vescovo in quell'ufficio, sarebbe lieto di lavorare con Viganò come presidente. Segretario del governatorato potrebbe poi essere nominato monsignor Giorgio Corbellini.»

12 Il 2 settembre il cardinale Lajolo manderà una lettera di ringraziamento a Benedetto XVI, nella quale sottolinea le difficoltà incontrate: «Dal profondo del cuore ringrazio il "Padrone della Vigna" per questo come per gli altri uffici ai quali nel corso degli anni del mio sacerdozio sono stato chiamato, senza alcuna mia aspettazione. Non sono mancati momenti difficili per cause esterne come per cause interne all'ufficio, ma ho sempre potuto sperimentare l'aiuto della Divina Provvidenza e il benevolo sostegno di Vostra Santità».

13 Nel lungo comunicato, settimane e settimane dopo la diffusione delle lettere di Viganò, il vertice vecchio e nuovo del governatorato reagisce alle accuse dell'ex segretario generale: «Le asserzioni in esse contenute non possono non causare l'impressione che il governatorato, invece di essere uno strumento di governo responsabile, sia un'entità inaffidabile, in balia di forze oscure. [...] Dette asserzioni sono frutto di valutazioni erronee, o si basano su timori non suffragati da prove, anzi apertamente contraddetti dalle principali personalità invocate come testimoni. [...] Gli investimenti finanziari, affidati a gestori esterni, subirono rilevanti perdite durante la grande crisi internazionale del 2008. Secondo criteri contabili stabiliti dalla prefettura degli Affari economici della Santa Sede in aderenza ai criteri stabiliti in Italia, dette perdite vennero distribuite anche sull'esercizio del 2009, che segnò quindi un passivo per euro 7.815.000. Va peraltro rilevato che, a prescindere dalle perdite finanziarie, la gestione economico-funzionale del governatorato restò in attivo. Il passaggio dal risultato negativo al risultato positivo del 2010 fu dovuto principalmente a due fattori: alla gestione degli investimenti finanziari del governatorato, affidata dal cardinale presidente all'Apsa sezione straordinaria nel 2009, e, in misura ancor maggiore, agli eccellenti risultati dei Musei vaticani. Gli appalti per nuove opere di un certo rilievo – come per esempio il restauro in corso del colonnato di piazza San Pietro o la costruzione della fontana di San Giuseppe – vengono assegnati con regolare gara e dopo esame da parte di una commissione *ad hoc*, istituita di volta in volta dal presidente. Per i lavori di non grande entità la direzione dei servizi tecnici si avvale del proprio personale o anche di ditte esterne qualificate, ben conosciute, sulla base di prezziari in uso in Italia. La presidenza esprime piena fiducia e stima agli illustri membri del Comitato finanza e gestione e li ringrazia per il prezioso contributo da loro

prestato con riconosciuta professionalità e non poco dispendio di tempo, senza alcun onere per il governatorato, confidando di poter continuare ad avvalersi del loro consiglio anche in futuro. La presidenza conferma altresì la sua piena fiducia nelle direzioni e nei vari collaboratori, essendosi rivelati infondati – dopo accurato esame – sospetti e accuse».

[14] Intervista rilasciata all'autore, gennaio 2012.

[15] Intervista rilasciata all'autore, gennaio 2012.

[16] Giacomo Galeazzi, *Lo sconvolgente viaggio nello scandalo pedofilia che ha travolto molte comunità*, «La Stampa», 6 marzo 2012.

[17] La stima dei risarcimenti Usa alle vittime di preti pedofili più credibile è quella del sito Vaticaninsider.it che indica in tre miliardi di dollari la somma destinata per chiudere le pendenze. Un importo che va scorporato in due voci: due miliardi per risarcimenti effettivi, un miliardo da dividere tra spese legali e decisioni extragiudiziali. Vanno poi aggiunti altri due miliardi di «danno d'immagine», stando almeno alla valutazione espressa da due esperti, Michael Bemi, presidente del National Catholic Risk Retention Group, e Patricia Neal, consulente del programma di protezione dei bambini in Oklahoma, intervenuti alla conferenza organizzata dalla Santa Sede presso l'Università gregoriana a Roma, l'8 febbraio 2012. La cifra potrebbe essere ben più alta, tenendo conto del fatto che alcune diocesi hanno raggiunto accordi privati per il risarcimento delle vittime, dei quali non si conosce l'entità. Bemi e Neal, consulenti della Chiesa cattolica in Usa, hanno chiesto ai vertici ecclesiastici di tutto il mondo «quanti ospedali, seminari, scuole, chiese, ricoveri per donne e bambini si sarebbero potuti costruire con quella cifra» e hanno ricordato le «migliaia di bravi preti, religiosi e ministri del culto che sono stati colpiti dallo scandalo degli abusi, dovendo far fronte alla mancanza di fiducia e spesso al disprezzo della gente».

La gioiosa macchina delle offerte

La crisi degli oboli e il deposito del papa

Gli Stati Uniti, nel risiko finanziario di Sacra Romana Chiesa, rappresentano un paese strategico, mentre Italia e Germania sono il polmone finanziario del cattolicesimo nel mondo. Certo, la vicenda della pedofilia ha inciso sulle finanze, con i risarcimenti alle vittime, ma sta anche generando un danno indiretto. Lo scandalo compromette l'immagine della Chiesa, andando di conseguenza a incidere sulle offerte. Prendiamo solo l'obolo di San Pietro, cioè l'insieme delle offerte indirizzate al papa dai fedeli di chiese particolari, istituti di vita consacrata, società di vita apostolica, fondazioni e privati: nel 2010 ammontava ad «appena» 67 milioni di dollari. Con una riduzione del 20 per cento rispetto agli 82,5 milioni del 2009, allontanandosi così ancor di più dal record dei cento, raggiunto nel 2006. Una riduzione significativa che trova interpretazioni diverse. A minimizzare è il portavoce vaticano, padre Federico Lombardi: «Sulla diminuzione del 2010 – spiega nel luglio del 2011, alla diffusione dei dati – pesa in parte un calo generale delle donazioni da mettere in relazione anche con la fase di difficoltà economica; ma anche il fatto che nel 2009 ci furono due cospicue donazioni personali che non facevano parte del normale andamento e che fecero salire le entrate».

Di certo l'andamento delle finanze è una delle maggiori preoccupazioni in Vaticano. La gioiosa macchina delle offerte non macina più le entrate di una volta, quando durante tutto l'anno si poteva scommettere sulla generosità dei fedeli. E senza denaro non si può che rinunciare alla propria influenza. Oggi ci si dimentica di questi assilli solo alla vigilia delle festività consacrate quando, come in un presepe vivente, arrivano a piazza San Pietro oboli in denaro, somme in contanti e generosi assegni da tutto il mondo.

A Natale e a Pasqua è una processione. Frati francescani con cartelline e buste da lettere zeppe di banconote, manager che portano candelabri d'argento o cospicui assegni, lobbisti, imprenditori, facoltosi aristocratici e giornalisti. Intorno al papa si anima la variegata umanità delle offerte che vede proprio nel pontefice il riferimento principale, la figura catalizzante. Del resto, come recita la Legge fondamentale introdotta da Wojtyla, «il sommo pontefice, sovrano dello Stato Città del Vaticano, ha la pienezza dei poteri legislativo, esecutivo e giudiziario».[1] È lui che decide. Oltre a essere pastore del 17 per cento della popolazione mondiale, è alla guida di un regno senza confini che vede nella Santa Sede il suo cuore pulsante. A lui si rivolgono 4500 vescovi, 405.000 sacerdoti, 865.000 religiosi, fino ai diaconi permanenti, ai laici missionari e a oltre due milioni di catechisti. Oltre appunto ai fedeli cattolici. C'è chi offre per la gioia di donare, in sintonia con lo spirito cristiano. Chi spera di riconciliarsi e strappare un perdono. Chi una benedizione. E c'è anche chi apre il portafogli per puro interesse. Si elargisce per accreditarsi, per il rinnovo di un incarico o di un appalto. O anche solo per ottenere un'udienza o una fotografia.

Il pontefice si spende in prima persona per garantire un continuo flusso di denaro nelle casse. Sia con campagne che coinvolgono tutto il mondo cattolico, come la raccolta nell'Anno Santo, l'obolo di San Pietro o la destinazione di una parte simbolica delle tasse, in Italia con l'8 per mille. Sia con iniziative personali e momenti privati. Tutti quelli che arrivano alle udienze, quei pochi privilegiati che riescono ad avere il cosiddetto «biglietto baciamano», lasciano l'obolo in cambio del bacia-anello e della foto di famiglia. Sul biglietto è indicato il numero di persone che possono entrare e la data dell'udienza che si tiene il mercoledì in aula Paolo VI, in piazza San Pietro, oppure al secondo piano del Palazzo apostolico. Tutto riservato ai pochi generosi eletti che possono godere dell'incontro con il papa in forma privata. Poi, come si dice? Al vostro gentil cuore.

Difficile compiere delle medie statistiche perché si tratta di dati che non vengono resi pubblici, come gran parte dei bilanci degli enti che contribuiscono alle finanze della Chiesa. Ma in un sol giorno, dalle indiscrezioni raccolte e dai documenti a disposizione, si può indicare che con le udienze si riescono a raccogliere somme dai 40.000 ai 150.000 euro.

I collaboratori di Benedetto XVI si occupano di tenere i conti. Le distinte sono compilate in gran parte al computer con postille vergate ancora a mano. A questi documenti contabili si allegano i pacchetti di banconote e assegni. Pronti per essere portati allo Ior, nel caveau dei cardinali, dove il pontefice conta su vari depositi a lui riferibili a titolo diverso, con potere di delega a monsignor Georg per bonifici e accrediti. Si tratta di quello che generalmente è indicato come «deposito del papa», un fondo personale e segreto sul quale confluiscono diverse somme, dagli utili dello Ior all'obolo di San Pietro, quello che il pontefice destina alla beneficenza.

Siamo in grado di vedere il prospetto contabile del 1° aprile 2006: 50.000 euro incassati, 41.680 in contanti, 6625 in assegni, il resto in valuta estera. Andando poi a spulciare la contabilità delle offerte tra udienze pubbliche, private e donazioni, si nota come siano proprio i sacerdoti e le diocesi a portare il maggior numero di oboli in una catena della generosità che dalla periferia sale sino al cuore di San Pietro. In quei giorni, tra i benefattori troviamo i frati minori della provincia serafica dell'Umbria, l'Opera diocesana pellegrinaggi di Lugano, il monastero tedesco Kloster Mallersdorf, il santuario Madonna della Fontana e alcuni soggetti come Javier Echevarría, prelato dell'Opus Dei, e l'allora presidente dello Ior Angelo Caloia con 5000 euro in contanti.

Ogni obolo nasconde una storia, un personaggio che andrebbe raccontato. Grazie alle carte di cui siamo venuti in possesso, possiamo ricostruire proprio le donazioni di Caloia, manager espressione della finanza bianca milanese, passato nel 1989 dal Mediocredito centrale alla guida dello Ior, l'istituto lasciato da Marcinkus, a rischio di arresto per il crac del Banco Ambrosiano. Caloia sarà l'ultimo dei fedelissimi laici scelti da Wojtyla a lasciare il Vaticano, tre anni dopo la «rivoluzione gentile» avviata dal papa tedesco. Nei primi mesi del nuovo pontificato, Caloia forse spera ancora in una conferma, dopo vent'anni passati al vertice dell'istituto di credito. Cerca così di valorizzare la propria attività bancaria. Divulga in segreteria di Stato e nei sacri palazzi i risultati ottenuti dallo Ior, capace di raccogliere 5 miliardi di euro tra i propri clienti. E mostra anche particolare generosità. Passa qualche giorno e il 23 aprile 2006 manda un'ulteriore robusta offerta. Questa volta è di 50.000 euro, stando a quanto si legge nell'affettuosa lettera che indirizza al papa: «all.50.000,00 R/24-Aprile/2006». I toni scelti sono particolarmente ossequiosi. Caloia definisce la somma come un «modesto segno». Da 50.000 euro:

Beatissimo Padre,
i giorni pasquali e gli alti messaggi di Lei, Santo Padre, hanno riempito i nostri cuori di gioia. Il primo anniversario della Sua chiamata alla cattedra di Pietro è stato per noi di conferma del grande dono che il Signore Gesù ha fatto alla sa [*sic*]. Nel ringraziare di cuore l'Altissimo per la grazia di cui ci fa continuamente partecipi e nell'esultare al pensiero di continuare a godere il conforto della di Lei paterna benevolenza, sono a esprimerLe, personalmente e a nome del personale tutto dell'Istituto, un profondo sentimento di gratitudine e l'augurio di cuore perché lo Spirito Santo La assista sempre nel Suo eccelso ministero. Accolga, Padre Santo, un modesto segno che aiuti le Sue opere di bene e benedica tutti noi e le nostre famiglie.

Non è chiaro se il banchiere utilizzi soldi personali o dello Ior, anticipando di fatto somme che comunque finirebbero nella disponibilità diretta del pontefice, come prevede lo statuto e come indicò nel 1998 lo stesso Caloia, visto che gli utili della banca vengono gestiti direttamente dal papa.[2] Di certo la missiva è su carta intestata dello Ior e chiede la classica benedizione da estendere a tutti i dipendenti. Passa qualche anno e nella primavera del 2009 esce il mio *Vaticano S.p.A.* con le malefatte compiute allo Ior nei primi anni dell'era Caloia e il riciclaggio della maxitangente Enimont, passata di mano almeno in parte da Bisignani al prelato della banca, Donato de Bonis. A metà maggio incontro Caloia in via Veneto all'hotel Ambasciatori di Roma. Gli consegno una delle prime copie del saggio. Lo sfoglia, impallidisce. Accenna solo qualche parola: «Adesso devo salutarla, devo andare a difendermi». Da chi, Caloia? «Da quelli che utilizzeranno questo suo libro contro di me.» Eravamo a maggio, in estate Bagnasco conversando in Vaticano dirà che il libro «permetterà di ristrutturare enti che fanno più ombra che luce». A settembre Caloia è «dimissionato» anzitempo. Oggi lo Ior tra molti, troppi inciampi, anche nella cronaca più recente, prova a rendere più trasparente la sua attività.

Tornando agli «elemosinieri» e al prospetto del 1° aprile, c'è anche chi merita la palma dell'imbattibilità per tenacia. Infatti, il 30 per cento delle offerte indicate quel giorno è consegnato da una suora di rara influenza tra gli ecclesiastici: la potentissima abbadessa delle Brigidine Tekla Famiglietti che, partendo da Sturno, un paesino della Campania, è diventata ambasciatrice dei papi e a capo di suore presenti in ogni angolo del globo.

Sono ben quattro distinti versamenti senza l'indicazione di chi ha trasferito alla suora quelle somme. Non ce n'è evidentemente bisogno. La discrezione è un segno caratteristico di questa sorella superiora, amatissima da Wojtyla e dal suo segretario particolare, don Stanislaw Dziwisz, per le iniziative delle Brigidine a Cuba, in Polonia e in paesi all'epoca comunisti. Su di lei si rincorrono verità e leggende: «Si dice che uno dei quattro numeri – confida oggi Nunzio Pupi d'Angeri, diplomatico eccentrico amico di Castro e Arafat, ambasciatore del Belize in Italia – nella memoria del telefono da scrivania di Giovanni Paolo II fosse proprio quello di suor Tekla».[3] Di certo è lei che Andreotti indica come un «generale di corpo d'armata», così importante che negli anni Ottanta le farà bonificare somme di denaro dal conto «fondazione cardinale Francis Spellman» che il sette volte presidente del Consiglio aveva aperto allo Ior.[4] E l'abbadessa è di casa nella banca del papa, dove per diciotto anni ha lavorato Pietro Orlandi, dopo che sua sorella Emanuela sparì nel 1983, un caso rimasto ancora insoluto: «Quando madre Tekla veniva allo sportello – ricorda Orlandi durante un nostro incontro –

portava enormi somme di denaro e dava mance consistenti senza guardare negli occhi».[5]

Vespa: 10.000 euro e richiesta di udienza

È soprattutto alla vigilia del 25 dicembre che le offerte si fanno più consistenti e l'agenda del Santo Padre, che abbiamo potuto vedere, si infittisce. Basta prendere il dicembre del 2011 quando Benedetto XVI ha fissato in scaletta numerosi incontri e sul tavolo arrivano copiose offerte da ecclesiastici e laici di tutto il mondo. Tra queste spicca la lettera con un assegno di 10.000 euro che il 21 dicembre Bruno Vespa, il giornalista televisivo più conosciuto in Italia, indirizza per le opere del papa: «Anche quest'anno, mi permetto di farle avere – scrive – a nome della mia famiglia una piccola somma a disposizione della carità del papa. Auguro a Sua Santità e a lei, caro don Giorgio, di trascorrere un sereno Natale e un nuovo anno di proficua missione». Qualche riga in bianco e, dopo le indicazioni del numero e dell'importo dell'assegno, il giornalista aggiunge a mano una postilla: «Ps: Quando possiamo avere un incontro per salutare il Santo Padre? Grazie». Vespa manda una somma di denaro per le opere pie di Ratzinger e coglie l'occasione per chiedere un appuntamento. La segreteria del pontefice, probabilmente lo stesso padre Georg, verga sulla lettera un memo per il pontefice: «Mi faccio vivo al riguardo nel nuovo anno» per l'agognato appuntamento.

Alla vigilia di Natale Benedetto XVI legge la missiva e chiede di ringraziare per l'obolo. Sono giorni intensi, con somme che arrivano anche dal vertice del sistema bancario italiano. C'è Giovanni Bazoli, presidente del Consiglio di sorveglianza di Intesa Sanpaolo e protagonista della finanza cattolica, che invia 25.000 euro come «contributo per le sue opere di carità», facendo intestare l'assegno circolare proprio a monsignor Georg Gänswein. C'è il «dono speciale per il Santo Padre» che Dieter Rampl e Federico Ghizzoni, presidente e ad di Unicredit, inviano al cardinale Bertone perché lo consegni al papa. I banchieri colgono l'occasione, nella loro missiva, per sostenere la centralità della persona nella società di oggi, condividendo lo spirito dell'enciclica *Caritas in veritate*. E sottolineano la loro attenzione ai mercati finanziari dell'Est europeo, dove Unicredit è presente con filiali. I regali, almeno alcuni di quelli che il papa riceve, vengono poi ridistribuiti tra i dipendenti del piccolo Stato. È il caso della festa della befana per i dipendenti dei servizi di sicurezza, a iniziare dai 150 gendarmi. «Per impreziosire la festa», il capo della gendarmeria Domenico Giani nel dicembre del 2010 ottiene che padre Georg destini alcuni doni all'appuntamento «che quest'anno avrà una particolare cornice con la presenza dei bambini e dei familiari», come gli scrive in un appunto.

In Vaticano non arriva solo denaro ma regali di ogni tipo, anche beni alimentari, prosciutti, salumi e persino il pregiato prosciutto crudo spagnolo Serrano. È proprio il tuttofare Giani che gira lo scatolone con il crudo a forma di violino e altre prelibatezze all'appartamento privato quando nel dicembre del 2010 riceve il pacco direttamente dal produttore. Si tratta del papà di Marisa Rodriguez, la corrispondente della tv pubblica spagnola Tve, che ci tiene a omaggiare il pontefice. Aggiungendo ovviamente una lettera: «La busta per il Santo Padre – scrive Giani in un biglietto di accompagnamento – è all'interno della scatola».

Arriva il tartufo

Oltre il portone di bronzo arrivano anche pregiati tartufi, valutati 100.000 euro. Qualche mese prima dei salumi, padre Leonardo Sapienza, addetto per il protocollo della prefettura della Casa pontificia, l'organismo che sovrintende sull'appartamento privato e quello delle udienze di Benedetto XVI, riceve una proposta singolare. L'imprenditore piemontese Antonio Bertolotto vorrebbe omaggiare il papa con un tartufo. Se riceve l'assenso dalla Santa Sede è determinato ad aggiudicarsi l'asta di beneficenza di Alba che si svolge ogni anno presso il castello di Grinzane Cavour. Ma che se ne fanno gli ecclesiastici di tutto questo ben di dio? Sapienza è incerto. Non sa come rispondere e chiede lumi a padre Georg che dà l'assenso. Portiamo a casa il tartufo – devono aver pensato nell'appartamento pontificio –, male che vada mangeremo tagliatelle all'uovo con le preziose scaglie per qualche settimana. Ma non è possibile: per essere al massimo della fragranza – fa sapere il generoso industriale – il tartufo deve essere consumato entro quattro giorni.

Bertolotto ha le idee chiare: vorrebbe offrire il tartufo all'udienza del 17 novembre. Padre Sapienza si spende come può. Assicura che è un buon cattolico e in buoni rapporti con il vescovo di Cuneo. Insomma, si tratta di un'opera di bene e non di un gesto eccentrico. I tedeschi sono in genere cauti e misurano i rischi. Come mai proprio il tartufo? Perché l'industriale ha fatto sapere ad alcuni amici che frequentano il Vaticano che è rimasto senza parole ascoltando quello che Benedetto XVI ha scritto sul tema della salvaguardia del creato. Insomma, dopo le opportune verifiche si dà l'assenso. Il tartufo viene battuto e finisce oltre le mura leonine per essere mandato subito alla mensa della Caritas, per la gioia dei senzatetto.

Milioni alla fondazione del papa

Sul deposito del Santo Padre allo Ior si è sempre saputo poco o nulla. Di certo comprende diversi conti correnti tra i quali anche il n. 39887, aperto il 10 ottobre 2007 e riferibile al pontefice per iniziative umanitarie e di approfondimento teologico. È su questo conto che il papa ha fatto confluire il 50 per cento dei diritti d'autore della sua enorme produzione di libri, un catalogo con oltre 130 titoli. La somma è consistente: 2,4 milioni di euro trasferiti dal marzo del 2010 alla fondazione vaticana «Joseph Ratzinger Benedetto XVI». Si tratta della gemella dell'omonima Stiftung tedesca, aperta nell'autunno del 2008 con sede a Monaco di Baviera e conto corrente alla Hauck&Aufhauser, impenetrabile banca privata con filiali in Lussemburgo, Svizzera e Germania.

Il primo bonifico da 290.000 euro è arrivato dal conto del papa allo Ior. La fondazione tedesca è gestita dagli ex studenti del pontefice e si occupa di diffondere il pensiero del papa anche con borse di studio. Quella vaticana, invece, raccoglie i diritti d'autore, organizza convegni, promuove lo studio della teologia. Al vertice della fondazione in Vaticano c'è un doppio livello. Un comitato scientifico, con i cardinali Bertone, Ruini e Angelo Amato e un consiglio d'amministrazione retto da monsignor Giuseppe Scotti, presidente della Libreria editrice vaticana.

Chi se ne intende di denaro e di finanza è l'unico laico presente nel *board*, il vicepresidente Paolo Cipriani, figura poco conosciuta al grande pubblico. Direttore generale dello Ior dall'ottobre del 2007, romano, due figli, è l'uomo chiave nella banca del papa. Cipriani proviene dalla galassia degli istituti di credito gestiti dal potente banchiere cattolico Cesare Geronzi che prima di andare alla guida di Mediobanca era al vertice del Santo Spirito e della Banca di Roma. Per questi ultimi due istituti Cipriani ha rappresentato gli interessi a Londra, New York e in Lussemburgo. È lui l'uomo che gestisce i conti della fondazione seguendo le disposizioni di padre Georg su espressa volontà di Ratzinger.[6]

Il papa è in controtendenza: se le aziende in tutto il mondo sono in crisi, il conto economico della sua fondazione è in attivo. Per il 2012 si prevede un avanzo d'esercizio di 1.033.000 euro, grazie anche ai proventi netti della gestione finanziaria affidata a esperti come Cipriani e agli incassi dai libri per un milione e mezzo di euro. Le spese sono comunque significative e, forse, persino elevate. I costi operativi ammontano a 170.000 euro, più 100.000 euro per un convegno che ogni anno si tiene a Bydgoszcz (Polonia) e 270.000 euro per l'edizione 2011 dell'annuale Premio Ratzinger per opere di studio e divulgazione della fede, organizzato dalla fondazione. L'anno prima i costi operativi erano arrivati a 152.000 euro, il convegno era costato 90.000 euro mentre quasi 240.000 sono stati spesi per il premio. «Da questo prospetto – spiega Gian Gaetano Bellavia, commercialista e consulente di diverse procure – emerge che non è una fondazione povera ma è una struttura che genera utili che rimette nella sua liquidità. C'è un'importante disponibilità finanziaria dall'entità dei proventi indicati. Al 31 dicembre 2010 infatti i 240.000 euro di proventi netti ottenuti possono far ipotizzare disponibilità finanziarie per molti milioni di euro. Nell'anno successivo è curioso che, pur non avendo obblighi di nessun tipo, in Vaticano abbiano deciso di chiudere il conto economico non più al 31 dicembre ma al 30 novembre. È dimezzata, invece, la rendita finanziaria e quindi non sono stati molto fortunati, come gran parte di noi comuni mortali. La moltiplicazione dei ricavi ha generato utili molti rilevanti che si attendono anche per il 2012, in controtendenza rispetto alla situazione economica mondiale.»[7]

I movimenti di denaro dalla fondazione possono creare anche frizioni nei sacri palazzi, o addirittura situazioni paradossali, come la decisione di premiare il professor Manlio Simonetti, filologo e storico del cristianesimo. Lo studioso ha ricevuto un contributo di 50.000 euro dalla fondazione di Ratzinger pur dopo aver pubblicato nel 2010 un saggio «molto problematico per quanto riguarda la composizione dei Vangeli e lo sviluppo teologico dei primi secoli». La questione non è da poco, almeno nell'ottica della curia romana, se è vero che «il libro si discosta chiaramente dalla linea di pensiero del volume di Joseph Ratzinger-Benedetto XVI *Gesù di Nazareth*», come si legge nel verbale del comitato scientifico scritto da monsignor Luis Ladaria, che il 3 novembre 2011 si riunisce negli uffici del cardinale Bertone. La situazione pare surreale: Simonetti, le cui posizioni sono in contrasto con quelle espresse dal papa nei suoi libri, ha ottenuto un cospicuo premio costituito dai soldi che proprio il papa riceve dai suoi stessi saggi. Tra i porporati, Ruini e Bertone in testa, nel corso della riunione emerge grande imbarazzo. Padre Georg è allibito ma tace. Su questa vicenda, invece, è particolarmente severo il cardinale Amato: «Simonetti in questo libro è andato oltre il campo della sua specialità ed è entrato in terreni in cui non è competente». Insomma, non si può andare avanti così. Amato chiede di «perfezionare il metodo per individuare i nomi dei candidati» e osserva che «si dovrà indubbiamente consultare il Santo Padre». Si suggerisce quindi di trovare i candidati «chiedendo la collaborazione di rettori e decani degli istituti romani» per evitare di ritrovarsi in situazioni simili.

L'onta dello Ior

I conti della fondazione sono motivo d'orgoglio per Cipriani, anche se a Palazzo apostolico il suo ruolo non riceve unanime consenso. Cipriani infatti è indagato per riciclaggio insieme al presidente dello Ior Ettore Gotti Tedeschi per alcune operazioni dell'istituto di credito ritenute sospette da parte della Procura di Roma. Sono stati sollevati dubbi quantomeno sull'opportunità di continuare ad affidare la gestione operativa della banca e della fondazione del pontefice a un laico sotto inchiesta proprio per un presunto riciclaggio nelle attività svolte in Vaticano. Nel settembre del 2010 scoppia lo scandalo, con il sequestro di 23 milioni di euro. La somma da un conto dello Ior della filiale romana del Credito artigiano doveva esser mandata al conto gemello aperto presso la J.P. Morgan di Francoforte (20 milioni di euro). Gli altri 3 dovevano andare alla Banca del Fucino. Con una premessa: la segnalazione che genera le indagini parte dallo stesso Credito artigiano perché le operazioni sono state istruite senza l'indicazione dei clienti per conto dei quali erano state disposte e senza i riferimenti agli scopi delle stesse. Sulle relazioni tra Ior e sistema bancario italiano vigila la Banca centrale, che sollecita la massima attenzione a tutti gli istituti di credito della penisola. Quando all'ultraconservatore cattolico Antonio Fazio succede Mario Draghi ai vertici di Bankitalia, lo Ior è equiparato a un istituto che opera da un paese extracomunitario (come nei fatti è) e quindi il sistema del credito italiano deve prestare la dovuta attenzione.

Gotti Tedeschi si difende sostenendo che è un'operazione di cassa e quindi non c'è cliente, padre Lombardi cerca di rispondere all'accusa parlando di equivoco, ma la tensione si avverte. In una nota Gotti Tedeschi lascia intravedere al segretario particolare del papa il perimetro addirittura di una cospirazione in atto contro il Vaticano, sostenendo che cercando il mandante è persino «lecito qualche sospetto su un azionista del "Corriere della Sera"», diretto da Ferruccio de Bortoli:

> *Memoria sintetica riservata a monsignor Georg Gänswein*
> [...] L'ordine di trasferimento, firmato dal direttore e vice, da conto Ior a conto Ior, riguardava una operazione di tesoreria per un investimento in *bund* tedeschi. Il direttore ha spiegato all'inquirente che l'ordine è stato dato informando che si trattava di trasferimento fondi, nella certezza che non fossero necessarie ulteriori informazioni sul destinatario. Il Credito artigiano lavora con l'istituto da vent'anni e dovrebbe conoscere come sono stati costituiti i fondi presso di lei. È stato anche ritenuto di confermare l'ordine di trasferimento, nonostante il mancato accordo scritto, essendo questo ritardo imputabile (anche) allo stesso Credito artigiano, su cui giacevano inutilizzati 28 milioni di euro. Su sette banche con cui l'Istituto lavora in Italia, con ben cinque banche detti accordi erano stati già definiti, lo conferma il fatto che lo stesso giorno (6 settembre) 20 milioni di euro furono trasferiti dal conto Ior sul D.B. [Deutsche Bank?, *nda*] al conto Ior J.P. Morgan-Francoforte. Va notata anche la sorprendente rapidità (inusuale secondo gli esperti) degli avvenimenti. Il Credito artigiano segnala l'operazione con autorizzazione del presidente del gruppo bancario che è anche consigliere dell'Istituto [lo Ior, *nda*] all'Uif (l'Ufficio italiano cambi della Banca d'Italia). Questa dopo 5 giorni informa la Procura di Roma e la notizia va alla stampa prima che noi fossimo informati o richiesti di dare spiegazioni. [...] In sede processuale l'inquirente non dà alcuna indicazione a proposito di ipotesi di reato di riciclaggio che non sono contestate né negli interrogatori, né negli atti. Dette informazioni sono state lette sui giornali («Corriere della Sera»). Il comportamento del «Corriere» è curioso,

considerata l'enfasi data, in prima pagina, alle notizie il giovedì 21 per modificarle il giorno dopo, venerdì 22, ma a pagina 11. Detto comportamento curioso rende lecito qualche sospetto sul ruolo di un azionista del «Corriere». Dopo l'interrogatorio, l'avvocato dell'Istituto decide di ricorrere al Tribunale del riesame per avere i fondi disponibili. Detto ricorso sembra aver infastidito l'inquirente che (sempre via stampa) cerca di dimostrare con fatti pregressi (2009) che esistevano altre operazioni che confermavano la non trasparenza dell'Istituto.

Le prime settimane vedono una fortissima contrapposizione tra Vaticano e procura. Ma i magistrati vanno avanti con la loro impostazione che verrà confermata dal Riesame: le norme antiriciclaggio sono state violate, la somma deve rimanere sotto sequestro. La sentenza provoca l'ira pubblica di Gotti Tedeschi, che denuncia un «attacco veemente alla credibilità della Chiesa iniziato appena sei mesi dopo l'uscita dell'enciclica *Caritas in veritate*, con gli attacchi alla persona del papa, i fatti legati alla pedofilia e che continua adesso con le vicende che mi vedono coinvolto».

Per questo nell'appunto si tratteggia già una strategia difensiva a tutto campo, da come comportarsi con i magistrati alla linea da adottare con i media e cosa rispondere a enti e congregazioni, clienti con conti allo Ior:

– Strategia difensiva: è stata modificata la strategia difensiva originale, caratterizzata da un forte pregiudizio nei confronti dell'inquirente, cooptando nel collegio dei difensori, a fianco del professor Scordamaglia, la professoressa Paola Severino [con il governo Monti diverrà ministro della Giustizia, *nda*]. Con l'intento di cercare subito un dialogo con l'inquirente per chiarire, evidentemente, meglio o diversamente i comportamenti e cercare in tal modo di produrre una nuova istanza di sblocco dei fondi e archiviazione delle indagini. Se ciò non fosse realizzabile

si deve ricorrere, con ipotesi adeguate, in Cassazione. Il ricorso presenta rischi da non sottovalutare (il rinvio a giudizio), il termine massimo per ricorrere è il 14 novembre. Il 28 ottobre i nostri avvocati incontreranno gli inquirenti.
– Strategia di comunicazione: fino a oggi è stata adottata una strategia difensiva e di comunicazione di «volontà di cose da fare». Ora sembra necessario adottare una strategia di comunicazione più attiva di «cose già fatte», per esempio: la lettera inviata al Gafi e la risposta incoraggiante di conferma ricevuta dal presidente del Gafi. La costituzione della commissione di attuazione del programma per adempiere alle condizioni richieste e la nomina del presidente della Autorità interna di vigilanza (cardinale Nicora) ecc.
– Strategia di relazione con gli enti e le congregazioni: le vicende in corso potrebbero turbare e confondere gli enti e le congregazioni. A fare questo stanno pensando anche alcune banche [...] che competono con il nostro Istituto sui «clienti Enti religiosi». È necessario proteggere la reputazione dell'Istituto non solo in sede giudiziale. In tal senso stiamo provvedendo a discussioni con tutti gli economi degli enti e abbiamo già organizzato un convegno il 3 novembre (alla Sala delle benedizioni) rivolto a 1200 responsabili economici di enti religiosi, dove discuterò di fatti e prospettive economiche con il ministro Tremonti e il segretario generale iberoamericano Iglesias. Con la presenza del cardinale Bertone che introdurrà i lavori.

In realtà per il dissequestro dei 23 milioni bisognerà attendere il giugno successivo, quando sarà la stessa procura a disporlo solo dopo l'entrata in vigore delle nuove norme antiriciclaggio e di trasparenza in Vaticano.

Ma tre righe di questo appunto sono illuminanti. Anticipano a padre Georg e quindi al pontefice anche un tema che diventerà centrale nei mesi successivi nelle trattative con il governo italiano, presieduto da Silvio Berlusconi:

– Strategia di anticipazione di possibili problemi futuri: ho cominciato a discutere con il ministro Tremonti le soluzioni di un prossimo problema che potrebbe preoccuparci e riguarda i problemi fiscali. Potrebbe esser utile pensare a un trattato sulla tassazione.

Gotti Tedeschi prevede quindi l'arrivo di una nuova tassazione a carico di enti e strutture ecclesiastiche. Già si confronta con il ministro italiano Tremonti in un gioco di reciproche influenze. L'appunto svela un formidabile canale diplomatico con il governo Berlusconi e chiarisce a noi tutti come la convivenza di questi due Stati, Italia e Vaticano, si dipani spesso tra ingerenze e accordi inviolabili. All'orizzonte c'è il nodo delle esenzioni dalla tassa sugli immobili, la ex Ici. L'Unione europea potrebbe chiedere all'Italia di tagliare questo privilegio alla Chiesa, andando a incidere su quei rapporti segreti che legano i palazzi del potere romano a porporati oltre il Portone di bronzo.

---

1 Si tratta della nuova Legge fondamentale dello Stato Città del Vaticano che sostituisce quella voluta da Pio XI ed emanata nel 1929. Questa viene pubblicata il 26 novembre del 2000 nel supplemento degli *Acta Apostolicae Sedis*, dedicati appunto alle nuove leggi della Santa Sede.

2 «Noi dipendiamo direttamente dal Santo Padre, al quale versiamo ogni anno gli utili.» Riccardo Orizio, *Nella dealing room vaticana*, «Corriere della Sera», 20 luglio 1998.

3 Intervista rilasciata all'autore, gennaio 2012.

4 Gianluigi Nuzzi, *Vaticano S.p.A.*, Chiarelettere, Milano 2009.

5 Intervista rilasciata all'autore, gennaio 2012. Pochi mesi dopo le donazioni a Ratzinger, madre Tekla è protagonista delle attenzioni di diplomatici americani. Come emerge dal cablo riservato che l'ambasciatore presso la Santa Sede, Francis Rooney, scriverà al dipartimento a Washington sui possibili interventi nella Cuba dopo Castro: «Madre Tekla ci ha detto di lavorare con Licencia Caridad, capo del ministero degli Affari religiosi, e

con Eusebio Leal Spengler che Castro ha assegnato alla costruzione di una nuova struttura per lei. Crede che Spengler possa conoscere alcune persone che potrebbero essere di interesse per gli Stati Uniti come potenziali leader una volta che il governo cambierà. [...] La madre è molto conosciuta a Roma (anche se è considerata controversa) e abbiamo riferito su incontri con lei nel passato. Riportiamo questa conversazione perché potenzialmente interessante per le notizie sulla salute di Castro e sui contatti suggeriti. [...] L'abbadessa ci ha detto che in passato è stata molte volte nella residenza di Castro, incontrando normalmente il suo segretario personale, Carlos Valenciaga Diaz. E così voleva fare stavolta ma Castro era troppo debole e malato. Diaz le aveva detto che aveva perso venti chili ed è l'ombra di quello che era. Non ha il cancro, ma ha un'emorragia allo stomaco. Una stanza della casa è stata trasformata in una camera d'ospedale». Stefania Maurizi, *Dossier Wikileaks, Segreti italiani*, Bur, Milano 2011.

[6] Come il 9 dicembre 2011, quando il segretario particolare chiede di trasferire 25.000 euro alla fondazione tedesca gemella a Monaco per le borse di studio a due ragazze africane e 5000 euro per aiutare una donna iraniana bisognosa.

[7] Intervista rilasciata all'autore, marzo 2012.

La sacra ingerenza sull'Italia

Ici, Tremonti studia la strategia con Bertone

Nel 2006 i radicali Marco Pannella ed Emma Bonino denunciano alla Comunità europea il privilegio che l'Italia avrebbe accordato alla Chiesa esentandola dal pagamento dell'Ici (l'imposta comunale sugli immobili) sugli edifici non utilizzati per fini religiosi. Nel mirino finiscono quei beni «commerciali», ospedali, scuole e collegi la cui esenzione dalle imposte non è stata sancita con i Patti lateranensi. Seguendo la lentezza della giustizia e della burocrazia, solo nel 2010 l'antitrust europeo apre una procedura d'infrazione contro l'Italia, accusata di «aiuti di Stato» alla Chiesa cattolica non previsti né accettabili.

La posizione comunitaria è una bomba a orologeria per lo Stato italiano. Se da Bruxelles arrivasse la condanna per violazione della concorrenza e illegittimo aiuto di Stato, il privilegio del passato dovrà essere sanato. L'Italia dovrà chiedere alla Chiesa di pagare quanto finora non sborsato. Un importo consistente: la sentenza è retroattiva e farebbe partire i conteggi dal 2005, con tanto d'interessi. Di quanto parliamo? Sulla somma da definire comincia il classico balletto di cifre all'italiana. Si parte dai cento milioni secondo la Cei, che riprende un'analisi di Vieri Ceriani, all'epoca sottosegretario all'Economia. Si sale ai 500-600 milioni dell'Anci, l'associazione che raccoglie i Comuni d'Italia. E c'è persino chi indica una cifra superiore: «Secondo stime non ufficiali dell'Agenzia delle entrate – scrive l'agenzia di stampa Ansa il 24 febbraio 2012 –, si tratterebbe di un potenziale introito di due miliardi di euro all'anno».

Il rischio per lo Stato italiano è di ritrovarsi in una morsa. Da una parte la condanna, dall'altra la difficoltà di recuperare tasse non pagate negli ultimi otto anni. L'impresa sembra ardua. Come rivalersi su una moltitudine di contribuenti quali congregazioni, enti e istituti religiosi? Questo in un paese cattolico dai precedenti eloquenti. Quando la guardia di finanza entrò in curia – a Napoli, nell'agosto del 1998, durante l'inchiesta sul cardinale Michele Giordano (poi assolto) – rischiò di aprirsi un conflitto diplomatico tra l'allora governo Prodi e la segreteria di Stato.[1]

Da un'altra prospettiva, la questione s'inserisce in un contesto che rende tutto più complicato: di fronte alla recessione mondiale, alla crisi economica che colpisce le famiglie, all'imposizione di nuove tasse e di tagli, è difficile spiegare certi aiuti, mantenere privilegi. Sull'Ici si gioca la tassazione di una fetta importante dell'immenso patrimonio della Chiesa in Italia. Per comodità potremmo dividere le proprietà immobiliari della Chiesa in tre grandi gruppi: istruzione e cultura, sanità e assistenza, strutture ecclesiastiche. Nel primo troviamo le 8779 scuole, tra università, materne, primarie e secondarie, e i musei. Meno numerosi, invece, i beni nel comparto della sanità, con 4712 centri sanitari. Tra questi, le 1853 case di cura e ospedali e i centri di difesa della vita e della famiglia che nella nostra penisola sono ormai 1669. Infine, nel terzo gruppo, le strutture ecclesiastiche con quasi 50.000 immobili dei quali 36.000 sono parrocchie.[2]

Considerando il peso dell'elettorato cattolico – è la linea ufficiosa del governo Berlusconi –, bisogna trovare una strada che eviti danni sia all'Italia sia alla Chiesa. Siamo nell'estate del 2011 quando suona l'allarme generale, l'Unione europea può decidere in pochissimo tempo e bisogna trovare una soluzione. In Parlamento i lavori sono ripresi dopo la pausa estiva e il ministro dell'Economia Tremonti valuta la situazione con i suoi più stretti collaboratori, fissando priorità e possibili vie d'uscita. Il rischio che l'Italia sia condannata è alto. L'esenzione dell'Ici accordata alla Chiesa è un privilegio indigeribile per la «laica» Unione europea. Attendere passivamente la sentenza metterebbe l'Italia nella scomoda posizione di dover poi chiedere alla Chiesa le tasse non pagate, aprendo un contenzioso politico e mediatico dannoso per tutti. In una visione «laica» sarebbe l'occasione per recuperare enormi somme, la procedura potrebbe essere un inatteso fiume di denaro nelle casse di uno Stato dai conti in rosso. Ma non prevale questa posizione. Anzi. Accodarsi alla scelta comunitaria è quindi impraticabile. Bisogna trovare un'altra via. Tremonti in quei giorni incontra un amico di vecchia data, il professor Gotti Tedeschi, presidente dello Ior. I due si stimano e si fidano l'uno dell'altro. Oltre il portone di bronzo, entrambi contano su solide alleanze.

Tremonti e Gotti Tedeschi riaffrontano il tema Ici che già avevano iniziato a discutere nell'estate del 2010 nel corso di incontri a porte chiuse sul sistema di tassazione. Decidono di ragionare insieme per proporre ai loro superiori – Berlusconi da una parte e Bertone e Ratzinger dall'altra – alternative percorribili al fine di evitare il salasso imminente. Una regola aurea ai piani alti dei sacri palazzi è di non sottoporre mai dei problemi se non puoi proporre almeno due valide soluzioni. L'incontro è pragmatico. Il banchiere è consapevole che in Vaticano ancora non hanno l'esatta percezione di quanto potrebbe accadere. Fa propria la preoccupazione di

Tremonti e ne condivide i suggerimenti. Non c'è più tempo da perdere. Decidono d'informare Bertone e Ratzinger con il quadro più realistico e dettagliato della situazione, indicando subito alcune vie d'uscita. Le carte che per la prima volta fuoriescono dal Vaticano ci permettono così di individuare i corridoi diplomatici, le saldature e le alleanze tra cardinali e ministri, non basandoci su indiscrezioni ma proprio sui documenti destinati a Benedetto XVI e ai suoi più vicini collaboratori.

Tutto questo emerge dalla nota «Sintesi del problema Ici» che Gotti Tedeschi indirizza a Bertone e che il banchiere indica come «suggeritami riservatamente dal ministro del Tesoro [dell'Economia, *nda*]», ovvero Tremonti. Una postilla rivelatrice che svela una regia comune tra Santa Sede e governo Berlusconi per risolvere la questione Ici. Il documento è destinato a più interlocutori, tutti qualificatissimi. Una copia arriva all'attenzione di Benedetto XVI tramite il segretario del pontefice, padre Georg:

> *Riservato e confidenziale. Sintesi del problema Ici (Memoria per Ser* [Sua Eminenza Reverendissima, *nda*] *il Card. Tarcisio Bertone, suggeritami riservatamente dal ministro del Tesoro).*
>
> Nel 2010 la Ce avvia una procedura contro lo Stato italiano per «aiuti di Stato» non accettabili alla Chiesa cattolica. Detta procedura evidenzia oggi una posizione di rischio di condanna per l'Italia e una conseguente imposizione di recupero delle imposte non pagate dal 2005. Dette imposte deve pagarle lo Stato italiano che si rifarà sulla Cei (si suppone), ma non è chiaro con chi per enti e congregazioni. Poiché la Commissione europea non sembra disponibile a cambiare posizione, ci sono tre strade percorribili:
>
> – abolire le agevolazioni Ici (Tremonti non lo farà mai).
>
> – difendere la normativa passata limitandosi a fare verifiche sul-

> le reali attività commerciali e calcolare il valore «dell'aiuto di Stato» dato (non è sostenibile).
> – modificare la vecchia norma che viene contestata dalla Ce (art. 7 comma bis DL 203 del 2005 che si applicava ad attività che avessero «esclusivamente» natura commerciale). Detta modifica deve produrre una nuova norma che definisca una categoria per gli edifici religiosi e crei un criterio di classificazione e definizione della natura commerciale (secondo superficie, tempo di utilizzo e ricavo). Si paga pertanto l'Ici al di sopra di un determinato livello di superficie usata, di tempi di utilizzo, di ricavo. In funzione cioè di parametri accettati che dichiarano che un edificio religioso è commerciale o no.

La strada da seguire è quella di modificare la normativa, togliendo il *vulnus* e l'ambiguità che non permetteva di definire con precisione quali locali e quali esercizi, oltre all'attività di culto, contemplavano un risvolto commerciale, di vendita. Solo facendo così si può bloccare l'azione della Commissione europea:

> A questo punto la Cei (e chi altri?) accetta la nuova procedura. Detta accettazione fa decadere le richieste pregresse (dal 2005 al 2011) e la Comunità europea ([Joaquín] Almunia [commissario europeo per la Concorrenza, *nda*]) deve accettarle. Il tempo disponibile per interloquire è molto limitato. Il responsabile Cei che finora si è occupato della procedura è mons. [Mauro] Rivella [sottosegretario e direttore dell'Ufficio nazionale per i problemi giuridici del Cei, *nda*]. Ci viene suggerito di incoraggiarlo ad accelerare un tavolo di discussione conclusiva dopo aver chiarito la volontà dei vertici della Santa Sede. L'interlocutore all'interno del ministero delle Finanze è Enrico Martino (nipote del card. Martino). Io posso suggerire come interloquire con il commissario Almunia affinché ci possa lasciare un po' di tempo (fino a fine novembre) e non acceleri la conclusione della procedura.
> Ettore Gotti Tedeschi – 30 settembre 2011.

Intanto bisogna guadagnare tempo per configurare una nuova norma che azzeri il rischio di condanna. A questo scopo Gotti Tedeschi suggerisce la linea da tenere con il commissario europeo per la Concorrenza, lo spagnolo Joaquín Almunia. Nel frattempo i tecnici devono subito lavorare e sviluppare i suggerimenti di Tremonti. A Bertone e Benedetto XVI la proposta piace perché allontana le nubi della condanna, evita ulteriori critiche e fissa parametri blindati. Il papa dà il nulla osta. A ottobre, dopo un anno di confronti, sembra raggiunta un'intesa di massima. Ma lo scenario muta rapidamente, il futuro del governo Berlusconi si fa nero. Gli equilibri politici sono destinati a cambiare radicalmente. All'inizio di novembre Berlusconi si dimette, il governo cade.

Per la questione dell'Ici la crisi politica suona come una beffa. Si torna indietro come nel gioco dell'oca. Parte così il conto alla rovescia: da una parte Italia e Vaticano devono evitare la condanna dell'Ue, dall'altra bisogna aver tempo per costruire una soluzione condivisa da tutti i nuovi interlocutori.

Riparte la macchina della diplomazia e non tardano ad arrivare i primi frutti. Dall'Europa giungono segnali distensivi, la data della sentenza che Gotti Tedeschi prevedeva a fine novembre slitta ad aprile. Bisogna lavorare ancora e intensamente per preparare una norma che eviti la maximulta. Nel confronto con il nuovo governo, l'arrivo di Corrado Passera e di Mario Monti, con una fitta presenza di ministri e sottosegretari in sintonia con la Santa Sede e le varie anime della Chiesa, danno modo di non dover ripartire da zero. Andrea Riccardi, fondatore della Comunità di Sant'Egidio [e neoministro per la Cooperazione internazionale e l'Integrazione, *nda*], riallaccia i fili, Bertone può contare su uno strettissimo collaboratore del premier Monti. La situazione, già complessa, è aggravata dalla crisi economica più generale in cui versa il paese: Monti deve evitare il rischio Grecia, ha bisogno di denaro e chiederà sacrifici agli italiani. Come farlo senza toccare le caste, i privilegi, compresi anche quelli della Chiesa? A dicembre, quando il premier propone la manovra, non taglia l'esenzione concessa agli enti di culto con risvolti commerciali. La scelta fa aumentare la tensione. Esplode la polemica. In molti, dai deputati del Pd ai movimenti laici, chiedono al nuovo premier che la Chiesa paghi l'Ici sui propri beni, come fanno già i cittadini. «Avvenire» prova la difesa a tutto campo e respinge le accuse di privilegi.

In realtà, l'accordo tra Italia e Chiesa cattolica è indispensabile per evitare la mannaia dell'Europa. La situazione descritta da Tremonti nell'appunto privato si rivela ancora attuale. La soluzione suggerita è la migliore, la mossa vincente. Il primo a farne accenno è Bagnasco a metà dicembre, quando si dice disposto a «chiarire laddove nella formulazione di qualche punto della legge queste precisazioni si rivelino necessarie». Bertone sostiene la linea del nuovo premier e si mostra disponibile al confronto: «Il problema dell'Ici – afferma – è particolare, da studiare e approfondire, però la Chiesa fa la sua parte, specialmente a sostegno delle fasce più deboli della popolazione, e quindi compie, mi sembra, un'attività a favore della società italiana». Il problema tuttavia sembra quantomeno mal posto: le modifiche non sono una gentile concessione dei porporati, come viene da loro prospettato pubblicamente. Non è un chiarimento, ma una necessità impellente. Se la situazione non cambia, infatti, c'è il rischio che la Commissione europea – giova ripeterlo – condanni l'Italia facendole pagare una somma enorme, somma che sarà poi necessariamente contestata alla Chiesa.

Né Bertone né Bagnasco accennano a questo aspetto della questione, le loro dichiarazioni suonano come generose concessioni.

A metà febbraio 2012, Monti annuncia la rivoluzione: arriva l'Ici sui beni della Chiesa. Dovrà essere pagata non sulle strutture religiose ma su quelle commerciali: alberghi, scuole e ospedali. Insomma, per ottenere l'esenzione non sarà più sufficiente disporre all'interno dell'immobile di una struttura o spazio di preghiera. Per il fisco farà fede la «destinazione prevalente» dell'edificio, con le dovute percentuali tra uso commerciale e religioso. Il luogo di culto verrà ancora affrancato dal pagamento delle tasse ma la mossa equipara le attività commerciali degli ecclesiastici a tutte le altre. La scelta è recepita con rapidità dall'Unione europea: «Un progresso sensibile – commenta il portavoce di Almunia – speriamo di poter chiudere la procedura di infrazione contro l'Italia».

Il caso Ruby tra i dossier del papa

Il neogoverno Monti garantisce la «gestione» della questione Ici in modo equilibrato e chiude una vicenda che poteva far deragliare qualsiasi esecutivo. Almeno in Italia. L'attenzione mostrata nei confronti della Chiesa era abbastanza prevedibile: nella formazione di questo governo tecnico, infatti, il Vaticano si è speso con tutte le sue voci più autorevoli. Facendo arrivare al premier *in pectore* segnalazioni e raccomandazioni, anche nei mesi che precedono l'insediamento di Monti. I vertici della Chiesa operano per garantire un trapasso favorevole dopo la caduta del potere berlusconiano. Non è un caso se già settimane prima della formazione del nuovo governo, l'ex direttore di «Avvenire» Boffo, ora alla guida di Tv2000, la televisione della Cei, amico personale del cardinale Bagnasco, insisteva sul ruolo attivo dei cattolici in politica indicando nomi che poi ritroveremo nelle scelte di Monti, ovvero Lorenzo Ornaghi e Andrea Riccardi. Scrive il vaticanista Andrea Tornielli:

> Nella nuova compagine governativa ci sono tre ministri che sono stati protagonisti a Todi: Ornaghi, Riccardi e Corrado Passera. Sono cattolici anche Francesco Profumo (Pubblica istruzione), Paola Severino (Giustizia), Piero Gnudi (Turismo e sport). E nell'esecutivo è rappresentata in modo significativo anche l'anima cattolico-democratica, con il nuovo ministro della Sanità, Renato Balduzzi, in cattedra alla Cattolica da un anno, che si vede assegnato un dicastero certamente più importante di quello attribuito al suo rettore. [...]
> Ornaghi è certamente il ministro più organico a Santa Romana Chiesa. Politologo, allievo del padre nobile della Lega Gianfranco Miglio, presidente dell'Authority sul volontariato per volere dell'allora ministro del Welfare Roberto Maroni nel 2001, Ornaghi – nato a Villasanta, nel monzese, classe 1948 – è alla guida dell'Università cattolica dal 2002. Oltre che su un filo diretto con Bagnasco è ben introdotto Oltretevere. [...] Ornaghi ha affiancato negli ultimi mesi il cardinale Dionigi Tettamanzi nella resistenza al tentativo messo in atto da Bertone di cambiare i vertici dell'istituto Toniolo, la «cassaforte» della Cattolica.[3]

Proprio Ornaghi ha ottenuto un incontro riservato con don Georg dopo che Monti gli aveva chiesto la disponibilità a entrare nell'esecutivo come ministro. È andato dal segretario particolare di Benedetto XVI per sapere cosa ne pensasse il pontefice. *Nulla quaestio*, è stata la risposta. Anche perché così – si mormora nei corridoi della Santa Sede – si sarebbe ottenuto un doppio risultato: un ministro di fiducia e un posto libero nel prestigioso incarico di rettore della Cattolica. Ma Ornaghi ha tirato dritto e si è tenuto per mesi entrambe le poltrone. Riccardi è un altro solidissimo punto di riferimento come ministro della Cooperazione, vista la rete di relazioni internazionali sulle quali la comunità da lui fondata può contare. Monti, da parte sua, non vanta rapporti particolari Oltretevere, ma può contare sul vicesegretario Federico Toniato, nelle condizioni di rivolgersi e confrontarsi con il cardinale Bertone senza filtri o intermediari.

L'arrivo della squadra di Monti cambia il clima nelle relazioni tra i due Stati. Si riflette nelle scelte di monsignori e porporati. Viene praticamente archiviata la documentazione proveniente da Palazzo Chigi e da esponenti del centrodestra per sostenere la tesi della persecuzione giudiziaria patita da Silvio Berlusconi a partire dal 1994. Una documentazione eccezionale che ritroviamo nelle carte private di Benedetto XVI e che illumina alcuni passaggi fondamentali che hanno portato il governo Berlusconi alla crisi.

Nell'inverno del 2010, nel pieno dello scandalo Ruby – al secolo Karima El Mahroug, la ragazzina nordafricana che ha frequentato da minorenne le feste notturne nelle residenze di Berlusconi –, al Palazzo apostolico arriva un documento non firmato. Il mondo cattolico si stava dividendo rispetto alla linea di assoluto silenzio che il Vaticano aveva assunto sulla vicenda. C'era chi criticava l'attendismo e l'imbarazzo d'Oltretevere, l'assenza di una pubblica censura ai costumi privati del premier,[4] altri invece ritenevano che la Chiesa non dovesse assumere una posizione sull'accaduto.

Il documento, diviso in diversi paragrafi, inizia con una riflessione sulla giustizia italiana, criticando duramente la magistratura, che agisce nel libero «arbitrio» e con «irresponsabilità». A riprova, l'unico caso indicato espressamente è una vicenda verso la quale la Chiesa è da sempre assai sensibile: il caso di Eluana Englaro, la ragazza lombarda che dopo diciassette anni di coma vegetativo è morta a seguito dell'interruzione della nutrizione artificiale, dopo polemiche e sentenze giudiziarie:

> La distorsione applicativa di alcuni principi astratti, il progressivo deformarsi dei canoni di procedura penale, la mancanza di una rigorosa disciplina sanzionatoria degli abusi e l'affievolirsi delle garanzie ha reso le procure e i pubblici ministeri una sorta di corpo separato dallo Stato. [...] L'assoluta inadeguatezza dimostrata dal sistema disciplinare e la deriva corporativa dell'organo di autogoverno della magistratura ha consentito il progressivo affievolimento del sistema delle garanzie a tutela degli indagati. [...] Il prepotente affermarsi della «giurisprudenza creativa» (il caso di Eluana Englaro ne è un esempio eclatante) – ovvero il «legiferare attraverso sentenza», in caso di asseriti vuoti normativi o addirittura in presenza di leggi non gradite al collegio giudicante – ha spezzato anche il vincolo tra esercizio della giurisdizione e la legge dello Stato.

Questa prefazione serve a introdurre il «caso Berlusconi», segnato da una «magistratura politicizzata». L'allora premier sarebbe vittima di «un'aggressione giudiziaria articolata in 105 indagini, 28 processi, con 2560 udienze. Il tutto senza mai neppure una sola condanna: 5 processi sono in corso e gli altri si sono conclusi con 10 assoluzioni e 13 archiviazioni». Si affronta quindi la vicenda Ruby, con un messaggio nemmeno tanto velato: attenzione a criticare il premier, la storia non è come appare. Si elencano le presunte anomalie non ravvisate dai giudici:

> La vicenda di cui si parla in queste settimane – il cosiddetto «caso Ruby» – è poi addirittura sconcertante sul piano istituzionale, per i clamorosi abusi che l'hanno caratterizzata e continua-

> no a caratterizzarla. In sintesi, l'intera indagine nei confronti del presidente Berlusconi da parte della Procura di Milano, compiuta con un impressionante dispiegamento di mezzi, è completamente illegittima e viziata da palese incompetenza funzionale e territoriale. [...] Il mancato riconoscimento della competenza, oltre a determinare l'abusività delle indagini, ha privato il presidente Berlusconi del suo giudice naturale, che la Costituzione garantisce a ogni cittadino fra i suoi diritti fondamentali. [...] La Procura di Milano per un anno ha sottoposto gli ospiti dell'abitazione privata del premier a una sorta di «pedinamento telematico» attraverso intercettazioni e ricostruzione dei tabulati telefonici, monitorando di fatto la casa di Berlusconi in spregio a qualsiasi garanzia parlamentare. [...]

Da fine ottobre, quando emerge la storia che fa il giro dei notiziari di tutto il mondo, nei sacri palazzi ci si chiude in un silenzio totale. Certo, sia «Avvenire» sia «Famiglia Cristiana» assumono posizioni critiche nei confronti del premier. Ma da Oltretevere nessuna dichiarazione, nessun commento. Su una vicenda segnata da accuse di aver fatto sesso con una minorenne, l'asse con Palazzo Chigi vacilla ma tiene, per poi sprofondare nell'autunno successivo. Ma in quella settimana la difesa di Berlusconi recapitata in Vaticano serve a porre un argine all'inevitabile valanga.

Bisognerà aspettare fino al gennaio del 2011, quando Bertone decide di prendere una posizione ufficiale. Prima ricorda che la curia non interviene, proprio per evitare evidentemente di essere accusata d'ingerenza. Quindi, l'affondo: chiede pubblicamente più «moralità e legalità» ai politici italiani e il rispetto di valori come la famiglia. Seppur con toni smussati e curiali, il segnale è inequivocabile. La luna di miele – per affinità, necessità o interesse lo diranno gli storici – tra Berlusconi e i sacri palazzi si sta interrompendo.

Quando la sua vita privata diventa di dominio pubblico, il premier appare indifendibile agli occhi degli ecclesiastici. I suoi più stretti e fidati ambasciatori e consiglieri, Letta e Tremonti, non riescono più ad arginare il disagio e l'imbarazzo che cresce oltre il portone di bronzo.

La cena segreta con Napolitano

Nelle geometrie del potere, il crescente imbarazzo nei rapporti con Berlusconi segna come contrappeso una più forte sintonia tra Joseph Ratzinger e il presidente della Repubblica Giorgio Napolitano. Al di là di chi governa, è sempre forte l'attenzione e l'influenza della Chiesa sull'attività legislativa del Parlamento, soprattutto su argomenti sensibili: parità scolastica, eutanasia, famiglia, coppie di fatto, aborto e, come abbiamo visto, anche le tasse e l'Ici.[5] È meno nota la considerazione di cui gode Napolitano in Vaticano. È una figura di per sé non determinante nelle scelte di chi governa, ma negli ultimi anni ha consolidato un ruolo istituzionale di assoluta centralità, diventando arbitro e ascoltato consigliere.

Fin dall'elezione, nel 2006, il presidente è stato riconosciuto sempre più come interlocutore di rilievo nello scacchiere italiano, capace di assumere un ruolo significativo in momenti cruciali, come puntualmente poi accadrà nell'autunno del 2011 con il lento – e da mesi costruito – passaggio del testimone da Berlusconi a Monti e la formazione di un primo governo tecnico.

L'agenda, quella ufficiale delle relazioni istituzionali, testimonia una serie crescente d'incontri, colloqui e messaggi con Napolitano dopo la prima visita ufficiale nel novembre del 2006, pochi mesi dopo il giuramento. Nell'aprile del 2008

Napolitano offre un concerto a Benedetto XVI in onore del terzo anniversario di pontificato; dopo tre mesi l'annuncio che a ottobre sarà il papa a recarsi in visita al Quirinale,[6] rompendo una tradizione con pochissime eccezioni. Agli inizi di dicembre è Napolitano che a sua volta va nel piccolo Stato per presenziare alla commemorazione dei sessant'anni della Dichiarazione universale dei diritti dell'uomo. Passano poche settimane e, all'inizio del 2009, diplomazia e cerimoniale sono già partiti. In assoluta riservatezza, bisogna preparare un incontro rimasto fino a oggi segreto ma di cui abbiamo riscontro: una cena privata in Vaticano tra i coniugi Napolitano e Benedetto XVI, per il 19 gennaio 2009.

Dall'attività preparatoria nei sacri palazzi emerge quanto sia considerato cruciale il rapporto con il presidente della Repubblica. La tonaca che prepara l'incontro è il numero tre della segreteria di Stato, ovvero uno dei più stretti collaboratori del cardinale Bertone: monsignor Dominique Mamberti, ministro degli Esteri della Santa Sede. Con il consigliere diplomatico monsignor Antonio Filipazzi,[7] Mamberti individua gli argomenti da affrontare e suggerire direttamente al pontefice. In particolare, Filipazzi è esperto di questioni italiane, che segue dal 2002: «Quando Wojtyla o Ratzinger o anche il segretario di Stato – spiega oggi – dovevano incontrare Ciampi o Napolitano, il mio ufficio preparava delle relazioni per accompagnare il Santo Padre o il segretario all'appuntamento con gli argomenti per noi di maggiore interesse».[8]

Viene predisposta un'articolata nota preparatoria, un documento che ben esprime la *moral suasion*.[9] Così la relazione per la cena del 19 gennaio inizia con una breve biografia privata. Ripercorre le tappe della carriera politica del presidente Napolitano[10] per affrontare, nel secondo paragrafo, quelli che vengono indicati già nel titolo come «alcuni temi di interesse per la Santa Sede e la Chiesa in Italia». I toni sono diretti, le indicazioni esplicite, da programma di un partito politico. Il primo, sottolineato, è proprio il valore e la centralità della famiglia:

> Occorre dare piena attuazione al *favor familia* sancito dall'art. 29 della Costituzione, anche per contrastare il sempre più preoccupante calo demografico. In quest'ottica potrebbero risultare utili: un sistema di tassazione del reddito delle famiglie che tenga conto, accanto all'ammontare del reddito percepito, anche del numero dei componenti della famiglia e quindi delle spese per il mantenimento dei familiari; la previsione di aiuti a sostegno della natalità che non siano solo *una tantum*; l'adozione di misure volte a incentivare la realizzazione di servizi per la prima infanzia. Allo stesso tempo si devono evitare equiparazioni legislative o amministrative fra le famiglie fondate sul matrimonio e altri tipi di unione. Due esponenti del governo (Brunetta e Rotondi) hanno purtroppo fatto annunci in tal senso.

Una sintesi efficace degli indirizzi che la Chiesa vorrebbe suggerire in materia di famiglia, politica sociale e demografica, senza nascondere la preoccupazione per l'apertura, «purtroppo», di due ministri del governo Berlusconi alle coppie di fatto. Nei sacri palazzi si ribadisce che la famiglia deve rimanere quella tradizionale, «fondata sul matrimonio».

Si tratta solo del primo punto. Si passa poi alle numerose questioni pendenti, dalla parità scolastica ai «temi eticamente sensibili», come l'eutanasia. Ed è la prima volta che si svela un retroscena così importante: i suggerimenti a Benedetto XVI per come cercare di influenzare il presidente della Repubblica sugli indirizzi sociali, economici e politici.

> *Temi eticamente sensibili.* Riguardo all'ipotesi di un intervento legislativo in materia di cure di fine vita e di dichiarazioni

anticipate di trattamento, si avverte anzitutto l'esigenza di una chiara riaffermazione del diritto alla vita, che è diritto fondamentale di ogni persona umana, indisponibile e inalienabile. Conseguentemente, si deve escludere qualsiasi forma di eutanasia, attiva e omissiva, diretta o indiretta, e ogni assolutizzazione del consenso. Occorre evitare sia l'accanimento terapeutico sia l'abbandono terapeutico.

Parità scolastica. Il problema attende sempre una soluzione, pena la scomparsa di molte scuole paritarie, con aggravi sensibili per lo stesso bilancio dello Stato. Occorre trovare un accordo sulle modalità dell'intervento finanziario, anche al fine di superare recenti interventi giurisprudenziali che mettono in dubbio la legittimità dell'attuale situazione.

Situazione generale socio-economica. Essa registra un senso d'insicurezza, attualmente aggravato del contesto economico globale. Nel suo discorso di fine d'anno il presidente Napolitano ha ampiamente affrontato il tema di come l'Italia debba e possa affrontare l'attuale crisi. Permangono timori di fronte al fenomeno dell'immigrazione di persone provenienti da paesi poveri; sul tema dell'accoglienza di questi immigrati si soffermò particolarmente il presidente Napolitano nel suo discorso in occasione della visita del Santo Padre al Quirinale.

A Napolitano Benedetto XVI potrebbe anche chiedere di fare da «paciere» risolvendo incomprensioni e tensioni con le più alte cariche italiane. Non sono taciuti infatti dissapori o incomprensioni al paragrafo «Alcuni chiarimenti», che coinvolgono lo stesso Napolitano e il presidente della Camera, Gianfranco Fini:

Chiesa cattolica e leggi razziali. Il presidente Napolitano aveva fatto conoscere il suo rammarico per la critica de «L'Osservatore Romano» al discorso del presidente Fini circa le leggi razziali imposte dal fascismo, al quale non si sarebbe opposta neppure la Chiesa. Il giudizio espresso dal presidente Fini, oltre a non

tenere conto della situazione di non libertà allora vigente, ha dimenticato le prese di posizione di Pio XI contro tali provvedimenti, condannandoli sia in via di principio sia anche per il «vulnus» al Concordato del 1929. Non mancarono anche voci di autorevoli pastori italiani, come il cardinale Schuster di Milano, che riaffermarono la condanna dell'antisemitismo. È spiaciuta questa «chiamata a correità» della Chiesa, fondata su giudizi storici non ben articolati.
Legge sulle fonti del diritto dello Stato della Città del Vaticano. Si è creata una forte polemica mediatica attorno a tale norma, che sostituisce quella emanata nel 1929. La polemica, forse causata da qualche spiegazione infelice del provvedimento e dalla solita sommarietà dei mezzi di comunicazione nell'esporre le questioni, non ha ragioni di essere. Non è anzitutto toccato nessun patto fra la Santa Sede e l'Italia, trattandosi di un atto sovrano vaticano. Inoltre, né nel 1929 né ora vi è un recepimento automatico e totale della legislazione italiana; oggi come nel 1929 la legislazione italiana costituisce una fonte di norme suppletive per l'ordinamento dello Stato della Città del Vaticano.

Nei rapporti tra Stati è normale il confronto su vicende spinose e chiarimenti per sanare contrasti tra istituzioni. Come sono anche naturali valutazioni comuni su economia e politica estera.[11] Ma le specifiche indicazioni di intervento sulla politica italiana sono solo propedeutiche all'incontro o indicative del contenuto? Sarebbe infatti grave solo immaginare che un presidente della Repubblica sia destinatario di pressioni o anche solo doglianze e segnalazioni sull'attività legislativa del proprio paese. Come se Napolitano ricevesse da Obama critiche sulla politica sociale dell'Italia o su altre specifiche leggi e norme. Non sappiamo se e in che termini Benedetto XVI abbia espresso queste preoccupazioni a Napolitano, anche perché gli effettivi contenuti dei colloqui sono noti solo a chi vi ha partecipato.

Va ricordato comunque che la *moral suasion* del Vaticano è sottile, prevede poche parole. Magari un semplice accenno per lasciare intuire rilevanza, attualità e soprattutto sensibilità della Chiesa per un particolare argomento. C'è poi attenzione all'interlocutore, ed è noto che Napolitano non è un «baciapile», non ha atteggiamento ossequioso nei confronti del Vaticano. Proprio i temi suggeriti svelano comunque per la prima volta i contenuti d'incontri rimasti segreti e dei quali non si trova traccia nei comunicati ufficiali via via redatti. Anzi, le note ufficiali enfatizzano i macro-temi classici della diplomazia con la «significativa sintonia sui grandi temi dei diritti dell'uomo», la convergenza «sulla pace e la convivenza tra i popoli», la difesa dei diritti umani.

La raccomandazione di Letta, gli agenti segreti e la papamobile

Anche nella quotidianità, nei problemi di ogni giorno, tra i palazzi del potere politico a Roma e il Vaticano il flusso di pressioni, raccomandazioni, favori e affari pare continuo e di prassi. Due Stati che spesso hanno il battito cardiaco coincidente. I legami toccano le realtà più disparate. Se ne ritrova così traccia ampia seppur frammentaria nei documenti consegnati.

È emblematica la triangolazione che compie nell'autunno del 2010 la raccomandazione di un giornalista. La richiesta parte dal sottosegretario Gianni Letta e arriva al direttore dell'Ansa Luigi Contu. Quest'ultimo non si mostra disponibile. Si rivolge il 26 novembre a Letta con un biglietto:

> Caro Gianni,
> il collega che mi segnali è bravissimo. Purtroppo ancora per un

anno e mezzo non potremo fare assunzioni. Non ti preoccupare perché farò tutto ciò che è possibile per stargli dietro, aiutarlo a crescere, valorizzarlo, un caro saluto, Luigi Contu.

Il direttore dell'Ansa non asseconda la richiesta di assunzione. L'indomani, il braccio destro di Berlusconi fotocopia la lettera e la gira a un monsignore del Palazzo apostolico, molto probabilmente proprio il segretario del papa, padre Georg. Unendo alla fotocopia un appunto scritto a mano:

Monsignore Reverendissimo,
come vede la Sua fiducia è ben riposta. R. la merita tutta, perché è molto bravo. Purtroppo però la situazione dell'Ansa non consente accelerazioni. Bisogna aver pazienza e aspettare. Ma sarà un'attesa vigile e operosa. E, se sarà possibile, cercheremo anche di abbreviare i tempi. Lo farò volentieri e con orgoglio. E mi saluti R. e il maresciallo. A lei un pensiero grato con un saluto devoto e – se mi concede – amichevole, Gianni Letta.

Del resto, sulla scrivania del segretario particolare di Benedetto XVI, arrivano richieste per raccomandazioni e incontri di ogni tipo, portate avanti sia da ecclesiastici sia da civili. Molto attivo è Domenico Giani, l'ex agente segreto oggi a capo della gendarmeria, la polizia interna del Vaticano. Nell'ottobre del 2011 manda al fidato collaboratore di Benedetto XVI un promemoria segnalando cinque diverse richieste di appuntamento. Dai generali di corpo d'armata ai venditori della papamobile:

Rev.mo Mons. Georg Gänswein
Segretario Particolare di Sua Santità
Appartamento Privato

Reverendissimo Monsignore,
vengo a disturbarLa, per chiederLe di valutare la possibilità che le sottoelencate personalità, che negli ultimi tempi si sono rivolte allo scrivente, possano essere ricevute dalla Signoria Vostra Illustrissima e Reverendissima, nelle modalità e nei tempi che riterrà più opportuni, in merito agli argomenti che vengo succintamente a elencare:
– Prefetto Salvatore Festa: vorrebbe conferire per argomentazioni di carattere personale e per nuovi incarichi legati al suo ufficio.
– Gen. C. A. Corrado Borruso: già Vice Comandante Generale dell' Arma dei Carabinieri e attualmente Consigliere della Corte dei Conti, vorrebbe incontrarLa per ringraziarLa al termine del servizio prestato come ufficiale superiore dell'Arma.
– Casa automobilistica Renault: vorrebbe incontrarLa, *possibilmente nei giorni 7 oppure 8 novembre p.v.,* per definire alcuni aspetti legati alla donazione di un veicolo elettrico con avanzati sistemi tecnologici da donare al Santo Padre e da utilizzarsi nella residenza estiva di Castel Gandolfo.
– Dr. Andreas Kleinkaufe Dr. Rubenbauer. Casa automobilistica Mercedes: vorrebbero incontrarLa, *possibilmente nei giorni dal 24 al 26 ottobre p.v.*, per definire alcuni aspetti legati alle migliorie tecniche da apportare alla nuova papamobile. Trattasi di un incontro urgente.
– Dr. Giuseppe Tartaglione. Casa automobilistica Volkswagen: vorrebbe incontrarLa per definire alcuni aspetti legati alla donazione di una nuova autovettura PHAETON elaborata secondo le necessità del Santo Padre. [...]

A parte la prevedibile corsa delle case automobilistiche a regalare a fini di marketing veicoli di ogni tipo e per ogni esigenza, con la Mercedes in prima fila che chiede udienza per discutere come migliorare le prestazioni della papamobile di ultima generazione, è interessante soprattutto la prima richiesta di colloquio. Giani caldeggia un incontro con il prefetto Festa, già questore di Siena e all'epoca dirigente generale dell'ispettorato di pubblica sicurezza presso il Vaticano. Dopo qualche giorno sarà proprio Festa a scrivere a Gänswein una breve lettera di ringraziamento. È il 7 novembre.

> *Reverendissimo Monsignore,*
> ho parlato con l'amico Domenico [con ogni probabilità Giani, comandante della gendarmeria, *nda*] e sono rimasto senza parole; sarà difficile ma con l'aiuto di Nostro Signore e con la Sua indiscussa autorità possiamo farcela. Con l'affetto di sempre La prego di accogliere i miei più devoti ossequi, Salvatore Festa.

Allegato a questa breve lettera c'è un foglietto con pochi appunti che forse potrebbero aiutare a capire:

> Prefetto Festa, servizi segreti,
> - Capo della Polizia
> - più anziano Prefetto
> - problema dell'età non c'entra
> - Dott. Letta?! dopo 10 anni

Si riferiva forse a un posto nei servizi segreti quel «nuovi incarichi legati al suo ufficio» che Giani indica nella lettera a Gänswein per fissare un appuntamento con Festa, amico da tanti anni e dal 2003 collega insostituibile per garantire la sicurezza al papa? Non si sa. Come non è chiaro se il Santo Padre conosca e in che termini quest'attività della sua segreteria particolare.

Di certo la Santa Sede può contare su formidabili alleati nei servizi segreti italiani. A iniziare dal prefetto Francesco La Motta, già direttore centrale del fondo edifici di culto del ministero dell'Interno, ovvero l'ufficio che amministra le spese per quelle chiese di proprietà dello Stato italiano, e diventato poi vicedirettore vicario dell'Aisi, il nostro ex Sisde, dal quale proviene anche Giani, che lavorava al «centro» degli 007 in Toscana.

La Motta è amico di Gianni Letta, in buoni rapporti con Luigi Bisignani.[12] Caso raro nell'intelligence, siamo di fronte a una famiglia di 007: il figlio Fabio è anche lui nei servizi segreti, fidanzato di Barbara Matera, presentatrice tv e dal 2009 europarlamentare del Pdl. Quando emerge lo scandalo di Noemi e delle ragazze che passavano le serate e le notti con Berlusconi, l'allora premier si difende indicando proprio La Motta come garanzia della serietà e dei profili professionali delle sue parlamentari: «Barbara Matera è laureata in scienze politiche, me l'ha consigliata Letta, è la fidanzata del figlio di un prefetto suo amico». Una rete di relazioni, a livelli diversi, che ben esprimono la forza di un blocco di potere, la capacità di poter contare su amicizie trasversali nei servizi segreti e nelle forze di polizia. Tra l'altro La Motta è gentiluomo di Sua Santità, un'onorificenza particolare che si riceve direttamente dal papa e che merita un approfondimento.

Secondo il vaticanista Paolo Rodari, quello di gentiluomo è un «sigillo, nero su bianco, di un legame del tutto particolare che si viene ad avere direttamente con il papa. Non a caso è della "famiglia pontificia" che si entra a far parte. Servono due cose, dunque: il prestigio e le benemerenze personali».[13] Il titolo però non sempre ha portato fortuna: erano gentiluomini di Sua Santità anche faccendieri come Umberto Ortolani (P2) o, più di recente, Angelo Balducci, l'ex presidente del Consiglio superiore dei lavori pubblici. Eppure quando nel 2006 Benedetto XVI li ricevette tutti in udienza fu molto chiaro: «Cari gentiluomini, la barca di Pietro per poter procedere sicura ha bisogno di tante nascoste mansioni, che insieme ad altre più appariscenti contribuiscono al regolare svolgimento della navigazione». Tra le «nascoste mansioni» sarebbe interessante conoscere quelle dell'unico politico scelto nella storia come gentiluomo: Gianni Letta. Anche perché gli incarichi di rito loro affidati sono modesti. Ufficialmente, infatti, si limitano a salutare e intrattenere un ospite del papa in attesa dell'udienza con il pontefice nell'appartamento di rappresentanza. In realtà quella di gentiluomo è un'onorificenza prestigiosa perché testimonia un legame indissolubile con gli ecclesiastici. Tranne rari casi, infatti, un gentiluomo non viene revocato, la nomina è a vita.[14]

Questi rapporti all'occorrenza possono sempre tornare utili in quella grande ragnatela di aderenze tra i due Stati, soprattutto quando le persone che hanno a cuore la sicurezza nella curia romana compiono uno strappo alle regole o quando qualcuno viola i rapporti tra Italia e Vaticano. Come abbiamo potuto documentare, succede così: in gran segreto e in borghese si supera porta Sant'Anna e si conducono operazioni coperte in Italia con intercettazioni, perquisizioni e pedinamenti, come vedremo nel prossimo capitolo. Oppure può anche succedere che si debba far luce su un'auto targata Scv, Stato Città del Vaticano, trovata crivellata da colpi di pistola in una via della capitale.

---

[1] Il cardinale Michele Giordano si oppose alla perquisizione, che venne annullata dal procuratore di Lagonegro alla consegna spontanea di documenti. In particolare Giordano indicava le norme dell'accordo concordatario tra Italia e Santa Sede del 1984. «Rimane peraltro fermo – spiegò il porporato durante una conferenza stampa tenutasi il 23 agosto 1998, come riportano i lanci Ansa nella serata di quel giorno dal titolo "Card. Giordano: le norme del concordato citate dal cardinale"– che all'autorità di polizia e all'autorità giudiziaria italiana possono opporsi nel caso di perquisizioni e atti di sequestro

negli uffici e negli archivi della curia diocesana le garanzie poste dall'art. 2 del testo del Concordato che dice: "È assicurata alla Chiesa la libertà di organizzazione e di pubblico esercizio del culto, di esercizio del magistero, del ministero spirituale, nonché della giurisdizione in materia ecclesiastica. L'articolo 7 comma primo della Costituzione italiana riconosce la sovranità della Chiesa nell'ordine suo proprio". In questo caso si tratterebbe di attività che vengono a incidere nella sfera giuridica di un soggetto sovrano e come tale [la stessa è, *nda*] sottratta a ogni ingerenza dello Stato italiano.»

2 Valentina Conte, *Ici dalla Chiesa 600 milioni, ecco la stretta sugli immobili*, «la Repubblica», 17 febbraio 2012.

3 Andrea Tornielli, *Mario e i suoi fratelli cattolici*, Vaticaninsider.it. Prosegue l'articolo: «Vicino a Ruini e impegnato nel progetto culturale della Chiesa italiana, ha segnato il cambiamento degli equilibri nell'ateneo fondato da padre Gemelli riportandone le redini nelle mani dei vertici dell'episcopato. Il nuovo ministro dei Beni culturali è un uomo riservato e accorto, che non si è mai sovraesposto, nonostante il ruolo di rettore. Un tipico rappresentante "dell'Italia sanamente moderata", come lo definisce un amico di lungo corso».

4 Da fine ottobre, quando emerge la vicenda che fa il giro dei notiziari di tutto il mondo, bisognerà aspettare il gennaio del 2011 perché il cardinale Tarcisio Bertone prenda una posizione ufficiale, seppur indiretta, sulla vicenda chiedendo pubblicamente più «moralità e legalità» ai politici italiani e il rispetto di valori come la famiglia.

5 Nel secolo scorso, per esercitare la continuità di questo condizionamento, la Democrazia cristiana, *in primis*, ma anche settori del Psi e perfino del Pci sono stati punti di riferimento. Dopo il crollo della Prima repubblica e il fallimento della ricostituzione di un partito cattolico, la trasversalità tra i partiti è stata invece la strategia per riaffermare il principio caro già al cardinale Camillo Ruini per cui «la politica si incontra inevitabilmente con la religione e specie con la fede cristiana». Ed è su questo incontro che il pontificato di Ratzinger scommette per riaffermare i principi della dottrina sociale della Chiesa. Seppur talvolta con evidenti contraddizioni, come quelle emerse dai rapporti alternanti con i governi Berlusconi. È difficile anche solo ricordare, soprattutto oggi, quanto l'ex premier italiano abbia cercato di affermare negli anni l'immagine del devoto e ossequioso cattolico praticante. In realtà, se non avesse avuto la formidabile capacità diplomatica Oltretevere del vice Gianni Letta, in sintonia plastica con Bertone, e quella meno visibile e nota di Giulio Tremonti, che contribuì già da commercialista a introdurre l'8 per mille, l'ipocrisia di questa luna di miele sarebbe crollata rapidamente. Invece il processo erosivo è stato lento, con una perdita progressiva di consenso nel mondo cattolico, emerso poi in modo definitivo con la vicenda irricevibile delle ragazze nelle dimore

pubbliche e private del primo ministro. Certo, rimane innegabile, ancora una volta, la capacità che ha avuto Silvio Berlusconi nel nuovo millennio di raccogliere, tenere insieme e interpretare esigenze di mondi tra loro lontani o, almeno, lontani da taluni suoi immediati desideri quotidiani. Ma questo rimane poca cosa rispetto alla lungimiranza nei sacri palazzi non solo di influenzare ma anche di prevedere la politica italiana.

[6] Si tratta di una visita importante: «Se si considera che in 69 anni – scrive in quei giorni l'Ansa –, dal 1939 a oggi le visite di un papa al Quirinale sono state solo otto, nove tenendo conto anche di quella che Pio XII fece in quella sede proprio nel '39, quando era ancora occupata dai Savoia. Benedetto XVI è il quinto papa ad andare in visita ufficiale al Quirinale, già palazzo pontificio fino al 1870, quando Pio IX lo abbandonò dopo la fine dei domini territoriali vaticani».

[7] Filipazzi rimarrà sino al maggio 2011 alla segreteria di Stato nella sezione che si occupa dei rapporti con l'Italia per poi essere promosso nunzio apostolico in Indonesia.

[8] Intervista rilasciata all'autore, marzo 2012.

[9] La nota intitolata «Incontro con il presidente della Repubblica italiana Giorgio Napolitano» porta la data del 19 gennaio 2009, firmata da monsignor Mamberti, redatta da monsignor Filipazzi, è indirizzata a «Sua Santità».

[10] Nell'asciutta biografia di Napolitano si accennano anche dettagli privati che in genere la diplomazia internazionale non ritiene rilevanti. Come la scelta del rito civile per il matrimonio del presidente della Repubblica, celebrato nel 1959: «Giorgio Napolitano è nato a Napoli il 29 giugno 1925, nel 1947 si è laureato all'Università di Napoli in giurisprudenza con una tesi di economia politica sul mancato sviluppo del Mezzogiorno. Ha conosciuto Clio Maria Bittoni (nata nel 1935) all'Università di Napoli, dove anch'ella si laureò in giurisprudenza. Si sono sposati con rito civile nel 1959. I coniugi Napolitano hanno due figli, Giulio e Giovanni. Il presidente Napolitano si è iscritto nel 1945 al Partito comunista italiano (Pci), facendone parte fino alla sua trasformazione nel partito dei Democratici della sinistra (Ds), al quale ha poi aderito. Dopo aver ricoperto incarichi a livello regionale, nel 1956 è diventato dirigente del Pci a livello nazionale. È stato eletto alla Camera dei deputati per la prima volta nel 1953 e ne ha fatto parte, tranne che nella IV legislatura, fino al 1996. Il 3 giugno 1992 è stato eletto presidente della stessa Camera dei deputati, restando in carica fino all'aprile del 1994. Dal 1989 al 1992 e nuovamente dal 1999 al 2004 è stato membro del Parlamento europeo. Nella XIII legislatura è stato ministro dell'Interno e per il coordinamento della protezione civile nel governo Prodi, dal maggio 1996 all'ottobre 1998. Il 23 settembre 2005 è stato nominato senatore a vita dal presidente della Repubblica Carlo Azeglio Ciampi. Il 10 maggio

2006 è stato eletto presidente della Repubblica e ha prestato giuramento il 15 maggio 2006. Ha compiuto una visita ufficiale in Vaticano il 20 novembre 2006. Il 24 aprile 2008 ha offerto a Sua Santità un concerto in onore del terzo anniversario di pontificato. Il 4 ottobre 2008 Sua Santità si è recato in visita al Quirinale».

[11] Ecco il passaggio dedicato agli argomenti di politica estera: «L'attuale situazione nella Striscia di Gaza con le attuali speranze aperte dalla tregua e le prospettive di una soluzione definitiva. Tutto ciò avrà un peso nella decisione circa il pellegrinaggio apostolico del Santo Padre in Terra Santa. L'attenzione al Continente africano, che verrà visitato dal Santo Padre nel marzo prossimo e che sarà al centro di un'assemblea del Sinodo dei vescovi. Il tema può interessare l'Italia che assume quest'anno la presidenza del G8. Si ricorda che sono tuttora in mano ai loro sequestratori due suore italiane rapite in Kenya, dove nei giorni scorsi è stato assassinato un missionario».

[12] «Chiedono ripetutamente un appuntamento o di interloquire anche solo telefonicamente con Bisignani – si legge in un'informativa della guardia di finanza mandata ai Pm di Napoli che indagano su Bisignani – alti ufficiali dell'Arma dei carabinieri e della guardia di finanza nonché prefetti della Repubblica» come il prefetto Mario Esposito; il prefetto Francesco La Motta, vicedirettore vicario dell'Aisi, il servizio segreto civile, che usava lo pseudonimo «Imperia».

[13] Paolo Rodari, *La dura selezione di quegli uomini in frac che stazionano a San Damaso*, «Il Foglio», 6 marzo 2010.

[14] Sia a Ortolani sia a Balducci venne revocato il titolo.

007 vaticani, missione in Italia

Pedinamenti ai Parioli

Non sempre i confini tra Italia e Vaticano sono rispettati. Ufficialmente in nessun paese al mondo la polizia di uno Stato estero può valicare i confini e compiere attività d'indagine senza specifiche autorizzazioni. Non è previsto da alcun accordo internazionale, sarebbe una lesione delle prerogative e della sovranità dello Stato. Certo, possono esserci specifici casi di collaborazione per inchieste comuni tra gruppi d'investigatori di diversi paesi che lavorano insieme su indagini congiunte, o accordi particolari per operazioni miste come quelli che negli anni Novanta vennero stabiliti tra Italia e Albania contro i mercanti di uomini e l'immigrazione clandestina. Ma mai operazioni non concordate, azioni cosiddette «coperte», simili al caso del sequestro nel 2003 a Milano di Abu Omar che mandò a processo chi partecipò al blitz della Cia per rapire l'imam di Milano e trasferirlo in Egitto. I Patti lateranensi e gli accordi che regolano i rapporti tra Italia e Sacra Romana Chiesa su questo aspetto non stabiliscono nessuna eccezione.

In Vaticano le indagini vengono compiute come in ogni altro paese al mondo per combattere malaffare e corruzione, utilizzando tecnologie avanzate come le microspie più sensibili capaci di registrare anche i sospiri in confessionale. È quanto accade all'inizio della primavera del 2008, quando vengono attivate delle microspie all'interno dell'ufficio del direttore dei servizi tecnici, l'ingegner Pier Carlo Cuscianna. L'indagine è aperta per alcuni presunti illeciti «compiuti nell'ambito della direzione dei servizi tecnici», stando a quanto si legge genericamente nei documenti. Il direttore sembra rivestire il ruolo del testimone inconsapevole.

Cuscianna non è uno dei tanti civili che lavora oltre il colonnato. Appassionato di energie alternative e autore di diversi libri,[1] manager innovativo, l'ingegnere è il punto di riferimento per qualsiasi intervento di manutenzione. È lui, ad esempio, il regista dell'impianto fotovoltaico con 2400 pannelli realizzato sul tetto dell'immensa aula Paolo VI, inaugurato nel novembre del 2008. In aprile però qualcosa cambia, tanto da far partire un'attività investigativa vaticana vera e propria sul territorio italiano, in zona Parioli a Roma:

> Il sottoscritto S.T., in merito alle indagini per presunti illeciti [...], procedendo all'ascolto delle intercettazioni ambientali, veniva al corrente che:
> alle ore 10.00 di ieri 21 aprile 2008, l'ing. Pier Carlo Cuscianna, parlando al telefono con la propria consorte in modalità «vivavoce», veniva avvisato da quest'ultima dell'arrivo presso la loro abitazione di un idraulico. L'operaio, di cui non è stato possibile risalire all'identità, né alla ditta d'appartenenza, sarebbe stato ingaggiato dall'ing. Cuscianna per montare dei sanitari nel bagno della propria abitazione. Veniva subito avvisato dell'accaduto A.C., il quale disponeva che il C.D. si portasse sotto l'abitazione del direttore al fine di poter fotografare l'operaio in questione, mentre il sottoscritto proseguiva l'attività d'ascolto.
> Alle ore 15.00 il sottoscritto si portava sotto l'abitazione del direttore dei servizi tecnici unendosi a C.D., che trovandosi lì dalle ore 10.30, aveva avuto modo di fotografare il presunto operaio che usciva definitivamente dal cancello dell'abitazione in questione,

dieci minuti più tardi. I sottoscritti, sperando che questi fosse venuto al lavoro con la propria autovettura, al fine di poter prendere il numero di targa e risalire alle generalità del proprietario, pedinavano l'individuo, che però arrivato a piazza Ungheria saliva sul tram n. 19 dileguandosi. In allegato si fornisce la stampa delle fotografie scattate. Tanto si doveva per opportuna conoscenza.[2]

Al di là della vicenda in sé, che interessa relativamente e che, comunque, non è possibile ricostruire in modo completo a partire dai documenti a disposizione, ciò che qui interessa è scoprire l'esistenza di persone in servizio in Vaticano che hanno superato le mura e compiuto attività investigative con pedinamenti di cittadini italiani in territorio italiano. Non solo. Si sarebbero effettuati appostamenti e servizi fotografici. Come se nulla fosse.

Sarebbe interessante sapere se e che tipo di autorizzazioni sono state concesse, da chi, a che scopo. Ma pare altamente improbabile che le autorità italiane abbiano ufficialmente concesso a chicchessia di poter compiere queste attività.

Per valutare meglio quanto accade, aiuta forse ricordare alcuni precedenti nei tormentati rapporti giudiziari tra Italia e Città del Vaticano. Nel 1987 Marcinkus e i suoi collaboratori Luigi Mennini e Pellegrino de Strobel vennero colpiti da mandato di cattura per il crac dell'Ambrosiano di Roberto Calvi, ma la polizia italiana non poté arrestarli perché i tre non uscivano dal Vaticano. E non uscirono almeno fino a quando la Cassazione non annullò i provvedimenti. Un altro caso risale al 1996, quando l'allora «promotore di giustizia» in Vaticano (che in Italia corrisponde al pubblico ministero) Carlo Tricerri coinvolse la gendarmeria per far perquisire l'appartamento di un ecclesiastico a borgo Pio, quartiere romano a ridosso del Vaticano. Anche qui non è dato sapere se e con quali autorizzazioni.[3]

Nel 1998 vennero uccisi a colpi di arma da fuoco il comandante delle guardie svizzere Alois Estermann, la moglie Gladys Meza Romero e il vicecaporale Cédric Tornay. La versione ufficiale indicava in quest'ultimo l'assassino della coppia, che poi si sarebbe tolto la vita. La polizia italiana, pur nei dubbi rispetto alla motivazione ufficiale, non poté ovviamente svolgere alcuna indagine visto che la strage si era compiuta in territorio estero. E il confine rimase invalicabile.

Insomma, ogni polizia indaga nel proprio Stato. La guardia svizzera pontificia e la gendarmeria possono agire solo in territorio vaticano. A tal proposito, pochi mesi dopo il blitz ai Parioli, la prefettura della Casa pontificia diffuse un documento interno per ricordare le norme riguardanti i servizi e gli incarichi assegnati viste le tensioni e gelosie tra guardie svizzere e gendarmi. Suddiviso in nove paragrafi, il documento è molto preciso. Dopo aver ricordato le competenze generali, al punto n. 7 si legge testualmente, con una parte evidenziata anche in grassetto:

> Per quanto si riferisce alla vigilanza, alla sicurezza e alla protezione del Santo Padre *all'interno del territorio vaticano* fuori del Palazzo apostolico, esse sono soprattutto esercitate dal corpo della gendarmeria che vigila e pattuglia su tutto il territorio. Sono compresenti i due corpi nella basilica di San Pietro e nell'aula Paolo VI.

Nessun accenno, come ovvio, a indagini fuori le mura leonine. Del resto, sarebbe impensabile in qualsiasi altra parte d'Europa. Basta immaginare cosa accadrebbe se alcuni carabinieri andassero a pedinare qualcuno a Parigi o se Scotland Yard mandasse dei suoi agenti in missione a Milano, a Berlino o Madrid.

I consigli a Benedetto XVI su Emanuela Orlandi

Di quest'operazione di intelligence in territorio italiano, con i pedinamenti tra i caseggiati ai Parioli, fino a oggi non si sapeva nulla, solo ora emerge dai documenti che la fonte Maria e gli altri hanno raccolto negli ultimi anni. È difficile immaginare quante altre inchieste vaticane in Italia siano passate inosservate. Dei servizi segreti della Santa Sede si è tanto favoleggiato ma di certo non è mai emerso nulla nell'ultimo secolo.

Una volta, invece, un agente in borghese della gendarmeria è stato scoperto in piena azione sempre nel cuore di Roma, durante una manifestazione per conoscere la verità su Emanuela Orlandi, la ragazza scomparsa nel 1983. È il pomeriggio di sabato 21 gennaio 2012 quando Pietro Orlandi, fratello di Emanuela, è davanti alla chiesa di Sant'Apollinare a Roma per la manifestazione di protesta contro il silenzio della Santa Sede. Qualche centinaio di persone si sono ritrovate con lui nel piazzale antistante la basilica dove, strano ma vero, è sepolto Enrico De Pedis detto Renatino, il boss della banda della Magliana, il gruppo criminale che negli anni Ottanta controllava la città. Un luogo simbolo: il boss potrebbe aver avuto un ruolo nel sequestro e nella scomparsa della ragazza.

Occhiali scuri, armato di teleobiettivo, un uomo senza remore scatta fotografie ai manifestanti, agli striscioni, ai volantini che vengono distribuiti, a chi interviene per chiedere la verità sulla Orlandi. Tra questi ci sono diversi cittadini del Vaticano e persone che lavorano nei sacri palazzi che riconoscono nel fotografo uno degli agenti della gendarmeria d'Oltretevere. Si tratta di Francesco Minafra, da oltre cinque anni alle dipendenze di Domenico Giani. Chi l'ha mandato? Che fine faranno quegli scatti? La squadra mobile di Roma apre un fascicolo per scoprire che Minafra era insieme a un collega. La storia arriva in Parlamento con il leader del centrosinistra Walter Veltroni, che chiede lumi al ministro dell'Interno Anna Maria Cancellieri, che attende l'esito delle indagini.

Pietro Orlandi non lo sa ma quanto accaduto non è isolato. Sulla storia della sorella l'attenzione di Benedetto XVI è alta. Il pontefice segue da tempo la vicenda in prima persona. E don Georg, il suo primo assistente, legge con attenzione ogni informazione che Giani riesce a raccogliere. Da una parte una famiglia che cerca la verità, dall'altra un'istituzione, il Vaticano, dove vige la regola aurea che un segreto non è più tale se lo sa più di una persona. Pietro Orlandi già ai primi di dicembre aveva avuto un incontro con padre Georg, al quale si rivolge di nuovo il 16 dicembre con una lettera in cui lo ringrazia dell'incontro e gli dice che tutta la sua famiglia è convinta che «Sua Santità attraverso le sue parole potrà sensibilizzare le coscienze di chi è preposto ad accertare la verità». Gli anticipa anche che «domenica 18 all'Angelus molte delle persone che hanno aderito alla lettera rivolta al papa [una petizione per la verità sottoscritta da 45.000 persone, *nda*] saranno presenti in piazza San Pietro nella speranza che Sua Santità possa rivolgere, durante l'Angelus, un pensiero e una preghiera a Emanuela. Questo gesto potrebbe determinare l'inizio di un nuovo cammino verso la verità».

Orlandi si mostra determinato a raggiungere la verità sulla scomparsa della sorella. E nei sacri palazzi ci si chiede se accogliere o meno la sua richiesta: è il caso che il papa rivolga un pensiero a Emanuela? Sulla domanda – si scopre ora dai documenti – si confrontano per giorni i più stretti collaboratori di Ratzinger, tra riunioni e appunti mandati a

Benedetto XVI. Tra i primi a intervenire, il prelato veneto Giampiero Gloder, capo dei *ghostwriters* che coadiuvano il papa nella stesura dei suoi testi. Del caso Orlandi, e in particolare della richiesta del fratello per l'Angelus, il monsignore discute con padre Lombardi e con monsignor Ettore Balestrero, uno dei primi collaboratori di Bertone alla segreteria di Stato. Tutti e tre arrivano alla stessa conclusione: sulla ragazza Ratzinger non deve intervenire. Qualsiasi parola sulla vicenda farebbe riaccendere i fari mondiali su una storia che ormai va avanti da quasi trent'anni. Indirettamente, riconoscerebbe un «ruolo» del Vaticano. Impensabile.

Balestrero condivide la posizione con Bertone che è d'accordo: «Magari al signor Orlandi gli mandiamo una lettera», ipotizzano gli ecclesiastici. A questo punto però bisogna studiare una strategia alternativa e far arrivare l'indicazione al pontefice. Se ne incarica sempre Gloder. L'indomani gli si presenta l'occasione buona per bussare all'appartamento privato. Infatti, ha appena inserito nel testo dell'Angelus che il papa leggerà in piazza San Pietro le correzioni apportate di suo pugno dal Santo Padre e deve riconsegnare il documento a padre Georg. Così al discorso allega un approfondimento sul caso Orlandi:

> Per quanto riguarda la menzione del caso Orlandi, dopo aver sentito padre Lombardi, e nuovamente mons. Balestrero, si è giunti alla conclusione che non è opportuno un cenno al caso. Il fratello della Orlandi sostiene fortemente che ai vari livelli vaticani ci sia omertà sulla questione e si nasconda qualcosa. Il fatto che il papa anche solo nomini il caso può dare un appoggio all'ipotesi, quasi mostrando che il papa «non ci vede chiaro» su come è stata gestita la questione. Semmai, si vedrà come andranno le cose se poi si potrà scrivere al sig. Orlandi una lettera a firma del Sostituto in cui si esprima la vicinanza

del papa, ma si precisi anche che non vi sono nuovi elementi a conoscenza delle nostre Autorità (sarà eventualmente da studiare molto bene). Il Cardinale è stato informato ed era d'accordo.

Benedetto XVI legge e rilegge la nota. Gloder è sempre sintetico ed efficace. È sabato 17 dicembre, siamo alla vigilia dell'Angelus. Il papa riflette ancora sul testo, soffermandosi su una delle prime frasi dopo il saluto ai fedeli. Suona profetica: «Contemplando l'icona stupenda della Vergine Santa, nel momento in cui riceve il messaggio divino e dà la sua risposta, veniamo interiormente illuminati dalla luce di verità che promana, sempre nuova, da quel mistero». «Luce di verità», proprio così. Tutti la chiedono e difficilmente si trova. Sulla scrivania tra le carte di Ratzinger c'è anche un altro appunto dalla segreteria di Stato sulle manifestazioni dell'indomani in piazza San Pietro. Vengono tutte strettamente monitorate, come quella di Orlandi e del suo gruppo. Scrive il presule responsabile:

> Ho dato istruzioni al dr. Domenico Giani che nessuno deve entrare nella piazza con striscioni o cartelloni contenenti frasi offensive o slogan di protesta. Il luogo e il momento di preghiera non deve essere violato o strumentalizzato per fini propagandistici.

L'indomani Ratzinger accoglie l'invito dei suoi cardinali e non pronuncia una parola sulla ragazza scomparsa. In piazza il gruppo è sotto osservazione, gli agenti in borghese della gendarmeria controllano che tutto proceda senza imprevisti. L'Angelus è perfetto. Nessun incidente, nessuna dimostrazione, nessuna nota fuori tono. L'ex 007 Giani è soddisfatto. L'azione preventiva della gendarmeria ne esce rafforzata. E spedisce un appunto al segretario particolare del pontefice:

> Caro don Georg, le rimetto la segnalazione inviata ai superiori circa la partecipazione all'Angelus odierno di un gruppo per la questione Emanuela Orlandi, di cui abbiamo parlato, con i volantini che esibivano. Ossequi, Domenico G.

In allegato il documento mandato alla segreteria di Stato sul monitoraggio dei manifestanti che chiedono la verità sulla Orlandi:

> Questa mattina un gruppo di circa 60 persone, parenti, amici e sostenitori dell'iniziativa promossa dal sig. Pietro Orlandi, fratello di Emanuela, cittadina vaticana scomparsa in Italia il 22 giugno 1983, si sono radunate in piazza San Pietro dando vita a una manifestazione per chiedere al Santo Padre «Verità e Giustizia per Emanuela Orlandi». I partecipanti, riunitisi a Castel Sant'Angelo, hanno raggiunto piazza San Pietro e, dopo aver ascoltato in modo composto la recita dell'Angelus, mentre il Santo Padre faceva rientro in appartamento hanno inneggiato il nome di Emanuela. Per la circostanza alcuni cine-foto operatori che seguivano il gruppo sono stati informati delle procedure di accredito per le riprese in piazza San Pietro e invitati ad attendere in piazza Pio XII.

Nei mesi successivi si sviluppa un confronto sempre più serrato tra i magistrati della procura che indagano sulla scomparsa di Emanuela e di Mirella Gregori, un'altra ragazza sparita in circostanze analoghe sempre nel 1983, e il Vaticano e il governo tramite il ministro Cancellieri. Oggetto del contendere la tomba dove è sepolto De Pedis, che pur essendo su suolo italiano e non in una zona extraterritoriale del Vaticano, nessuno apre.

Almeno fino al mese di aprile del 2012, quando interviene padre Lombardi con una nota per ricordare gli otto pubblici appelli lanciati da papa Wojtyla per la liberazione della ragazza e per fugare ogni dubbio che «istituzioni o personalità vaticane» non abbiano fatto «tutto il possibile». E sull'indegna sepoltura di De Pedis in chiesa? «Non si frappone nessun ostacolo che la tomba sia ispezionata e la salma tumulata altrove.» Ma, almeno fino a quando questo libro va in stampa, nessuno intende scoperchiarla. Anche perché, in tutti questi anni, chi doveva, eventualmente, mettere le cose a posto, ha avuto tutto il tempo. Ventinove anni.

Pallottole calibro 22

Secondo quanto abbiamo potuto ricostruire dalle carte di cui siamo entrati in possesso, i gendarmi hanno invece dovuto chiamare i carabinieri di Roma la notte del 9 dicembre 2010, quando sono rimasti vittime di una vicenda che non ha precedenti nella storia vaticana. Dopo essere andati a cena in un ristorante della capitale con alcuni colleghi di una delegazione dell'Interpol, i gendarmi all'uscita hanno ritrovato crivellata di colpi di pistola l'auto blu lasciata nel parcheggio. Un'auto senza insegne, solo la targa: «Scv», ovvero Stato Città del Vaticano. La situazione è delicata. Richiede discrezione, come emerge dalla relazione di servizio:

> Verso le 22.45 di ieri personale di questo corpo della gendarmeria uscendo dal ristorante Da Arturo in via Aurelia antica n. 411 – al termine di una cena con alcuni funzionari dell'Interpol convenuti in Vaticano per una visita istituzionale – notava che l'autovettura Volkswagen Passat targata Scv 00953, che avevano utilizzato in questi giorni nei vari spostamenti, era stata danneggiata con alcuni colpi di arma da fuoco. La vettura presentava infatti il lunotto posteriore completamente sfondato, e tre piccole ammaccature provocate da altrettanti colpi di pistola sul mon-

tante destro. A terra, vicino alla macchina, sono stati rinvenuti i quattro bossoli (calibro 22) ma nessuna traccia delle pallottole.[4]

A questo punto i gendarmi chiamano in Vaticano e si mettono in contatto con il neocardinale Ferdinando Filoni, all'epoca sostituto della segreteria di Stato, in pratica il ministro dell'Interno della Santa Sede. Il fidato collaboratore di Bertone capisce che potrebbero aprirsi gli scenari più diversi: il gesto di un esaltato o un avvertimento mirato? Nel dubbio decide due mosse. Mandare immediatamente altri agenti della gendarmeria fuori dal ristorante, così da avere la situazione sotto controllo e capire, per quanto possibile, cosa è accaduto, e poi far chiamare subito il nucleo operativo dei carabinieri perché possano essere avviate le indagini, da monitorare minuto per minuto:

> Da precisare che la vettura era stata parcheggiata di fronte al ristorante, a ridosso dell'inferriata delimitante l'area *Mediaset* – spazio comunemente usato dai frequentatori del locale – ma non intralciava il transito dei pedoni, e proprio davanti all'autovettura, a pochi metri, era stata parcheggiata un'altra macchina della gendarmeria, anche questa utilizzata per la circostanza, passata del tutto inosservata. Sono state sentite alcune persone ma nessuno è stato in grado di fornire elementi utili alle indagini; solo un inserviente del ristorante, senza specificare l'orario, ha sentito alcuni spari, ma non ha dato peso al fatto pensando fossero petardi. Dall'analisi delle immagini registrate dalla telecamera installata all'ingresso del ristorante non è stato raccolto alcun indizio, in quanto l'impianto è puntato sul muro perimetrale dell'edificio e non sulla strada.

I carabinieri si muovono con rapidità e informano con zelo insolito di ogni passo i gendarmi. In dodici ore riescono a svolgere tutti gli accertamenti e i rilievi balistici e fanno il punto su quanto scoperto, stabilendo anche che non c'è necessità di sequestrare l'auto per eventuali attività successive nelle indagini. Così il mezzo viene riconsegnato:

> Subito dopo i necessari rilievi, la vettura è stata portata presso la stazione «Bravetta» dei carabinieri, poco distante, e alle 12.30 di oggi, dopo ulteriori accertamenti balistici, non essendo stata sottoposta a sequestro, personale della gendarmeria ha ripreso in consegna l'autovettura. Dalla dinamica del fatto, emerge l'ipotesi che a compiere l'atto vandalico sia stato uno squilibrato, che transitando occasionalmente su via Aurelia antica, notando un'autovettura con targa vaticana, abbia voluto compiere un gesto dimostrativo o intimidatorio, spinto quasi sicuramente da risentimenti di carattere personale.
> A conferma che con tutta probabilità si è trattato di un folle, il fatto che, stando a quanto affermato dagli esperti balistici, l'autore del gesto ha rischiato molto per la sua incolumità a sparare sull'autovettura così da vicino, nonostante il modesto calibro delle pallottole.

Dalla relazione però emerge un dettaglio strano. «Nessuna traccia delle pallottole», si legge. Che fine hanno fatto i quattro proiettili, come mai non se ne trova nemmeno uno? È anche possibile che un'ogiva si sia spiaccicata nel muro o nell'asfalto dopo aver trapassato l'autovettura, ma le altre? Mistero. Di certo l'auto è subito riconsegnata in Vaticano, senza indugi, senza quelle lunghe verifiche e quelle complicazioni burocratiche che magari avrebbero colpito il «normale» cittadino che una sera qualsiasi, con qualche collega dopo una piacevole cena a base di pesce, uscendo dal ristorante, si trova l'auto crivellata di colpi. La delicatezza della situazione deve aver imposto ai carabinieri, sempre nel rispetto delle procedure e consegnando un verbale con i rilievi tecnici in procura, di indagare con rapidità per evitare che magari i media intercettassero la notizia.

Napoleone in Vaticano

Anche stavolta Domenico Giani, direttore dei servizi di sicurezza, è riuscito a gestire una situazione delicata e per certi versi inquietante. Passa infatti la versione «minimalista» su un episodio che, certo, può anche esser stato il gesto di un folle ma potrebbe persino assomigliare a un'intimidazione rimasta poco approfondita. Del resto Giani gode della piena fiducia tra i porporati di rango. Non c'è quindi motivo di dubitare di quello che dice. Se non fosse per qualche biglietto anonimo che ogni tanto circola sul suo conto. «Tutta gelosia – ribatte lui con gli amici – m'invidiano perché servo il papa.»

Sino a pochi anni fa, Giani era assolutamente digiuno di «cose» vaticane, c'era solo il suo amore per la Chiesa che lo vide già anni fa tra i fondatori della Comunità giovanile del Sacro Cuore e dell'onlus Rondine-Cittadella della Pace. Classe 1962, toscano di Arezzo, sposato, due figli, laureato in pedagogia all'Università di Siena – si legge sul gruppo di Facebook a suo nome – Giani è un ex maresciallo della guardia di finanza senza particolari ambizioni, almeno sino al 1993 quando Giovanni Paolo II fa visita al santuario di Verna, in provincia di Arezzo. Giani è di casa e si distingue come responsabile dei Volontari della Misericordia della città toscana, tanto che l'allora vescovo della città, monsignor Flavio Roberto Carraro, lo presenta al commendator Camillo Cibin, il capo della gendarmeria che all'epoca si chiamava corpo di vigilanza.

Tra i due nasce una forte intesa. Cibin lo accredita presso monsignor Giovanni Battista Danzi, dal 1995 potente segretario generale del governatorato. Giani non si fa sfuggire l'occasione. Grazie a una legge speciale riesce a essere promosso al grado di tenente nel ruolo ufficiali inferiori per poi mettersi in aspettativa nel 1999, quando viene chiamato oltre il portone di bronzo quale vice del capo della gendarmeria. Danzi lo vuole in Vaticano e Giani arriverà a sostituire Cibin nel 2006, dopo averlo affiancato per diversi anni fino alla pensione. Anni in cui la gendarmeria cerca di guadagnarsi un ruolo nevralgico nel tessuto di potere della Santa Sede. A tale obiettivo può aver contribuito l'efficienza della centrale operativa, aperta nel 2000 e inaccessibile a quasi tutti. Il direttore, equiparato in Italia a un generale di corpo d'armata, sebbene comandi appena 150 gendarmi, consente l'ingresso a pochissimi di loro, come il vicecommissario Gianluca Gauzzi Broccoletti, umbro di Gubbio, classe 1974. Infatti, all'interno troviamo quello che si è guadagnato il leggendario appellativo di «Digit Deo», una specie di grande orecchio in grado di captare qualsiasi conversazione. Un apparecchio che contribuisce alla sicurezza in Vaticano, garantita grazie anche all'avanzatissima tecnologia di aziende israeliane che hanno piazzato sistemi di controllo in ogni punto sensibile.

La gendarmeria può contare in caserma anche su propri esperti di sicurezza, come lo stesso Gauzzi Broccoletti, socio al 18 per cento della Egss Advising di Civitavecchia con uffici direttamente alla darsena romana. L'Egss si occupa di sicurezza a 360 gradi: dalle bonifiche ambientali alla sicurezza telematica. In pratica Broccoletti in Vaticano fa il funzionario di polizia e in Italia l'imprenditore della sicurezza, che commercializza e ha a disposizione strumenti e tecnologie assolutamente legali pronti per ogni evenienza. Socio di

Gauzzi Broccoletti troviamo un altro commissario della gendarmeria: Stefano Fantozzi, che lavora in caserma, alla segreteria amministrativa, e detiene il 23 per cento dell'azienda. Sempre a Civitavecchia ha sede anche un'altra società che si occupa di sicurezza, sempre di proprietà di un gendarme. È la Consulting Security Srl di Enzo Sammarco, commissario al laboratorio tecnico della gendarmeria dal 1980.

Che in futuro possano nascere conflitti di interesse tra il doppio ruolo di questi gendarmi è un'ipotesi che non si può escludere a priori. In Italia, ad esempio, agli agenti di polizia è vietato esercitare altre attività professionali o assumere cariche sociali in aziende private. Ma qui siamo di fronte ad attività che si svolgono in due Stati, seppur molto vicini, sulla carta sovrani e distinti.

Sgambetto alla segreteria di Stato

Negli ultimi anni la gendarmeria ha quindi visto crescere il proprio ruolo e potere. Non sono mancati incidenti diplomatici, tra gelosie, invidie e incomprensioni. A fine autunno del 2008 la segreteria di Stato scopre ad esempio che pochi mesi prima, a settembre, era entrato in vigore il regolamento della polizia senza che l'ufficio di Bertone venisse interpellato. Alla terza loggia sono quantomeno indispettiti: questa mossa del governatorato, dal quale dipende la gendarmeria, infrange regole e precedenti in un braccio di ferro tra Bertone e l'allora numero due del governatorato, monsignor Renato Boccardo. Il clima traspare dalla nota dell'ufficio giuridico firmata da monsignor Felice Sergio Aumenta, inquadrato minutante come don Gänswein:

> Si parte dal dato di fatto che il regolamento è stato approvato e che è entrato in vigore il 29 settembre 2008. Ci si limita pertanto a due osservazioni: una di metodo e l'altra di merito. Desta meraviglia il fatto che detto regolamento sia stato approvato senza il parere della segreteria di Stato, come sarebbe stato non solo opportuno ma necessario. Non si tratta solo (e sarebbe già abbastanza) di obbedire alla Legge fondamentale che prevede il «*concerto con la segreteria di Stato*» nelle materie di maggiore importanza, ma di rispetto della *Secreteria Status seu Papalis*, giacché si tratta della vigilanza sulla sicurezza del Sommo Pontefice. Senza dire della necessità di coordinamento con la Gsp [guardia svizzera, *nda*], con l'ordinamento giudiziario della Scv e con le amministrazioni della Santa Sede, cose tutte che rientrano nelle competenze di questa segreteria di Stato. [...] In conclusione il regolamento scadrà nel settembre del 2010. Forse converrà conservare per quella data le osservazioni formulate nel merito. [...] Inviare ora dei rilievi critici non sortirebbe alcun risultato pratico. Se piacerà ai superiori, si potrebbe rispondere a Ser mons. Boccardo ringraziando del cortese invio del regolamento, aggiungendo che *si è certi che Ella non mancherà di inviare qui il testo prima della conferma definitiva, per il necessario concerto con questa segreteria di Stato.*

Per trovare una mediazione intervengono diversi prelati: «Proporrei – scrive a mano un cardinale – una formulazione più precisa e incisiva del tipo: si prende atto che il documento è stato approvato *ad experimentum* da codesto governatorato. Considerato che, in vari articoli, sarebbero necessari precisazioni o modifiche, si è certi che Ella non mancherà di sottoporre il testo a questa segreteria di Stato prima della conferma definitiva per il concerto previsto dalla Legge fondamentale dello Scv [Stato Città del Vaticano, *nda*]». La questione, infatti, non è solo di ruoli ma anche di disciplina dei compiti: «Si condividono analisi e suggerimenti espressi nei due appunti» osserva monsignor Filipazzi della sezione rapporti con gli Stati. Un nodo fondamentale è il ruolo del governatorato in rapporto alle zone extraterritoriali, che andrebbe chiarito nel rispetto del Trattato lateranense. Infatti, tra le modifiche si suggerisce di intervenire proprio su questo punto:

> per quanto riguarda i compiti della gendarmeria nelle zone extraterritoriali, vale quanto sottolineato dalle norme e cioè che il personale, sia subalterno che dirigente, quando presta servizio nelle zone extraterritoriali non potrebbe agire con la stessa qualifica ricoperta sul territorio vaticano ma dovrebbe presentarsi come personale «inviato dalla Santa Sede».

Ora, la strada per evitare rotture sembra rimanere una sola: «Si potrebbero delicatamente segnalare al cardinale presidente del governatorato – prosegue l'appunto – quelle osservazioni che i superiori ritenessero necessarie, in vista delle opportune modifiche che verrebbero effettuate nel 2010». Così verranno recepite le indicazioni dell'allora assessore per gli Affari generali Gabriele Caccia, oggi nunzio apostolico in Libano: «Sottoporre il testo a eventuali osservazioni dell'ufficio giuridico e della sezione rapporti con gli Stati. Si può in seguito segnalare che tale tipo di regolamenti andrebbero emanati in concerto e non autonomamente. Infine, sottoporre alcune osservazioni anche in vista del termine (2010) del periodo "*ad experimentum*"».[5]

Battaglia in Vaticano per una bandiera

Un caso sottoposto direttamente a Benedetto XVI, destinato a dividere la curia, è quello della bandiera di fortezza dello Stato pontificio in dotazione alle truppe papaline che nel 1870 combatterono a Porta Pia. Quanto accade per questa bandiera, dal valore altamente simbolico, ma che rimane pur sempre un oggetto, indica bene il confine tra forma e sostanza nei sacri palazzi. Dato che la massima trasparenza non è proprio una delle prime regole, l'attenzione diventa quasi ossessiva quando piccole vicende assumono una dimensione pubblica e possono quindi innestare polemiche e critiche.

Nel gennaio del 2011 arriva in Vaticano la notizia riservata che il principe Lillo Sforza Ruspoli, famiglia aristocratica storicamente fedele al Vaticano, è deciso a donare la bandiera pontificia al papa.[6] Sforza Ruspoli è protagonista delle cronache mondane e del gossip in Italia ma vanta anche solidi rapporti in Vaticano, a iniziare da quello diretto con Bertone. Certo, il momento non è dei più propizi, la questione di Porta Pia riecheggia ancora come una ferita che si vorrebbe sanata e rischia di suscitare nuove polemiche: in Italia si festeggia l'anniversario dell'unità e qualcuno potrebbe risentirsi.

L'idea però affascina gli ecclesiastici nei sacri palazzi: non soltanto chi ne vede l'emblema della Chiesa, ma anche diversi porporati di primo piano, a iniziare da Bertone. La vicenda assume sempre più rilievo e diventa, almeno stando al carteggio finito nell'appartamento del papa e da noi visionato, una questione di assoluta importanza. I favorevoli al possesso dell'agognato vessillo spendono le loro ragioni. Rimarcano che, accettando il dono del nobile, tornerebbe a casa, seppur dopo 141 anni, la bandiera che sventolava sulle mura aureliane fino al 20 settembre 1870, quando i bersaglieri e i fanti sabaudi aprirono una breccia a colpi di cannonate nelle fortificazioni, facendo così finire lo Stato pontificio.[7]

È passato tanto tempo ma la sensibilità non sembra scemata. Anzi, il 28 gennaio Giani scrive direttamente a Bertone per informarlo della possibilità del dono:

> *Eminenza Reverendissima,*
> S.E. il principe Sforza Ruspoli, dignitario di una delle Famiglie Nobiliari da sempre devota e fedele, per credo e tradizione, alla Santa Romana Chiesa, come noto, è proprietario della bandiera di fortezza dello Stato pontificio, in dotazione alle truppe papaline che eroicamente combatterono a Porta Pia nel 1870 e che da molto tempo desidererebbe donare al Santo Padre. Ho casualmente incontrato il principe lo scorso 8 dicembre presso il collegio americano del nord ed in quella circostanza mi manifestava questo suo desiderio con l'auspicio che oltre all'atto di regalia al Santo Padre, che sommessamente desidererebbe compiere personalmente nelle sue mani, in precedenza fosse celebrata una sobria cerimonia «militare» per rendere gli onori alla bandiera, come nelle antiche e mai tramontate tradizioni militari.[8]

Il gesto – tra l'altro – sarebbe da farsi subito perché Sforza Ruspoli, classe 1929, lo «sente urgente data la veneranda età». Non è infatti detto che gli eredi, «in caso di una sua improvvisa dipartita, rispettino la sua volontà», come riporta sempre Giani a Bertone, facendosi carico della vicenda. Insomma, non solo l'aristocratico sembra quasi imporre un dono con annessa cerimonia, ma mostra una certa fretta, rischiando di provocare smottamenti negli equilibri con l'Italia. In Vaticano sembrano subire queste pressioni. L'idea infatti incontra un iniziale favore da parte del cardinale Bertone, che si dimostra interessato e subito indica il suo via libera sulla lettera di Giani, dicendo di «attendere il progetto dettagliato e le ipotesi di date». Anche il sostituto monsignor Filoni si porta avanti nei preparativi e ipotizza come data utile il giorno di san Michele Arcangelo, aprendo così formalmente un fascicolo in segreteria di Stato.

Questa lettura dell'anniversario non è condivisa da tutti nella terza loggia. E l'argentino Guillermo Karcher, cerimoniere pontificio, solleva esplicitamente il dubbio «per evitare eventuali equivoci in un anno speciale per l'Italia (150 anni dalla cruenta apertura della "questione romana" che è bene non rievocare troppo militarmente)».

Il 22 febbraio Benedetto XVI riceve sulla scrivania l'incartamento. Rimane perplesso. Teme un passo falso: «Chiede di approfondire un aspetto delicato, se da parte dell'Italia – sono le sue parole – non vi saranno polemiche a che un emblema storico sia "esportato" in Vaticano». I dubbi del papa sono fondati.

Anche monsignor Balestrero, sottosegretario per i rapporti con gli Stati, una sorta di viceministro degli Esteri, è netto: «Eviterei la cerimonia speciale – scrive di pugno – tanto più se si trattasse di un mero deposito e inoltre [...] manterrei un profilo basso [...] Personalmente sono perplesso per il timing ossia fare pubblicità all'evento in quest'anno in cui si commemora l'unità d'Italia e ci si sforza di sottolineare le buone relazioni e che la ferita è "sanata", potrebbe costituire un segno in senso contrario, soprattutto se vi si desse pubblicità...». Bertone comprende che la situazione non deve sfuggirgli di mano. Il rischio è quello di attacchi e strumentalizzazioni politiche prevedibili, andando così ancora a incidere sul suo complesso rapporto con il pontefice. «Il cardinale segretario di Stato – è l'annotazione a mano di Filoni, il ministro dell'Interno vaticano – ne parlerà al principe. Poi farà sapere. Comunque è meglio evitare clamori.» «Studiare più a fondo la questione – si preoccupa il segretario di Stato – per sgomberare il gesto da ogni equivoco.»

Alla segreteria di Stato non se ne sa più nulla, almeno tra presbiteri e impiegati, fino a settembre, quando arriva l'invito alla festa del corpo della gendarmeria. Nel programma spunta la «consegna della storica bandiera della Fortezza che S.E. il principe don Sforza Ruspoli donerà alla Santa Sede». Con tanto di picchetti e l'onore delle armi esattamente come chiesto dal principe. Viene sentito Bertone, e il 17 settembre, ormai quasi alla vigilia, si decide di «mantenere il *low profile* prevedendo che vi sia la semplice consegna della bandiera senza esporla e rendere gli onori»[9], ma due giorni dopo interviene il cardinale Lajolo «che si assume lui le responsabilità e pertanto la bandiera verrà esposta!».

È la vittoria di Giani. Trasforma la festa dei suoi 150 gendarmi in un momento rilevante della vita vaticana. Di più, il comandante vorrebbe persino schierato un plotone con la guardia svizzera agli ordini di un suo uomo. Un'ipotesi che manda su tutte le furie Christoph Graf, vicecomandante delle guardie. L'ufficiale scrive direttamente a monsignor Angelo Becciu, che da maggio ha preso il posto di Filoni come sostituto per gli Affari generali. I toni sono diretti, velati di ironia, ma a schierare le storiche guardie comandate da un gendarme nemmeno ci pensa.[10]

Al di là di gelosie e scontri interni, la manifestazione non provoca critiche. Anzi, passa la lettura comune di voler rimarcare che dissapori e ferite provocati dalla questione romana appartengono ormai solo al passato. Il messaggio è diretto: Chiesa e Stato italiano collaborano con una sintonia mai registrata in passato. A testimonianza del sigillo la fitta presenza di ministri e sottosegretari del governo Berlusconi alla cerimonia: primo fra tutti Gianni Letta, il ministro degli Esteri Franco Frattini, dell'Ambiente Stefania Prestigiacomo con il segretario del Pdl Angelino Alfano e il leader dell'Udc

Pierferdinando Casini. Tutti schierati sul palco delle autorità. In buon ordine tra monsignori e cardinali. Tra mille sorrisi e la soddisfazione di Bertone.

---

1 Da quello sui presepi di piazza San Pietro negli ultimi 25 anni all'indimenticabile volume sulle cento fontane divine che rallegrano i giardini vaticani.

2 Tratto dalla «Relazione di servizio relativa alle intercettazioni ambientali effettuate all'interno dell'ufficio del direttore dei servizi tecnici dello Stato della Città del Vaticano, sito all'interno del palazzo del governatorato».

3 L'avvocato Tricerri indagava sulla presunta truffa di un sacerdote, Domenico Izzi, ai danni dello Ior. Si veda Gianluigi Nuzzi, *Vaticano S.p.A.*, Chiarelettere, Milano 2009, p. 177 e seguenti.

4 L'appunto indirizzato «per l'Ecc.mo mons. sostituto della segreteria di Stato» con protocollo riservato della gendarmeria n. 120/Ris. porta la data del 10 dicembre 2010 ed è firmato dal direttore dei servizi di sicurezza Domenico Giani.

5 Un aspetto singolare con tanto di insolito dilemma sul regolamento riguarda le visite fiscali domiciliari dei medici ai gendarmi in malattia che vivono in Italia. A che titolo i sanitari possono operare? «Atteso che il medico del Corpo è un ufficiale dello Stato Città del Vaticano – si legge nel punto in cui si prevede che il comandante possa disporre visite medico-fiscali – e che il personale della gendarmeria risiede in territorio italiano, ci si chiede come il medico stesso possa recarsi in Italia per effettuare una visita fiscale a un cittadino italiano. Quest'ultimo potrebbe addirittura impedirgli di entrare nella propria casa (in Italia) non riconoscendo la sua qualifica vaticana. Valgono le osservazioni fatte a proposito delle zone extraterritoriali: la qualifica ricoperta all'interno dello Stato non può essere esportata *sic et simpliciter* al di fuori dello stesso.»

6 Scrive Paolo Conti sul «Corriere della Sera» del 19 settembre 2011: «I Ruspoli hanno strettissimi e plurisecolari legami con il papato: otto pontefici in famiglia, nel '700 armarono a loro spese un reggimento "Ruspoli" per difendere gli Stati pontifici, nel 1797 contribuirono con 800.000 scudi d'oro, nel Trattato di Tolentino, a pagare le indennità imposte da Bonaparte alla Chiesa. Da vent'anni Sforza Ruspoli è protagonista ogni 20 settembre, con il gruppo di Militia Christi, di una contromanifestazione a Porta Pia, esponendo quella bandiera storica, per commemorare i 19 zuavi pontifici "morti per il loro ideale e per il papa". Il 20 settembre di un anno fa così Ruspoli spiegò le sue ragioni: "Nessuno immagina di voler restaurare il

potere temporale della Chiesa né si vogliono fomentare discordie storiche. Ma siamo certi che l'autentica unità della patria, della nostra patria italiana, si ottiene solo con la verità storica. Tentare di cancellarla è un danno per tutti". Chissà che un giorno non si realizzi un suo vecchio progetto: una lapide che commemori, in perfetto spirito bipartisan, anche quei 19 zuavi pontifici che morirono per Pio IX il 20 settembre 1870».

[7] In quei giorni di sangue i principi Ruspoli riuscirono ad acciuffare la bandiera: si erano creati un passaggio percorrendo il giardino della villa abitata da Napoleone Carlo Bonaparte e donna Cristina Ruspoli. Lei mise in salvo il vessillo, rimasto crivellato dai colpi delle forze sabaude.

[8] Nella lettera il capo della gendarmeria prosegue: «Con questi sentimenti infatti, come la storia minuziosamente descrive, nel 1506 e nel 1870, impugnando la preziosa bandiera, giovani valorosi arrivarono generosamente a sacrificare il dono più grande, quello della propria vita, a difesa del romano pontefice e dello Stato pontificio. Eminenza reverendissima è mio dovere rappresentarle, per eventuali speculazioni, che non può certo dirsi che la famiglia Ruspoli non abbia sentimenti italiani!!! Infatti, fra i compianti del principe Sforza si annoverano due avi deceduti durante la prima guerra mondiale sulle montagne del Carso già al comando di due reparti dell'esercito italiano tra cui il famoso reggimento "Folgore" la cui caserma a Livorno tutt'oggi porta il nome di Palazzo Ruspoli. La cerimonia, potrebbe essere celebrata congiuntamente al corpo della guardia svizzera pontificia, come esempio di collaborazione di due distinte ma quanto mai vicine realtà vaticane, che operano quotidianamente ed instancabilmente al servizio del successore di Pietro e della sede apostolica, e che, come nel passato, si troverebbero insieme a tributare omaggio al prezioso vessillo. Della cerimonia, qualora dall'Eminenza Vostra autorizzata, e tanto auspicata dal principe, lo scrivente si farebbe carico dell'organizzazione, conforme del resto a quella tenuta annualmente dal corpo della gendarmeria in occasione della festa di san Michele Arcangelo, patrono del corpo, mutuata dalle cerimonie militari italiane in occasione dei passaggi di consegna delle bandiere. Colgo l'occasione per confermarmi con i sentimenti di devoto, grato e affettuoso ossequio dell'eminenza vostra reverendissima, il direttore».

[9] Scrive Vincenzo Mauriello, addetto alla segreteria di prima classe: «Sommessamente, attesa la delicatezza della questione, che in qualche modo potrebbe coinvolgere la "sensibilità" delle autorità e dell'opinione pubblica italiana, sembrerebbe opportuno sentire in merito nuovamente la sezione per i rapporti con gli Stati».

[10] Si legge nella lettera del comandante della guardia svizzera, Daniel Anrig, a Domenico Giani del 21 settembre 2011: «Come già manifestato all'illustre direttore Giani dal comandante siamo grati che si sia pensato anche alla

guardia svizzera per rendere gli onori al prezioso cimelio e la partecipazione di una delegazione sarà garantita ma non riteniamo opportuno che un picchetto d'onore sia inserito in un plotone interforze e soprattutto agli ordini di un ufficiale della gendarmeria. Anrig ricorda a Giani che «con lo scioglimento dei corpi armati pontifici del 1971 non esiste più un ordine gerarchico e la guardia svizzera pontificia risulta essere l'unico corpo militare. [...] Nei protocolli militari internazionali a mia conoscenza non è previsto rendere onori militari a un corpo di polizia...». Con tanto di stoccata finale: «Mi auguro che quanto sopra non venga frainteso, credo infatti fermamente che, malgrado le motivazioni da lei addotte nell'invito, siano altre le circostanze dove l'unità di intenti dei due Corpi al servizio del sommo pontefice debbano essere manifestate alle superiori autorità».

Tarcisio Bertone: l'ambizione al potere

«Santità, la confusione regna nel cuore della Chiesa»

La Santa Sede è stata messa a dura prova da un lungo elenco di scandali che hanno colpito la Chiesa nel mondo. A iniziare dalla pedofilia, per anni sottovalutata. Nel 2002 l'allora monsignor Tarcisio Bertone, prima che la vicenda esplodesse a livello mondiale, liquidava la questione come una malattia che tocca solo «un'infima minoranza» di sacerdoti. L'elenco prosegue. Gli abusi sessuali e psicologici compiuti dal fondatore dei Legionari di Cristo Marcial Maciel, definito da Benedetto XVI nel 2010 un «falso profeta dalla vita immorale: un'esistenza avventurosa, sprecata, distorta».[1] La questione ancora aperta dei lefebvriani, con lo scisma tradizionalista, dopo la nomina di quattro vescovi nel 1988. Le inchieste giudiziarie per riciclaggio che hanno coinvolto lo Ior, la banca del papa. I rapporti della cricca del gentiluomo di Sua Santità Angelo Balducci con sacerdoti e monsignori impegnati a gestire affari e appalti. Le case di Propaganda Fide e i vizi di qualche ecclesiastico utilizzati come arma di ricatto. Decine di scandali acuiti dalle congiure interne ai sacri palazzi, quelle denunciate dall'ex direttore di «Avvenire» Dino Boffo e dal presbitero Carlo Maria Viganò. Guerre a bassa intensità che nel 2011 vedono intensificarsi gli anonimi che da sempre circolano nei sacri palazzi. Prima con le minacce di morte al cardinale Bertone[2] e poi con il fango contro monsignori e porporati. È il caso, ad esempio, del cardinale Agostino Vallini, vicario del papa per la diocesi di Roma, vittima di una finta petizione di sacerdoti che ne chiedevano la rimozione. La raccolta di firme era una bufala. Nel settembre del 2011 partì un'inchiesta, tuttora in corso, per scoprire chi si nascondeva dietro gli anonimi indirizzati contro Vallini.

Il momento è difficile e richiede nervi saldi, timonieri capaci. Caratteristiche che non tutti ritrovano in Tarcisio Bertone, indicato dal pontefice nell'estate del 2006 come nuovo segretario di Stato, il successore di Angelo Sodano. A differenza dei predecessori, Bertone non proviene dalla carriera diplomatica: un *vulnus* che Ratzinger deve aver ben ponderato, prevedendo che la scelta avrebbe determinato diffidenze e reazioni. Il papa vuole Bertone perché si fida di lui, lo ha avuto dal 1995 al 2003 come segretario alla Congregazione per la dottrina della fede, quando Ratzinger era prefetto. Inoltre Bertone rappresenta un riferimento importante per i contatti con ambienti lontani dal Santo Padre: la politica, soprattutto quella italiana. I punti di debolezza possono diventare leve di forza, tanto che fin dall'inizio del suo incarico Bertone avoca a sé i rapporti con la politica, di fatto limitando lo spettro d'azione della Conferenza episcopale diretta dal cardinal Bagnasco e determinando malumori in curia.

Fin dall'inizio Bertone incontra difficoltà di ogni tipo, addirittura logistiche. Sodano, ad esempio, non lascia l'ufficio di segretario di Stato per un anno. Non sente ragioni finché non sarà pronto quello nuovo da decano dei porporati. Così il suo successore è costretto ad accontentarsi di una stanza laterale. I problemi dell'ufficio sono però poca cosa rispetto alle nubi che si stanno addensando sulla segreteria di Stato. Appena insediato, arrivano le prime avvisaglie con le crisi diplomatiche. Il 12 settembre 2006 Benedetto XVI pronuncia il discorso di Ratisbona, un intervento dotto, prezioso nei riferimenti letterari e storici, con rimandi continui a fede, ragione e sapere. È una delle prime occasioni di rilievo anche per Bertone, il neosegretario di Stato. Tra le citazioni storiche, però, compare anche la classica buccia di banana, la «scivolosa» frase dell'imperatore bizantino Manuele II Paleologo: «Mostrami pure ciò che Maometto ha portato di nuovo e vi troverai soltanto delle cose cattive e disumane». Le parole provocano un terremoto, una reazione immediata e a catena sui media di tutto il mondo. I paesi islamici sono sul piede di guerra. Qualcuno aveva avvertito Benedetto XVI? Il testo è stato controllato? Non si è mai capito con certezza. Di certo, l'incidente crea malumori e fratture in Vaticano. Seguirà lo sforzo del Santo Padre di ricomporre la crisi, sottolineando più volte che si trattava solo di una citazione, che non rappresentava certo il suo pensiero. Un passo falso, probabilmente indotto da qualcuno che non ha evidenziato il passaggio delicato. Eppure l'errore non resta isolato.

Negli anni successivi gli episodi si ripetono sebbene Bertone acquisti un potere crescente, con un duplice obiettivo: mettere alla porta i critici e far promuovere ecclesiastici di sua piena fiducia. Con un'attenzione particolare ai dicasteri economici, ai centri di spesa: il cardinale Domenico Calcagno va all'Apsa, a gestire l'enorme patrimonio immobiliare,[3] Ettore Gotti Tedeschi allo Ior, l'ex nunzio vaticano in Italia Giuseppe Bertello al governatorato, il cardinale Giuseppe Versaldi alla prefettura degli Affari economici. È la strada maestra per consolidare il suo potere ed estendere sempre più l'influenza sulla curia romana, fino ad arrivare ai grandi nomi del conclave che un domani sarà chiamato a scegliere il successore di Benedetto XVI.

Il gioco di potere si sviluppa in un clima di crescente tensione. C'è paura a criticare i superiori e a esprimere il proprio dissenso. Il rischio è di subire rappresaglie o trasferimenti. Nel piccolo Stato si consumano lotte senza esclusione di colpi: gelosie, invidie, casi di carrierismo, interessi personali. Tutto questo scatta soprattutto quando si aprono partite in cui il denaro, declinato in ogni sua espressione, il potere o entrambi in un'unica partita diventano motivo di contese sotterranee. L'etica sparisce. Lo scontro tra cardinali, cordate e fazioni si fa duro. E diventa sempre più attuale il monito che Joseph Ratzinger lanciava già nel lontano 1977: «La Chiesa sta divenendo per molti – scriveva l'allora porporato – l'ostacolo principale alla fede. Non riescono a vedere in essa altro che l'ambizione umana del potere, il piccolo teatro di uomini che, con la loro pretesa di amministrare il cristianesimo ufficiale, sembrano per lo più ostacolare il vero spirito del cristianesimo».[4]

Trame e lotte intestine fanno parte della storia della Chiesa, ci sono sempre state ma mai come oggi. Mai i mezzi si sono fatti tanto spregiudicati. Mai i toni hanno superato certi livelli. Soprattutto, mai il Santo Padre è stato chiamato in causa, «tirato per la tonaca» in modo così diretto. Questo clima provoca un fenomeno abbastanza nuovo: in molti cercano di scavalcare Bertone, che come segretario di Stato dovrebbe rappresentare il punto di riferimento per tutti in Vaticano. Ciò avviene perché proprio in lui s'individua «il» o parte del problema.

Rivolgersi al papa è sempre un gesto estremo, gravido di rischi, una mossa dagli effetti imprevedibili. Eppure oggi il pontefice diventa destinatario di ogni missiva, di qualsiasi richiesta d'aiuto. Sulla scelta ardita di chiedere un suo intervento incidono comunque anche altri fattori: «Quando

Wojtyla è diventato pontefice – spiega Galeazzi, vaticanista del quotidiano "La Stampa" – non lo conosceva nessuno. Ratzinger dal 1981 vive nei sacri palazzi e ha familiarità con monsignori e porporati. I cardinali ritengono naturale rivolgersi direttamente a lui». Ma come richiamare la sua attenzione? Ecclesiastici anche di prestigio escogitano mille stratagemmi ed espedienti di ogni tipo pur di raggiungere direttamente Benedetto XVI. Si muovono in segreto, gli sottopongono conflitti, boicottaggi, interessi ritenuti illegittimi. Chiedono l'intervento del Santo Padre prima che la vicenda deragli e lo scandalo diventi pubblico. Solo lui è visto da tutti come pastore rivoluzionario che ha a cuore il futuro della Chiesa. Ma entriamo ora nel cuore di queste vicende interne che vedono come figure centrali il papa e il suo segretario Bertone. Per la prima volta possiamo infatti raccontare questi scontri così come sono vissuti dall'interno.

Un'enciclica da scrivere e Bertone pensa ad altro

Siamo alla fine del 2008, alla segreteria di Stato l'attenzione è concentrata sulla terza enciclica del pontefice, la *Caritas in veritate*. Alla prima sezione, cuore nevralgico degli affari generali, sono mesi di fibrillazione. Impiegati, minutanti, segretari e presbiteri cercano di fornire ogni elemento utile per l'elaborazione del nuovo testo che riafferma il primato dell'uomo nell'economia. Un obiettivo che però non sembra condiviso da tutti. La sensazione di molti è che Bertone non segua con la dovuta attenzione la stesura di un documento così rilevante nell'attività di Benedetto XVI. È un malumore che cresce fino al febbraio successivo, quando prende la strada dell'appartamento privato.

Protagonista è il cardinale Paolo Sardi, porporato dalla storia significativa. Fino al 2007 era sostituto alla segreteria di Stato, a capo dell'ufficio che scriveva i discorsi di Giovanni Paolo II, poi è vicecamerlengo della Camera apostolica e quindi è scelto da Benedetto XVI come patrono del sovrano Ordine militare di Malta. È lui che decide di rendere ufficiale questo disagio rivolgendosi direttamente al pontefice. La lettera che abbiamo avuto l'opportunità di leggere è datata 5 febbraio 2009 e imputa a Bertone la disorganizzazione nella curia romana. È il primo concreto atto di accusa contro il segretario di Stato, l'espressione critica di un blocco trasversale presente in Vaticano.[5] Nella prima parte Sardi imputa al segretario di Stato superficialità e gravi errori materiali nell'aiutare il pontefice nella stesura dell'enciclica; Bertone sarebbe troppo distratto dai suoi tanti viaggi:

> *Beatissimo Padre*,
> ho letto la comunicazione che Vostra Santità mi ha fatto pervenire circa l'enciclica. Non le nascondo la mia preoccupazione. Ecco il motivo: il testo che il cardinale segretario di Stato ha trasmesso all'economista[6] non era il testo definitivo. A mia insaputa, monsignor sostituto [ovvero Ferdinando Filoni, *nda*] mise nelle mani del cardinale il testo su cui si stava lavorando ancora. A mia insaputa, il cardinale trasmise quel testo all'esperto, che quindi ha lavorato su un documento in molti passi superato. La cosa è grave: il testo definitivo infatti riporta le non poche correzioni che i due officiali della II sezione, come ho riferito nella mia precedente lettera a Vostra Santità, hanno ritenuto necessario apportare alla luce dei documenti elaborati dalle istanze internazionali (Onu, Organizzazione internazionale del lavoro, Organizzazione internazionale del commercio ecc.). Ora, da un mese il lavoro è fermo. In compenso si muove il cardinale segretario di Stato: a parte gli spostamenti in Italia, giorni fa è andato in Messico, al presente è in Spagna, e già si appresta ad

> andare in Polonia. Spero che la fretta di concludere l'enciclica non si scateni quando si inizieranno le traduzioni, operazione in sé complessa e impegnativa.

Bertone è il primo segretario di Stato che viaggia spesso all'estero, ricoprendo un ruolo che, secondo i diplomatici, spetta solo al pontefice. Sardi coglie l'occasione e la sfrutta per allargare la critica alla gestione complessiva del neo-segretario:

> Un'ultima, sofferta annotazione: da qualche tempo si levano in varie parti della Chiesa, per iniziativa anche di persone a essa fedelissime, voci critiche circa lo scoordinamento e la confusione che regnano al suo centro. Ne sono molto addolorato, ma non posso fare a meno di riconoscerne, anche dal mio modesto angolo di visuale, una qualche fondatezza: a parte, infatti, quanto esposto sopra, vorrei rilevare che sulla redazione del decreto relativo ai vescovi lefebvriani non sono stato affatto consultato (qualche non inutile suggerimento avrei potuto darlo); inoltre, ieri il testo consegnato da Vostra Santità a S.E. monsignor sostituto sul medesimo argomento non è stato a me sottoposto se non pochi minuti prima della scadenza, quando già monsignor Gänswein per telefono strepitava richiedendone la restituzione. Cerco di vedere in questi fatti (numerosi, per la verità) altrettanti benevoli interventi della Provvidenza, che vuole prepararmi al distacco dalla segreteria senza rimpianti. Con piena sottomissione, mi creda, della Santità Vostra, devotissimo † Paolo Sardi.

Ratzinger legge con attenzione la missiva. Si confronta con padre Georg ma nel Palazzo apostolico passa la linea che il cardinale stia sfogando rancori inespressi. In realtà le voci sulla disorganizzazione arriveranno anche da alcuni cardinali stranieri, ma Ratzinger incassa le accuse di Sardi e tace.

Solo successivamente chiederà a Bertone di esser più presente in curia. Null'altro, anche perché il peso specifico di Sardi è poca cosa rispetto a quello di Bertone. Il caso viene così archiviato, ma rimane impresso nella memoria del pontefice.

Nei mesi successivi, a voce bassa, l'accusa di usare modi inconsueti, di voler apparire e di promuovere una gestione troppo personalistica si diffonde nelle segrete stanze: «A Bertone s'imputa – spiega ancora Galeazzi – la gestione centralistica della segreteria di Stato, cercando persino di offuscare l'episcopato italiano. È il caso del famoso monito a Bagnasco su chi ha delega per intrattenere i rapporti con la politica. Per Casaroli, invece, il segretario di Stato dovrebbe avere ben altro ruolo: deve essere la meridiana del sole, ovvero del papa. Quindi la meridiana funziona se e quando c'è il Santo Padre con compiti di servizio, senza esercitare un proprio potere».

«Bertone se ne deve andare»

In molti iniziano a imputare al segretario di Stato gran parte degli errori compiuti Oltretevere. Anche se sono commessi da altri, Bertone è comunque ritenuto corresponsabile. La pessima gestione del caso Richard Williamson, vescovo lefebvriano negazionista sulle camere a gas, a cui viene tolta la scomunica; il caso del sacerdote ultraconservatore Gerhard Wagner, che in Austria accusa di «satanismo» i libri di Harry Potter, sostenendo anche tesi bizzarre come interpretare nell'uragano Katrina la punizione divina dovuta alla immoralità degli abitanti di New Orleans. Wagner prima è nominato vescovo ausiliare di Linz, poi dovrà rinunciare di fronte alla protesta della comunità cattolica austriaca.

La misura sembra colma nell'aprile del 2009, quando alcuni importanti cardinali raggiungono Benedetto XVI nella residenza di Castel Gandolfo per chiedergli un avvicendamento del segretario di Stato. Il 2 dicembre 2009 Bertone compirà 75 anni, sembra l'occasione giusta per poterlo mandare a riposo per raggiunti limiti d'età, senza clamore. All'incontro sono presenti quattro porporati di rilievo: Angelo Bagnasco, Camillo Ruini, Angelo Scola e l'austriaco Christoph Schönborn. Il papa, però, quasi non li fa parlare. Non si lascia condizionare. Anticipa le doglianze con una gelida risposta in tedesco: «*Der Mann bleibt wo er ist, und basta*». L'uomo resta dove sta, e basta.

Infatti, da quel giorno Bertone, magari vacillando in alcuni momenti, rimane sempre in sella. Arriviamo al 2 dicembre, il cardinale festeggia il compleanno ricevendo gli auguri, tra gli altri, del papa. Sarà proprio il pontefice a confermare la sua fiducia quando di lì a poco respingerà le dimissioni per raggiunti limiti d'età, che il porporato aveva presentato con una lettera nella quale riconosceva alcuni suoi limiti.[7] Del resto, un cambio così significativo sottoporrebbe la Chiesa a turbolenze e ripercussioni nemmeno immaginabili in questo periodo di crisi economica mondiale, e indebolirebbe il Santo Padre. Ma gli attacchi e le critiche al segretario di Stato non cessano.

La guerra per la cassaforte della Cattolica

Il 2011 è l'anno della guerra tra segreteria di Stato da una parte e Cei e curia ambrosiana dall'altra. La contesa si sviluppa tra le felpate stanze vaticane su due questioni nevralgiche. La guida finanziaria dell'Università cattolica di Milano e l'ambizioso progetto di creare un nuovo polo sanitario, con l'ospedale San Raffaele da unire al policlinico Gemelli di Roma e all'ospedale Bambin Gesù. Al centro dell'attenzione c'è il polmone finanziario che sostiene l'ateneo meneghino e l'ospedale della capitale: l'istituto Toniolo di Milano.[8] Dal 2002, quando è stato scelto come rettore della Cattolica l'attuale ministro Lorenzo Ornaghi, il Toniolo è in mano a una maggioranza vicina più alla Chiesa italiana che alla curia romana, ieri Ruini, oggi Bagnasco. Il presidente del Toniolo è il cardinale Dionigi Tettamanzi, che nel 2011 lascerà al cardinale Scola la guida della diocesi di Milano. La chiave d'accesso alle finanze della Cattolica passerà di mano. Bertone si inserisce nella vicenda. Nel febbraio del 2011 il segretario di Stato chiede a Tettamanzi di dimettersi dalla presidenza del Toniolo. Il ragionamento è semplice: ormai il patriarca di Venezia Scola è stato scelto come arcivescovo di Milano, non ha più senso che Tettamanzi rimanga al vertice. Il segretario di Stato vorrebbe sostituirlo con l'ex ministro della Giustizia del governo Prodi, Giovanni Maria Flick. Tettamanzi non sente ragioni. Non se ne parla nemmeno, lui non si muove. Preferisce aspettare la fine dell'estate: allora s'incontrerà con Scola al suo arrivo in curia. Potrà così discutere con lui a quattr'occhi il cambiamento. Del resto, Tettamanzi raccoglie in sé un forte consenso. Il porporato va fiero della lettera che Giovanni Paolo II gli aveva scritto il 7 giugno 2004 per confermarlo nell'incarico. La missiva metteva la parola fine a un precedente blitz partito da Roma, quando il predecessore di Bertone, Sodano, aveva cercato senza successo di portare il Toniolo sotto l'ombra e la cura dei sacri palazzi sottraendolo alla gestione meneghina.

Ma proprio per volere di Wojtyla la presidenza del Toniolo resta affidata a Tettamanzi, dopo la gestione «romana» in mano al senatore a vita Emilio Colombo. Quest'ultimo rimase al vertice dal 1986 al 2003, quando fu coinvolto nell'inchiesta su droga e prostituzione chiamata «operazione Cleopatra», da cui è uscito senza alcuna conseguenza. Ai magistrati Colombo ammise di far uso di cocaina, affermando che la utilizzava per fini terapeutici, per poi uscire senza pendenze dalla vicenda.

Nella lettera del 2004 Wojtyla confermava Tettamanzi e apriva a un dialogo diretto, senza intermediari:

> Nella mia costante sollecitudine per la vita e lo sviluppo dell'Università cattolica del Sacro Cuore e quindi dell'istituto Toniolo, ente fondatore e garante della medesima università, mi compiaccio di designare Vostra Eminenza quale rappresentante della Santa Sede nel comitato permanente dell'istituto. Sarò lieto che Vostra Eminenza mi riferisca personalmente sulle questioni di maggior rilievo che possano presentarsi nelle attività dell'istituto. Assicuro la mia preghiera per la cara università e impartisco di cuore la mia benedizione a Vostra Eminenza [...]. Giovanni Paolo II.

Ma questa volta il segretario di Stato è più forte. Può contare su un consolidato rapporto con il pontefice e si può appoggiare su alcuni presunti scandali che hanno diviso il Toniolo negli ultimi anni. In particolare, a Tettamanzi l'ex direttore attribuiva una «malagestione» dell'istituto, a iniziare dalla perdita di un finanziamento pubblico di 8 milioni per ampliare un collegio a Roma. L'arcivescovo di Milano replicò che quell'aiuto, in realtà di 2 milioni, era già stato respinto dal ministero dell'Università una prima volta e che i bilanci erano sani grazie al taglio di sprechi e privilegi. «Bertone era perplesso sulla direzione amministrativa di Enrico Fusi – scrive Gian Guido Vecchi sul "Corriere della Sera" – e il "coraggioso cammino di rinnovamento" degli ultimi anni: dalle 350 borse di studio del 2011 alla riqualificazione dei collegi universitari che ospitano 1400 studenti. Lo stesso "rinnovamento" in nome del quale il segretario di Stato, in una lettera del 18 febbraio, aveva sollecitato l'arcivescovo di Milano a lasciare la presidenza e a non rinnovare il mandato in scadenza a tre degli undici membri del comitato permanente: Paola Bignardi, Felice Martinelli e Cesare Mirabelli».

Il 26 marzo 2011 il segretario di Stato rompe gli indugi e rimuove Tettamanzi dall'incarico sostenendo, in una missiva (pubblicata da «il Fatto Quotidiano»), di seguire l'espressa volontà di Benedetto XVI. Bertone liquida il cardinale via fax. Gli manda una lettera gelida, ovviamente «riservata-personale», di 51 righe, saluti compresi:

> Signor cardinale, [...] di fatto, l'impegno di Vostra Eminenza a servizio dell'istituto Toniolo si è protratto ben oltre il tempo originariamente previsto, e questo ovviamente a prezzo di ben immaginabili sacrifici. In considerazione di ciò, il Santo Padre mi ha dato incarico di ringraziare Vostra Eminenza per la dedizione profusa anche in tale compito a servizio di una istituzione assai importante per la Chiesa e per la società in Italia. Ora, essendo scaduti alcuni membri del comitato permanente, il Santo Padre intende procedere ad un rinnovamento, in connessione col quale Vostra Eminenza è sollevata da questo oneroso incarico. Adempiendo pertanto a tale superiore intenzione, sono a chiederle di fissare l'adunanza del comitato entro il giorno 10 del prossimo mese di aprile. In tale circostanza Vostra Eminenza vorrà notificare le sue dimissioni dal comitato stesso e dalla presidenza. Contestualmente indicherà il prof. Giovanni Maria Flick, previa cooptazione nel comitato permanente, quale suo successore alla presidenza. Il Santo Padre dispone inoltre che fino all'insediamento del nuovo presidente, non si proceda all'adozione di alcun provvedimento o decisione

riguardanti nomine o incarichi o attività gestionali dell'istituto Toniolo.[9] [...] Profitto volentieri dell'occasione per trasmettere a lei, Eminenza, e agli altri illustri membri dell'istituto il benedicente saluto di Sua Santità. Unisco anche l'espressione dei miei personali deferenti ossequi e mi confermo di Vostra Eminenza reverendissima, dev.mo nel Signore Tarcisio card. Bertone, segretario di Stato.

Tettamanzi avverte che lo scontro ha raggiunto ormai livelli impensabili. Ha poco tempo per reagire. Legge la missiva come un'ingiustizia e una grave ingerenza della segreteria di Stato nell'attività della diocesi ambrosiana. E poi davvero Ratzinger, con il quale da tempo coltiva un sereno rapporto, vuol destituirlo dal Toniolo? Il cardinale dubita che Bertone interpreti la volontà del papa. Ritiene sospetto, ad esempio, l'esplicito e continuo riferimento alla volontà del pontefice. Così in 48 ore compie la sua contromossa, e lunedì 28 marzo si rivolge direttamente al Santo Padre:

Beatissimo Padre,
sabato 26 marzo mattina per fax è arrivata alla mia attenzione, in qualità di presidente dell'istituto Toniolo, una lettera «riservata-personale» del segretario di Stato, che mi induce, in un tempo che dovrebbe essere destinato con più abbondanza alla meditazione e alla preghiera in vista della conversione, a sottoporre direttamente alla Sua persona alcune spiacevoli considerazioni. La lettera in oggetto prende le mosse dalla mia nomina a presidente dell'istituto nel 2003, pochi mesi dopo il mio ingresso a Milano, sostituendo il sen. Emilio Colombo, dimissionario non tanto a causa di modifiche statutarie, come affermato nello scritto, ma per più consistenti ragioni legate alla sua condotta personale e pubblica. [...][10] Tutte queste sanzioni, riprese puntualmente dalla lettera che allego – misure senza dubbio gravissime, nel merito e nel metodo, in riferimento all'istituto Toniolo,

all'Università cattolica cui è preposto, nonché alla mia persona, in particolare in quanto arcivescovo di Milano –, sono direttamente ricondotte all'esplicito volere di Vostra Santità, cui lo scritto fa continuamente riferimento. Ben conoscendo la mitezza di carattere e delicatezza di tratto di Vostra Santità e avendo serena coscienza di avere sempre agito per il bene dell'istituto e della Santa Chiesa, con trasparenza e responsabilità e senza avere nulla da rimproverarmi, sorgono in me motivi di profonda perplessità rispetto all'ultima missiva ricevuta e a quanto viene attribuito direttamente alla sua persona. [...][11] Sono ben consapevole che condividendo schiettamente con Lei queste considerazioni la metto in una situazione non semplice nella gestione dei rapporti di governo, me ne dispiaccio profondamente, ma comprenderà che non mi è lasciata altra alternativa. La soluzione che a me parrebbe più semplice è quella di procedere nell'opera di rilancio del Toniolo, con serenità e determinazione, senza tenere conto dell'ultima lettera pervenuta. Ma lascio a Lei di confermarmi con una sua parola autentica. [...][12] Con stima e affetto nel Signore, suo † Dionigi Tettamanzi.

Lo scontro è tra titani. Tettamanzi chiede di poter continuare nella sua opera di cambiamento per ripulire il Toniolo dalle incrostazioni del passato. In certi punti lo stile ricorda quello di monsignor Viganò. La missiva arriva sulla scrivania del pontefice il 31 marzo. Benedetto XVI si muove su due livelli: segnala al suo segretario particolare, padre Georg, che questa vicenda è «da discutere – scrive in un appunto lapidario che consegna ai suoi collaboratori – con il card. Bertone». In poche ore il segretario di Stato e il papa si confrontano. Entrambi non conoscono in modo approfondito la normativa che regola l'autonomia del Toniolo. Così decidono di chiedere un approfondimento. Il 2 aprile Bertone manda un biglietto al cardinale Sardi, patrono del sovrano Ordine militare di Malta – lo stesso che come abbiamo visto aveva contestato l'operato di Bertone sull'enciclica – allegando la lettera al pontefice. La missione è top secret: chiede lumi sulle affermazioni di Tettamanzi per capire che margini di manovra ha la segreteria di Stato sulla vicenda del Toniolo. Insomma, vuole una verifica sulla situazione. Risposte certe in tempi rapidi. Sardi obbedisce e si muove con scaltrezza: «Per garantire la riservatezza dell'operazione – assicura il 3 aprile nel report top secret al pontefice – ho invitato alcune persone esperte a casa mia, in Vaticano, così che la lettera in esame non valicasse i confini».

> Santo Padre, aderendo a quanto l'eminentissimo segretario di Stato mi ha chiesto [...] ho provveduto a un attento esame della lettera [...]. Mi reco a premura di far avere a Vostra Santità il risultato di un'attenta valutazione che ho elaborato con l'aiuto di persone esperte del Toniolo nella sua storia e nella normativa che ne regola l'attività. [...] Come Vostra Santità può vedere, l'esame è dettagliato e minuzioso, ciò è sembrato necessario, considerata la gravità delle accuse sollevate da Tettamanzi, che non teme di esprimere giudizi anche pesanti, senza tuttavia mai documentarne la fondatezza. [...] In questo mio scritto non posso, tuttavia, non manifestarle, Santo Padre, il mio sconcerto nel vedere come un cardinale possa permettersi di resistere con tanta disinvoltura a una precisa volontà del pontefice, avanzando addirittura il sospetto che il segretario di Stato abbia distorto e falsificato il pensiero del papa. Due volte almeno emerge tale accusa: nell'ultimo capoverso della prima pagina e nel secondo capoverso dell'ultima.

Sardi non è convinto che la missiva sia tutta opera e ingegno di Tettamanzi. E offre al pontefice un'intuizione che, fosse confermata, sarebbe clamorosa. Ritiene infatti che la lettera all'ecclesiastico sia suggerita da un laico, seppur stimato in Vaticano, ovvero dal rettore della Cattolica, l'attuale ministro dei Beni culturali Lorenzo Ornaghi:

Altro motivo di stupore nasce dal constatare come nella lettera vengano avanzate diverse ipotesi di possibili atteggiamenti da assumere di fronte alla lettera, inviata dal segretario di Stato a nome del papa; mai però, assolutamente mai, viene ipotizzata l'eventualità della scelta che dovrebbe essere la prima, l'obbedienza appunto. Certo, il contenuto della lettera del card. Tettamanzi è tale da far supporre l'intervento di un'altra mano (quella del rettor magnifico, ad esempio, il prof. Lorenzo Ornaghi). Ma c'è una frase che è certamente del card. Tettamanzi, perché è autografa, il saluto finale: «Con stima e affetto nel Signore, suo † Dionigi Tettamanzi». Ebbene, in tali parole così confidenziali mi sembra che si confermi quello che è il sottofondo di tutto lo scritto: l'arcivescovo di Milano tratta col papa da pari a pari. E anche questo è inaudito. Oserei sperare che la risposta si limiti ad un laconico invito all'obbedienza. Con sensi di profonda venerazione e di affetto filiale mi creda di Vostra Santità, dev.mo card. Paolo Sardi.

Il problema è che Tettamanzi non può essere «dimissionato» nemmeno dopo aver lasciato la diocesi. Il Toniolo infatti ha una figura giuridica abbastanza rara nel mondo cattolico: è un ente di diritto privato che si pone fuori dall'ordinamento canonico. Così Tettamanzi procede come se nulla fosse. Continua con il suo mandato alla guida della cassaforte della Cattolica. Il comitato permanente proprio in quei giorni conferma i tre consiglieri che Bertone voleva mandare a casa. Il papa interviene e «congela» la situazione. Punta ancora una volta a trovare una soluzione condivisa. Per questo convoca il presidente del Toniolo a Roma per fine mese. All'incontro parteciperà anche Bertone. I contenuti non verranno ovviamente resi noti ma i fatti che seguono fanno capire cosa è stato deciso.

Tettamanzi ottiene una *prorogatio* rispetto alla data indicata da Bertone. All'inizio i media indicano come scadenza l'arrivo da Venezia del cardinale Scola, nominato arcivescovo di Milano il 28 giugno. Ma interviene l'imprevisto: la vicenda diventa pubblica e il progetto di Bertone sfuma. Prima Gian Guido Vecchi a luglio sul «Corriere della Sera» svela lo scontro in atto e la volontà di mandare Flick al Toniolo, facendo rallentare ogni scelta. Poi, a fine febbraio 2012, Marco Lillo su «il Fatto Quotidiano» firma lo scoop: pubblica il contenuto della lettera del segretario di Stato e di quella di Tettamanzi. Le polemiche allungano la permanenza di quest'ultimo fino al marzo del 2012, quando lascerà l'incarico all'ex patriarca di Venezia, mantenendo però la carica di consigliere. Per Bertone è una sconfitta. Ma solo a metà, se è vero che il segretario di Stato è riuscito a far passare la riforma degli statuti in modo da rendere pubblici operato e bilanci e, soprattutto, aumentare l'influenza da Roma. Di certo la sconfitta arriva contemporaneamente a un'altra vicenda che vede protagonista sempre il segretario di Stato: il progetto sfumato del polo ospedaliero cattolico, cioè l'ingresso dello Ior nell'ospedale San Raffaele. Un'altra amara sconfitta per Bertone.

Sanità in nome di Sua Santità

Non è chiaro se siano state le banche della finanza bianca del Nord a far pressioni su Gotti Tedeschi, come il banchiere confida agli amici, o se sia stato un sogno portato avanti con ostinazione da Bertone con l'obiettivo di creare un polo ospedaliero controllato dal Vaticano. O, ancora, se sia stato il disperato tentativo di aiutare la creatura di don Verzé sull'orlo del fallimento. Forse i motivi vanno letti insieme per spiegare quanto accaduto. Per capire perché, quando l'ospedale del padre padrone don Verzé scricchiola, mostrando perdite enormi (alla fine oltre 1,5 miliardi di euro) e distrazioni di somme in una vicenda che verrà seguita da più procure, nessuno fiata. In pochi osano criticare pubblicamente Bertone, che spedisce Gotti Tedeschi come pontiere a Milano per portare l'ospedale sotto l'ala protettiva della Santa Sede. Ma la missione si rivela piena di insidie. Il presidente dello Ior, complice anche il suicidio di Mario Cal, il braccio destro di don Verzé che si spara nell'estate del 2011, è spaventato: «Non sappiamo cosa contengono le casse – si confida con alcuni amici – lasciate da Cal e trovate dai magistrati. Non sappiamo a quanto ammonti il buco della struttura. Manca qualsiasi contabilità. Camminiamo nel buio». A opporsi con ogni forza al progetto di Bertone è la diocesi di Milano, sia prima con Tettamanzi sia con il nuovo arcivescovo Scola. Non per questioni di denaro ma perché l'ospedale andrebbe contro i dettati del magistero. Lo spiega bene proprio Scola che dopo essersi insediato a settembre nel capoluogo lombardo studia una via d'uscita dall'incubo San Raffaele direttamente con padre Georg.

Agli inizi di dicembre del 2011 chiede via fax al segretario particolare del papa che il piano divenga operativo. Un documento inedito, tra le carte consegnate dalla fonte Maria, che ben spiega la situazione:

> Reverendo monsignore, carissimo don Georg, ti invio l'appunto richiesto. Fammi sapere, anche per email, quando avrai parlato con il cardinale Tettamanzi. Anch'io, dopo, prenderò l'iniziativa [...], grazie e buon lavoro, tanti saluti al Santo Padre, suo devotissimo † Angelo card. Scola.

All'attenzione del collaboratore del pontefice, l'ex patriarca di Venezia allega una carta che dovrebbe essere determinante al fine di lasciare la partita del San Raffaele, abbandonando così ogni piano di conquista. Si tratta anche in questo caso di un documento finora rimasto nei segreti delle stanze vaticane; tale documento, intestato «Promemoria sulla Fondazione San Raffaele del Monte Tabor», indica come l'ospedale, impegnato nella ricerca tra biotecnologie e fecondazione assistita, assume posizioni inconciliabili con i dettati dottrinali del magistero cattolico:

> Nella complicata questione del San Raffaele fa gravemente problema il coinvolgimento diretto dello Ior o di soggetti a quest'ultimo riconducibili. [...] Ciò che appare come insormontabile difficoltà è la prassi di taluni centri di ricerca biotecnologica legati all'ospedale e le posizioni espresse da molti professori dell'università Vita-Salute San Raffaele. Entrambe sono esplicitamente contrarie a talune fondamentali affermazioni dottrinali del magistero in materia bioetica. Al di là di una certa autonomia di cui gode l'università Vita-Salute essa è comunque, anche giuridicamente, riferita a tutto il complesso del San Raffaele. Non pochi professori di fama che hanno grande peso nell'opinione pubblica hanno affermato di non voler accettare «alcuna limitazione alla totale libertà di ricerca». [...] Nelle aree di ricerca biotecnologica la pratica ormai consolidata comporta il ricorso alle staminali embrionali. Anche nel campo della procreazione assistita non vengono rispettati i criteri etici richiamati dall'insegnamento del magistero.
>
> È opportuno sottolineare che non sono soltanto i direttori di questi centri a concepire in questo modo l'attività di ricerca scientifica, là occorre considerare che i ricercatori di fascia intermedia stanno costruendo la loro carriera proprio su queste prassi. È astratto illudersi che la nuova proprietà possa, attraverso eventuali convenzioni, imporre un cambiamento di rotta. Si tratta di un'ipotesi nei fatti irrealizzabile. Anzi, tale tentativo non farebbe che sollevare un contenzioso, che avrebbe grande eco sui mass media, assai dannoso per la Chiesa.

Insomma al San Raffaele la ricerca non segue il magistero. Anche sul fronte economico la contraddizione pare evidente. In un momento di crisi economica, investire 200 milioni in un ospedale segnato da un buco colossale rischia di far passare l'immagine di una Chiesa dedita agli affari:

> Dal punto di vista dell'opportunità pastorale, il coinvolgimento diretto dello Ior o di soggetti a quest'ultimo riconducibili ha già provocato pesanti giudizi sull'uso dei beni da parte della Santa Sede e della Chiesa in generale, soprattutto nel contesto dell'odierna situazione di crisi economico-finanziaria. L'immagine di una Chiesa ricca e votata agli affari è pesantemente veicolata dai continui interventi dei mass media. Occorre, infine, notare che essendo lo Ior un'istituzione della Santa Sede il suo intervento in una vicenda pur spiccatamente italiana non potrà che sollevare riserve in ambito internazionale.

Dunque dal mondo cattolico milanese arrivano segnali precisi di disagio rispetto ai progetti del polo ospedaliero portato avanti dalla segreteria di Stato. Da Milano, questi aspetti erano già stati sottoposti a settembre sia al Santo Padre sia allo stesso Bertone, che aveva cercato di essere tranquillizzante, garantendo che lo Ior sarebbe uscito a breve dall'avventura:

> Lo stesso segretario di Stato si è impegnato in un appunto scritto nel modo seguente: «Si prevede che alla scadenza dei primi sei mesi della procedura (marzo 2012) o al massimo nei successivi sei mesi (estate 2012), la presenza dello Ior o di soggetti a quest'ultimo riconducibili possa essere sostituita da quella di altri soggetti economici». Gli stessi argomenti sono stati fatti presenti in un'udienza congiunta, richiesta dall'industriale Vittorio Malacalza, al dott. Malacalza stesso e al dott. Giuseppe Profiti. Malacalza affermò in quell'occasione che, in caso di necessità, lui avrebbe potuto rilevare la quota Ior. Questa

stessa preoccupazione è stata comunicata anche al prof. Gotti Tedeschi in occasione di un'udienza da lui richiesta. Al di là di eventuali nessi diretti o indiretti che le vicende del San Raffaele hanno o non hanno con il problema Gemelli, Università cattolica e Toniolo, risulta ad oggi totalmente incomprensibile la natura che sta alla base di questa iniziativa dello Ior e chi è l'autore effettivo di questo progetto. Per tutte queste ragioni appare necessario che l'impegno assunto dal cardinale Bertone di «sostituire la presenza dello Ior o di soggetti a quest'ultimo riconducibili con quella di altri soggetti economici» sia attuato il più presto possibile, tanto più che l'immagine di don Verzé è sempre più compromessa e diventa, quindi, sempre più difficile separare le sue responsabilità personali da quelle della Chiesa.

San Raffaele, entra in scena Corrado Passera

Rimanere o uscire di scena? Anche quest'ultima strada comporta dei rischi. Il Santo Padre finisce così al centro di pressioni opposte. A padre Georg Gänswein, Gotti Tedeschi invia alcuni memo di aggiornamento sulla complicata situazione. Il 15 settembre il presidente dello Ior prospetta al pontefice le perplessità delle banche a una fuoriuscita del Vaticano. In gioco ci sono centinaia di milioni di euro.

Si muove, in particolare, la prima banca italiana, Intesa Sanpaolo, che vanta 120 milioni di crediti. Gotti Tedeschi incontra l'amministratore delegato Corrado Passera, che due mesi dopo diventerà vice del premier Mario Monti, e subito riferisce con toni allarmati al pontefice tramite il segretario:

Memo riservato e confidenziale. Progetto San Raffaele – Aggiornamento al 15 novembre 2011. Vorrei evidenziare una nuova, e ancor più complessa preoccupazione, riferita all'immagine della Santa Sede, conseguente all'evoluzione del progetto San Raf-

faele. Il problema che mi preoccupa è riferito al «sospetto» di potenziale disimpegno nell'azionariato del San Raffaele da parte della Santa Sede. Detto sospetto si sta materializzando presso più parti coinvolte indirettamente nel progetto. L'ipotesi di disimpegno sta suscitando perplessità e preoccupazione presso dette parti coinvolte nel progetto (medici, docenti, banche) che stanno iniziando a chiedere spiegazioni (per ora riservatamente e informalmente). La preoccupazione più evidente sta nel fatto che la Santa Sede stia (per questioni «morali» o altro) permettendo, o facilitando, al socio privato di assumere una posizione di controllo. Detto sospetto potrebbe esser stato alimentato da vari fatti. Ipotizzo che possano essere fatti conseguenti alle dimissioni dei due consiglieri della Fondazione (prof. Clementi e Pini) nonché da visite, e discussioni, fatte da un rappresentante della Santa Sede (Profiti) e dal socio privato (Malacalza) a più interlocutori , tra cui l'arcivescovo di Milano e l'amministratore delegato di Banca Intesa, Passera.
La mia percezione (ex conversazioni con i due primari e con l'amministratore delegato di Banca Intesa) è che il disimpegno della Santa Sede risulterà sgradito. Mi preoccupa anche il fatto che non sia stata data attenzione a questa percezione, che sia stata sottovalutata o non sia stata condivisa. Il nostro rischio è di apparire come chi ha coperto temporaneamente il progetto privato, illudendo gli organi della procedura e tutte le parti che a trattare fosse di fatto la Santa Sede, in primis, e creando in tal modo aspettative strategiche e operative per il futuro del San Raffaele ben diverse dalla realtà successiva possibile. Credo sia indispensabile riflettere sulla posizione ufficiale da mantenere con opportuna trasparenza. Credo non possano esser sottovalutati i rischi di immagine conseguenti ad un disimpegno lasciato gestire a terzi [...], e non deciso e controllato direttamente, che potrebbe esser considerato pericolosamente mancanza di trasparenza.

La posizione di Scola gioca un effetto domino su tutta la partita. Padre Georg si ritrova saldo e valido alleato del nuovo arcivescovo di Milano. Bisogna mandare il progetto del San Raffaele su un binario morto. I sostenitori, seppur pressati dal sistema bancario che vede nel Vaticano un ottimo pagatore, finiscono in minoranza. A Benedetto XVI arrivano anche i conti veri degli altri ospedali e capisce bene che la creazione di un polo medico rimane un sogno affascinante ma del tutto irrealizzabile. Almeno oggi. A gennaio lo Ior e il socio Malacalza non esercitano l'opzione sul San Raffaele, che finisce per 405 milioni al gruppo ospedaliero di Giuseppe Rotelli.

Padre Georg, solo lei conoscerà la mia identità

La casella di posta e il fax di padre Georg sfornano di continuo problemi per il pontefice. Padre Georg deve essere abituato a seguire e trovare, con fatica, i giusti equilibri in mille situazioni diverse, consultandosi sempre con il papa. Mai però era capitato quanto accade nella primavera del 2011, quando le vicende Viganò, Toniolo e San Raffaele mettono a dura prova la serenità dei sacri palazzi. Siamo agli inizi di marzo quando un importante ecclesiastico, con ogni probabilità una tonaca della prefettura degli Affari economici, in pratica la Corte dei conti del Vaticano, decide di voler informare il papa di una serie di gravi criticità che si stanno vivendo in curia. Il nome dell'ecclesiastico non è noto. Ma deve trattarsi sicuramente di un personaggio importante.

L'uomo si muove con assoluta cautela. Teme di essere riconosciuto da altri, tanto che trova un *escamotage* per portare la sua impietosa analisi sulla Chiesa romana al papa. Quale *escamotage*? Incarica un sacerdote di consegnare una relazione ricca di contestazioni precise sull'operato della segreteria di Stato direttamente nell'appartamento privato del papa, in mani sicure. Al documento è allegato un appunto introduttivo, specchio del clima che si vive in Vaticano:

> Reverendo monsignore, ho voluto scrivere l'allegata nota affinché potesse essere utile alla funzione di pastore della Chiesa universale propria del papa. Ho pregato. Ho riflettuto. Mi sono chiesto se fosse un atto d'insubordinazione verso i miei superiori e se costituisse una violazione del segreto di ufficio. Mi sono risposto che le situazioni problematiche sono molte e di notevole gravità, soprattutto perché avrebbero effetti devastanti in futuro e quindi non si vedono ora gli effetti e sembra che va tutto bene. I superiori diretti, più volte interpellati, per ora non ritengono opportuno intervenire e sostengono che il nostro referente è la segreteria di Stato, mentre in molti casi è proprio il problema. La coscienza mi chiede di far presenti queste cose al Santo Padre, anche perché riferendo a lui non c'è violazione del segreto pontificio. Nessuno ha letto queste note. L'unico al corrente di questo invio è il sacerdote che gliele ha consegnate e che le indicherà da chi sono state scritte. Se ritenuto necessario potrò firmarle e, eventualmente, riferire a voce a persona che mi sarà indicata. Preghiamo per lei e per il Santo Padre.

L'astuta precauzione di indicare il nome dell'estensore a un presbitero incaricato della consegna, senza quindi firmare il documento, è comunque comprensibile. Le accuse, nero su bianco, possono stroncare ogni carriera:

> Spesso è stato ridicolizzato o ridotto a procedura meramente formale l'obbligo di sottoporre al parere della prefettura le questioni di maggiore importanza. In molti enti – soprattutto quelli la cui vigilanza e controllo sono stati avocati alla segreteria di Stato – anche la nomina dei sindaci revisori è effettuata dalla segreteria di Stato. Si verifica la paradossale situazione che essa detiene contemporaneamente la vigilanza e il controllo, approva i bilanci, dà le autorizzazioni per gli atti di straordinaria amministrazione,

nomina il consiglio di amministrazione, nomina i sindaci revisori; ovvero: non esiste più alcuna istanza critica e dialettica, ma tutto è concentrato in un'unica volontà. In vari dicasteri sono nominati – a tutti i livelli – soggetti che rivestono incarichi tali da contraddire la non coincidenza tra controllore e controllato.

Ma anche le volontà del papa sarebbero disattese:

Sistematica violazione del diritto ai livelli più alti della curia romana. In numerose circostanze viene violato il diritto a vari livelli. Il fatto che non si tratti di errori occasionali ma di una prassi sistematica è confermato dal numero dei casi, dal loro tendenziale incremento, nonché dalla giustificazione teorica di tali comportamenti. Pericolo ulteriore: tale prassi è così diffusa e utilizzata con una tale leggerezza che sembra indicare una non consapevolezza dei danni che certe decisioni potranno produrre (sottovalutazione del rischio).
Livello principale.
– Violazione sostanziale di norme fondamentali della Costituzione apostolica *Pastor Bonus.*
– *Vulnus* giuridico grave a livello metodologico, realizzato attraverso la modifica e abrogazione «di fatto» di norme della *Pastor Bonus* attraverso l'emanazione di norme di livello inferiore. Esempio: attraverso l'emanazione o la modifica di regolamenti e statuti si contraddicono norme della P.B.
Livello secondario e derivato. Tale prassi pone seri interrogativi e dà luogo ad alcune constatazioni.
– *Il pontefice è al corrente* e viene espressamente informato, in questi casi, che si sta realizzando una «eccezione» alla norma di livello superiore? La cosa viene volutamente taciuta?
– Un procedere sistematicamente in deroga alle norme superiori non produce una progressiva *delegittimazione* di esse?
– Si nota *demoralizzazione dei collaboratori* ai livelli più alti e di dipendenti onesti e affezionati alla Chiesa e alla sua missione: assistere all'instaurarsi di una tale prassi, che tende a consolidarsi, induce a pensare che il pontefice non è al corrente di

ciò (conoscendo la Persona e il suo insegnamento non si può pensare che sia informato). Tale evidenza genera un senso di impotenza in molti, di connivenza obbligata in altri, e induce forse alcuni a una complicità per fini personali (carriere, occulto e indebito arricchimento, legittimazione di sprechi, ecc.).
– Si notano da tanti danni generalizzati a livello della scelta dei dirigenti e consulenti. Ci si domanda quali siano i criteri di molte scelte. La scelta di persone che non hanno adeguate competenze comporta poi gravi conseguenze anche a livello finanziario e patrimoniale.[13]

I gesuiti, il papa nero e il potere del denaro

Passano pochi mesi e arrivano altre critiche. Sempre espresse con cautela e direttamente al papa. A muoversi, questa volta, è la Compagnia di Gesù, che solleva il problema della «grave crisi» che colpisce la Chiesa. A scrivere a Benedetto XVI è direttamente il teologo spagnolo Adolfo Nicolás, il «papa nero» dei gesuiti, chiamato così per il colore della tonaca che indossa, perché anche lui è eletto a vita ed è a capo del più numeroso e potente ordine religioso del mondo. L'11 novembre 2011 scrive al pontefice e trova un modo indiretto ma efficace per esprimere il proprio crescente disagio. Decide di allegare alla propria missiva la lettera con le perplessità e le critiche di alcuni «grandi» e influenti benefattori che denunciano come la paura sia paralizzante in Vaticano e come il denaro guidi certi pastori:

Santo Padre,
Ho avuto il piacere e il privilegio di incontrare e conversare con Mr. Hubert&Mrs. Aldegonde Brenninkmeijer, antichi e grandi benefattori della Chiesa e della Compagnia di Gesù. Una delle cose che più mi colpiscono quando parlo con loro è il loro sin-

> cero e profondo amore per la Chiesa e per il Santo Padre, come pure il loro impegno nel fare qualcosa per venire incontro a quella che essi ritengono essere una grave crisi all'interno della Chiesa. Mi hanno chiesto di garantire loro che questa lettera, scritta con il cuore, giunga nelle mani di Vostra Santità, senza intermediari. Per questo ho domandato a padre Lombardi di fungere da messaggero. [...] Devo dire che condivido le preoccupazioni di Mr.&Mrs. Brenninkmeijer e che sono molto edificato dal fatto che questi fedeli laici prendano così sul serio la responsabilità di fare qualcosa per la Chiesa. Mi sento anche molto animato nel vedere e ascoltare da loro degli atteggiamenti e degli orientamenti interamente in armonia con le indicazioni che abbiamo ricevuto dal nostro fondatore sant'Ignazio nelle sue Regole per «*sentire cum Ecclesia*».

I «grandi benefattori» muovono critiche ad alzo zero. Non si curano più le relazioni con i fedeli, tanti vescovi non hanno più rapporto con il «gregge»:

> *Santità,*
> la pace sia con Lei e con la Chiesa di Gesù a Lei affidata. Mio marito e io vorremmo con questo augurio pasquale riconoscenti salutarla cordialmente e chiedere la benedizione e l'aiuto di Dio per Lei a Dio Padre. [...] Con un profondo senso di dolore dobbiamo constatare ancora una volta che persino credenti colti, cattolici in tutta Europa, si separano in numero crescente dalla Chiesa gerarchica senza però abbandonare la loro fede in Cristo. Qualunque siano i motivi di tale comportamento, vorrei ricordare le parole del profeta Geremia: «Guai ai pastori che lasciano scappare le pecore del mio gregge» (Ger. 21:1-4). Dove sono i pastori che seguono con serietà il popolo loro affidato, senza essere fondamentalisti, in amore attenti e assennati tengono d'occhio l'intero gregge e sanno condurre e guidare il popolo conoscendo moderni criteri? Perché in Europa vengono nominati vescovi che non hanno né contatto con il «gregge» loro affidato, né fiducia in esso? Da più di 30 anni nei Paesi Bassi la

Chiesa soffre di tutto questo per la seconda volta. Questa volta a causa della nomina ad arcivescovo di monsignor Jacobus Eijk. Questo ci addolora molto. Non solo noi stessi ma anche molti laici, preti, membri di ordini, come pure vescovi ci confidano in modo discreto come siano scoraggiati e perdano la fiducia nelle congregazioni autorevoli e nei consigli papali della curia romana.

Ma non è solo un problema pastorale, di cura delle anime. I grandi benefattori dei gesuiti puntano l'indice contro il Vaticano e il potere che ha assunto il denaro:

Perché regna tra i funzionari responsabili in Vaticano una paura paralizzante invece di collaborare con cristiani colti, competenti e aperti, di entrambi i sessi, in ogni ambito, per porre in modo onesto alle questioni veramente urgenti di oggi e cercare di risolverle? Perché invece la paura? Perché il denaro gioca un ruolo centrale presso i diversi pastori della curia romana, in alcune diocesi europee, come anche nel patriarcato di Gerusalemme? Dov'è la forza per combattere nella curia la tentazione del potere? Dov'è l'umiltà e la libertà donata dallo spirito? Perché il Consiglio della Famiglia si serve di collaboratori creduloni e acritici invece di impiegare personaggi che possano e vogliano agire nel senso e secondo le esigenti indicazioni del Vaticano II in considerazione dell'«aggiornamento» richiesto? Perché non c'è quasi collaborazione tra il Consiglio della Famiglia e il Consiglio dei Laici?

Dopo le domande, le accuse ai più vicini collaboratori del pontefice:

Soltanto dalla continua preghiera prendo forza per confidare a Lei, caro Santo Padre, prima del termine del Suo pontificato, quale 265° successore di san Pietro, per la cui guida voglia il nostro Signore Dio concederLe la forza ancora a lungo, che nella sua cerchia più ristretta si è accumulata in modo visibile e tangibile una misura considerevole di potere. Alcune prove scritte pertinenti, in mia mano, servono a sostegno di quanto appena detto. Mi permetto di esporre a Lei quale «servo dei servi» la preghiera di dare l'energia che ancora rimane per mettere un segnale forte comprensibile e visibile a tutti per i funzionari e i numerosi laici al fine di portare alla luce ciò che è nascosto per la costruzione del regno di Dio.

Entrambe le lettere vengono portate al papa. Padre Georg le mette nella cartella della corrispondenza più importante. Non è chiaro se Benedetto XVI, dopo la lettura, abbia disposto una risposta al capo dei gesuiti. Di certo, ha avviato degli approfondimenti su quanto evidenziato nelle missive con una verifica interna che mentre il libro va in stampa è ancora in corso. Un'indagine sui riferimenti alle zone opache nell'amministrazione indicate, seppur con toni pacati e parole ponderate, in più passi della missiva al Santo Padre. Anche in questo caso, come in molti altri, è proprio lui a farsi carico di compiti e problemi di cui altri soggetti dovrebbero preoccuparsi. Il papato è segnato da una segreteria di Stato che non unisce ma divide? «Ratzinger coglie le difficoltà – spiega un porporato che vive in Vaticano – ma è in stallo. Non può sconfessare il proprio segretario di Stato. Perché ne uscirebbe indebolito, avendolo scelto pochi anni fa. Pubblicamente lo deve difendere per proteggere un principio cardine: l'unità di vertice della Chiesa. Al tempo stesso si fa garante dell'equilibrio tra le diverse forze e anime del mondo cattolico per evitare che le crepe si facciano più profonde.»

---

[1] Benedetto XVI (con Peter Seewald), *Luce del mondo. Il Papa, la Chiesa e i segni dei tempi*, Città del Vaticano, Libreria Editrice Vaticana, 2010, pp. 64-65.

[2] Scrive Andrea Tornielli il 31 agosto 2011 sul sito Vaticaninsider.it: «Oltretevere, le lettere anonime non sono una novità, né un'eccezione. Ne cir-

colano tante, con accuse spesso infamanti quanto infondate o comunque non provate. Vengono usate per screditare questo o quell'ecclesiastico, per bloccare l'ascesa di questo o quel prelato. Non deve dunque stupire più di tanto che negli ultimi giorni ne sia circolata una con pesanti allusioni e una frase minacciosa contro il segretario di Stato Tarcisio Bertone, principale collaboratore di Benedetto XVI. La lettera si apre con una minacciosa citazione di don Giovanni Bosco, fondatore dei Salesiani, la congregazione a cui appartiene lo stesso Bertone: "Grandi funerali a corte!", con la quale il grande santo torinese preannunciava lutti a Vittorio Emanuele II nel caso il regno piemontese avesse continuato con le politiche di confisca dei beni della Chiesa». L'anonimo estensore della missiva contro Bertone mostra di essere assai ben informato sulle vicende della curia, e prosegue accusando il porporato di non saper decidere e di scegliere i collaboratori solo sulla base delle sue simpatie personali. E fa riferimento in particolare alla decisione di trasferire Carlo Maria Viganò, allontanandolo dal Vaticano.

[3] Una curiosità: il porporato coltiva l'insolita passione, almeno per un ecclesiastico di rango, delle armi. Secondo la dichiarazione che nel 2006 presentò in questura a Savona, Calcagno, fino a quando era in Liguria, possedeva un piccolo arsenale: «Armi d'epoca, certo, ma anche Nagant russi – scrive "il Fatto" l'11 aprile 2012 – che ti fanno paura solo a guardarli e che centrerebbero l'obiettivo a un chilometro di distanza. Ecco l'elenco delle armi del cardinale: fucile marca Breda modello Argus, moschetto mod. 31 marca Schmidt, fucile Faet Carcano (simile a quello che avrebbe ammazzato Kennedy, per capirci), fucile Nagant di fabbricazione russa, fucile turco Hatsan. Tutte armi acquistate in armeria. Ma non basta. Il cardinale Calcagno dichiarò di "detenere anche, con le relative munizioni": carabina Beretta calibro 22 per uso sportivo, fucile sovrapposto calibro 12 marca Gamba, doppietta da caccia calibro 12, fucile sovrapposto a due canne calibro 12 marca Franchi, fucile calibro 12 marca Beretta, revolver Smith & Wesson calibro 357 magnum. Quella dell'ispettore Callaghan e di Starsky & Hutch, per capirci. Poi altre armi, tra cui una carabina di precisione Remington 7400, un bestione che non sembra proprio da caccia e se beccasse una quaglia la ridurrebbe in briciole».

[4] Curzio Maltese, *I conti della Chiesa*, «la Repubblica», 28 settembre 2007.

[5] La lettera segna i malumori sul più fidato e potente collaboratore del pontefice dei cosiddetti «diplomatici», gli ecclesiastici di formazione diplomatica.

[6] Il nome dell'esperto di economia non è indicato. Con probabilità si tratta o del banchiere Pellegrino Capaldo o di Ettore Gotti Tedeschi.

[7] Andrea Tornielli, *I 77 anni del cardinale Tarcisio Bertone*, Vaticaninsider.it, 2 dicembre 2011.

[8] L'istituto Giuseppe Toniolo di Studi superiori viene fondato il 6 febbraio

1920 con il progetto di creare una nuova università, come è espressamente previsto nello statuto. E così, in pochi mesi, già il 7 dicembre 1920 nasce e viene inaugurata l'Università cattolica del Sacro Cuore. L'ateneo parte con due facoltà che rimarranno per sempre: una filosofico-religiosa e l'altra di indirizzo giuridico ed economico. Il Toniolo ha un comitato permanente composto da 11 membri e un consiglio d'amministrazione composto da cinque rappresentanti.

[9] «Sarà poi compito del prof. Flick – prosegue la missiva di Bertone – proporre la cooptazione dei membri mancanti nell'istituto Toniolo, indicando in particolare il prossimo arcivescovo pro tempore di Milano e un prelato suggerito dalla Santa Sede. In previsione dell'avvicendamento indicato, questa segreteria di Stato ha già informato il prof. Flick, ottenendone il consenso. Non c'è bisogno che mi soffermi a illustrare le caratteristiche etiche e professionali che raccomandano questa illustre personalità, ex allievo della Cattolica, oggi nelle migliori condizioni per assumere la nuova responsabilità in quanto libero da altri incarichi.»

[10] «Rilevo peraltro che la richiamata "prassi risalente alle fasi iniziali dell'istituto" secondo la quale sarebbe la Segreteria di Stato a indicare il nome del presidente non mi risulta abbia fondamento in sede storica. L'accenno ad un originario "biennio" di carica, anch'esso senza alcun riscontro, e a un tempo di governo prolungato è l'unico motivo che viene addotto per procedere immediatamente nella coazione al mio dimissionamento [...] fino alla nomina del nuovo presidente, nella persona del prof. Flick. Annoto a margine che il candidato, sul cui profilo gravano non poche perplessità, sorprendentemente è già stato avvisato della cosa da parte della segreteria di Stato».

[11] «Uno degli obiettivi chiari – prosegue Tettamanzi – che mi venne assegnato quando divenni presidente, accanto all'esigenza di rinnovare gli organi di dirigenza dell'istituto, superare le difficoltà di una gestione clientelare e parassitaria, e rilanciare le finalità originarie dell'Istituto, era quello di inscrivere più strettamente l'opera educativa e di ricerca dell'Università cattolica all'interno del cammino della Chiesa italiana, superando a questo proposito alcune resistenze non sempre limpide da parte di persone legate alla Santa Sede stessa (non Le nascondo al proposito che dietro le quinte della operazione diffamatoria in corso si celano interessi non certo ecclesiali e figure poco nobili della precedente gestione). Il suo predecessore, il Servo di Dio Giovanni Paolo II, non solo confermò questo intendimento nell'udienza personale del 24 maggio 2004, ma con lettera chirografa del 7 giugno, che allego, rafforzò ulteriormente il mio ruolo nominandomi rappresentante della Santa Sede nel comitato permanente, con la tassativa indicazione – sufficientemente rivelatrice delle condizioni avverse del mio lavoro – di riferirgli personalmente sulle questioni di maggior rilievo

che potessero presentarsi nell'attività dell'istituto stesso. Nell'ultimo anno l'istituto Toniolo è stato oggetto di attacchi calunniosi, anche mediatici, a causa di presunte e non dimostrate inefficienze amministrative e gestionali, apostrofate con l'espressione di *mala gestio*. Nulla di tutto questo! In questi anni fatti concreti dimostrano come l'istituto Toniolo – che ho seguito con cospicuo investimento di tempo ed energie a partire dalla presidenza degli organi statutari – abbia avuto come suo primo obiettivo quello di "restituire" la Cattolica ai cattolici italiani. Una approfondita riflessione sulla mission dell'istituto ha permesso di mettere fine a un lungo periodo di irrilevanza pubblica, di concentrazione patologica dei poteri e assoluta mancanza di trasparenza sulla destinazione delle risorse donate. Oggi il Toniolo ha ritrovato un'identità chiara, orientata al servizio dell'università e della Chiesa, e un ruolo in linea con le maggiori fondazioni universitarie del paese. Questo nuovo modello, reso possibile anche grazie al cambio del direttore avvenuto nel 2007, ha permesso la creazione di un piano di borse di studio per favorire da tutta Italia l'accesso all'Università cattolica da parte degli studenti meritevoli (più di duecento giovani sono stati beneficiati nell'ultimo triennio con regolare concorso, mentre nel decennio precedente i casi segnalati non hanno superato la dozzina!). Sono state inoltre risolte alcune controversie legali lasciate da anni pericolosamente pendenti. Il prossimo futuro dell'istituto Toniolo è segnato dalle prospettive indicate dalla Cei: promuovere alta formazione dei docenti delle scuole superiori, sostenere percorsi culturali qualificati per gli studenti e offrire alla Chiesa e al paese un osservatorio giovani finalizzato all'indagine scientifica per sostenere e orientare la "sfida educativa" nei confronti delle nuove generazioni. Gli incontri di approfondimento sulla *Caritas in veritate*, promossi lo scorso anno dall'istituto nelle diocesi con ampia partecipazione di pubblico e buona risonanza sui media, ne sono un confortante e luminoso esempio.»

[12] «Riconfermo altresì la mia più piena e immediata disponibilità – sottolinea Tettamanzi – a riferire direttamente a Vostra Santità circa il lavoro fatto in questi anni e i progetti che già disegnano un nuovo futuro, a produrre dettagliata documentazione circa le affermazioni da me fatte, ad accogliere *pleno corde* ogni sua indicazione e decisione in merito e a rendermi tempestivamente presente, in caso lo ritenesse opportuno, per un incontro personale. Lo statuto assegna ancora circa due anni al mio mandato: la conduzione dell'istituto Toniolo non è un incarico semplice e proseguire nell'attività significherebbe non arrendersi di fronte a un compito gravoso e a resistenze ancora presenti, tuttavia il tempo a disposizione consentirebbe di completare e consolidare l'opera di risanamento e rilancio iniziata, di cui non mancano i primi consistenti frutti. Questo non significa che una volta nominato il mio successore, rinnovati saggiamente gli organi e

soprattutto avendo dettagliatamente riferito a Lei e atteso il Suo parere, sia possibile valutare l'opportunità di avviare i procedimenti istituzionali per individuare un nuovo presidente. La mia disponibilità, lo ribadisco, resta piena e cordiale. Non mi preme mantenere l'incarico ma assolvere al compito affidato e lasciare una istituzione che sia nelle migliori condizioni per essere al servizio non di interessi personali o di parte, ma della Cattolica, della Chiesa italiana e universale, e in particolare dei giovani, ovvero del suo promettente futuro.»

13 La nota prosegue così:
«*Instaurazione di prassi che tendono a snaturare la funzione di coordinamento propria della segreteria di Stato* facendola apparire (e operare) come *altera voluntas* rispetto a quella del pontefice, operante non sempre in chiara consonanza con quanto ci si aspetterebbe in applicazione delle indicazioni che il Santo Padre dà a livello magisteriale e pastorale.
Usurpazione di funzioni e violazioni di varie competenze. Si notano ingerenze e pressioni indebite, operate al fine di ottenere decisioni contro la legittima volontà del dicastero (acquisti a prezzi maggiorati, nomine in violazione della doverosa prassi di sentire il capo dicastero, usurpazione del diritto di nomina, ecc.).
Progressiva sottrazione delle funzioni generali e particolari di controllo. La non coincidenza tra controllore e controllato – propria di ogni sano ordinamento – viene sempre più contraddetta. In contrasto con la *Pastor Bonus*, la funzione generale di controllo che spetta alla prefettura degli Affari economici viene sempre più messa in discussione e limitata. Tale volontà sembra risalire già al tempo dell'emanazione della Costituzione apostolica. Infatti, la traduzione italiana ("vigilanza e controllo") del testo latino descrittivo delle funzioni fondamentali della prefettura (*moderandi et gubernandi*) mostra tale intenzione (non si può infatti ipotizzare una così plateale ignoranza della lingua in chi ha tradotto l'originale latino). Successivamente si è diffusa una prassi normativa che, in occasione della revisione di regolamenti e statuti, ha portato all'emanazione di norme particolari che riservavano "la vigilanza e il controllo" di vari enti alla segreteria di Stato (ospedale Bambino Gesù, fondazioni S. Giovanni Rotondo e Casa Sollievo della sofferenza, Domus Sanctae Marthae, Domus Romana Sacerdotalis, Domus Paulus VI, ecc.). Per diversi anni i bilanci di vari enti non sono stati neppure trasmessi alla prefettura [...]».

Cl, Legionari e lefebvriani, atolli dell'Impero

Julián Carrón, capo di Cl, a Milano: la curia appoggia la sinistra

Opus Dei, Comunione e liberazione, Focolarini, Legionari di Cristo e le tante anime della Chiesa diventano sempre più strategiche per aggregare fedeli. Con il papato di Ratzinger, però, il quadro muta: mentre l'Opera consolida la propria area d'influenza potendo contare su laici amici anche ai vertici di enti vaticani, come Gotti Tedeschi presidente dello Ior, altre organizzazioni colpite dagli scandali rischiano di vedere pregiudicato il proprio futuro. I Legionari di Cristo finiscono commissariati dopo le accuse di pedofilia e la messa in mora del fondatore Marcial Maciel. Comunione e liberazione vede diversi esponenti coinvolti nelle inchieste per corruzione e distrazioni di fondi in Italia, a iniziare da quella sul crac dell'ospedale San Raffaele con la rete di conti correnti esteri dell'intermediario Pierangelo Daccò, amico del presidente della Regione Lombardia, il ciellino Roberto Formigoni.

Tutta l'influenza di Comunione e liberazione su Benedetto XVI ben emerge dai documenti che arrivano nell'appartamento privato del papa nel 2011. In particolare, due inediti sono di assoluto rilievo. Innanzitutto, la raccomandazione che don Julián Carrón, successore di don Giussani al vertice del movimento, rivolge al papa perché il cardinale Angelo

Scola lasci il patriarcato di Venezia e diventi arcivescovo di Milano. La segnalazione è sorprendente e diretta: «L'unica candidatura che mi sento in coscienza – scrive Carrón nel marzo del 2011 – di presentare all'attenzione del Santo Padre è quella del patriarca di Venezia, cardinale Angelo Scola». Il nome è indicato in una meditata e illuminante lettera che suona come un'investitura.

Pochi mesi dopo, a giugno, Carrón porta a casa un risultato atteso e sorprendente. Proprio Scola sarà scelto dal pontefice per quell'incarico. Il presidente di Cl si era rivolto all'allora nunzio in Italia Giuseppe Bertello, oggi cardinale al governatorato, dopo che il diplomatico gli aveva chiesto indicazioni e lumi per il Santo Padre. E infatti la missiva del successore di don Giussani viene portata proprio al pontefice, che la legge con attenzione. Benedetto XVI conosce bene Carrón: il sacerdote spagnolo, infatti, è consigliere ecclesiastico dell'associazione Memores Domini alla quale fanno riferimento nei principi di castità, povertà e obbedienza assoluta anche le collaboratrici del papa che curano l'appartamento privato nel Palazzo apostolico.

Carrón sceglie argomenti che possano trovare il papa particolarmente attento e sensibile, argomenti che determinino un'unica conclusione: Scola deve andare a Milano per riportare la Chiesa ambrosiana sotto il controllo della Santa Sede e liberarla da quel legame privilegiato con il centrosinistra. Un'indicazione oggi inderogabile vista «l'esigenza e l'urgenza – scrive ancora il leader di Comunione e liberazione – di una scelta di discontinuità significativa rispetto alla impostazione degli ultimi trent'anni, considerato il peso e l'influenza che l'arcidiocesi di Milano ha in tutta la Lombardia, in Italia e nel mondo». È un vero e proprio atto durissimo di accusa contro la curia ambrosiana.

> Il primo dato di rilievo è la crisi profonda della fede del popolo di Dio, in particolare di quella tradizione ambrosiana. [...] Negli ultimi trent'anni abbiamo assistito a una rottura di questa tradizione, accettando di diritto e promuovendo di fatto la frattura caratteristica della modernità tra sapere e credere, a scapito della organicità dell'esperienza cristiana, ridotta a intimismo e moralismo. Perdura la grave crisi delle vocazioni, affrontata in modo quasi esclusivamente organizzativo. La nascita delle unità pastorali ha prodotto tanto sconcerto e sofferenza in vasta parte del clero e grave disorientamento nei fedeli, che mal si raccapezzano di fronte alla pluralità di figure sacerdotali di riferimento.[1]

Ma non è solo una questione di dottrina e vocazioni. Carrón muove una critica pesantissima alla tradizione impressa dal cardinal Martini e dal rito ambrosiano. La Chiesa della diocesi di Milano negli ultimi trent'anni, per il presidente di Cl, si è posta come «magistero alternativo al Santo Padre» e al Vaticano. Va riportata a più miti consigli. Carrón si spinge oltre e se la prende anche con chi nella curia milanese accusa di «affarismo» certi movimenti cattolici con un implicito riferimento proprio a Cl. È bene ricordare che siamo a marzo del 2011, Carrón si espone quindi diversi mesi prima sia dello scandalo del San Raffaele sia delle indagini su esponenti della Regione Lombardia che addossano precise responsabilità morali o penali a numerosi ciellini.

> L'insegnamento teologico per i futuri chierici e per i laici, sia pur con lodevoli eccezioni, si discosta in molti punti dalla tradizione e dal magistero, soprattutto nelle scienze bibliche e nella teologia sistematica. Viene spesso teorizzata una sorta di «magistero alternativo» a Roma e al Santo Padre, che rischia di diventare ormai una caratteristica consolidata della «ambrosianità» contemporanea. La presenza dei movimenti è tollerata, ma essi vengono sempre considerati più come un problema che come una risorsa.

Prevale ancora una lettura sociologica, stile anni Settanta, come fossero una «Chiesa parallela», nonostante i loro membri forniscano, per fare solo un esempio, centinaia e centinaia di catechisti, sostituendosi in molte parrocchie alle forze esauste dell'Azione cattolica. Molte volte le numerose opere educative, sociali, caritative che nascono per responsabilità dei laici vengono guardate con sospetto e bollate come «affarismo», anche se non mancano iniziali valorizzazioni di quelli che sono nuovi tentativi di realizzazione pratica dei principi di solidarietà e di sussidiarietà e che si inseriscono nella secolare tradizione di operosità del cattolicesimo ambrosiano.

Ma forse il punto più importante è la politica. Carrón si lamenta, prende di mira l'asse che, a suo dire, ci sarebbe tra la Chiesa ambrosiana e il centrosinistra, individuando, senza tanti giri di parole, un «neocollateralismo». Il presidente di Cl accusa infatti Tettamanzi e la curia di avere un rapporto esclusivo con i partiti che fanno capo a livello nazionale a Bersani e all'area cattolica del Pd. Non solo, la curia avversa anche i cattolici «con altissime responsabilità nel governo locale». E anche qui sembra non scritto ma palese il riferimento a Formigoni.

Dal punto di vista della presenza civile della Chiesa non si può non rilevare una certa unilateralità di interventi sulla giustizia sociale, a scapito di altri temi fondamentali della Dottrina sociale, e un certo sottile ma sistematico «neocollateralismo», soprattutto della curia, verso una sola parte politica (il centrosinistra) trascurando, se non avversando, i tentativi di cattolici impegnati in politica, anche con altissime responsabilità nel governo locale, in altri schieramenti. Questa unilateralità di fatto, anche se ben dissimulata dietro a una teorica (e in sé doverosa) «apoliticità», finisce per rendere poco incisivo il contributo educativo della Chiesa al bene comune, all'unità del popolo e alla convivenza pacifica, fatto ancora più grave in una città, in una regione (la Lombardia) e in una parte d'Italia (il Nord) in cui più forti sono le spinte isolazioniste e ormai drammatici e quotidiani i conflitti tra poteri dello Stato. [...][2] Né va trascurata la peculiarità della presenza a Milano dell'Università cattolica che, nonostante il prodigarsi ammirevole dell'attuale rettore e dell'assistente ecclesiastico, attraversa una crisi di identità così grave da fare temere in tempi brevi un sostanziale e irreversibile distacco dalla impostazione originale. Nel rispetto delle prerogative della Santa Sede e della Conferenza episcopale, non appare irrilevante il contributo che un nuovo presule, per la sua preparazione e sensibilità, potrebbe offrire a favore di una più precisa linea culturale e educativa dell'ateneo di tutti i cattolici italiani. [...] Per la gravità della situazione non mi sembra che si possa puntare su di una personalità di secondo piano o su di un cosiddetto «outsider», che inevitabilmente finirebbe, per inesperienza, soffocato nei meccanismi consolidati della curia locale. Occorre una personalità di grande profilo di fede, di esperienza umana e di governo, in grado di inaugurare realmente e decisamente un nuovo corso.

Il pontefice dopo trent'anni al Meeting di Comunione e liberazione

La vicinanza di Scola alla grande famiglia di Comunione e liberazione è nota e Carrón non vuole che qualcuno legga questa investitura come una mossa studiata a beneficio del suo movimento. Per questo chiude la lettera con una precisazione che suona forse superflua:

> Con questa indicazione non intendo privilegiare il legame di amicizia e la vicinanza del patriarca al movimento di Cl, ma sottolineare il profilo di una personalità di grande prestigio e esperienza che, in situazioni di governo assai delicate, ha mo-

> strato fermezza e chiarezza di fede, energia nell'azione pastorale, grande apertura alla società civile e soprattutto uno sguardo veramente paterno e valorizzatore di tutte le componenti e di tutte le esperienze ecclesiali. Né l'età, Scola ha compiuto 70 anni nel 2011, pare un particolare problema. Anzi, non è un «handicap», ma un vantaggio: potrà agire per alcuni anni con grande libertà, aprendo così nuove strade che altri proseguiranno.

E in effetti la forza di Scola si avverte subito. A giugno, quando la scelta del Santo Padre premia Carrón, Scola prende le distanze da Formigoni: non c'entro nulla con quello che fa il presidente lombardo, «sono vent'anni che non partecipo più alle riunioni di Comunione e liberazione, e in Cl non conosco nessuno che abbia meno di 60 anni».

Un altro passo significativo nella crescita di potere e influenza di Cl in Vaticano arriva il 5 dicembre 2011, quando Bertone è a colloquio con Ratzinger nella tradizionale udienza che gli concede ogni lunedì. Il cardinale gli sottopone un invito di riguardo che ha ricevuto pochi giorni prima, il 23 novembre, per il pontefice. È quello che la professoressa Emilia Guarnieri, presidente del Meeting di Rimini (l'appuntamento annuale del movimento), rivolge a Ratzinger affinché intervenga all'incontro fissato per l'agosto del 2012. Bertone si fa quindi interprete dei *desiderata* di Cl. E ripropone i due anniversari che gli aveva evidenziato proprio la Guarnieri in una lettera di pochi giorni prima:

> *Eminenza Reverendissima,*
> dall'inizio di questo pontificato abbiamo custodito nel cuore il desiderio che il Santo Padre potesse partecipare al Meeting. I molteplici impegni, i viaggi, le Giornate Mondiali della Gioventù, ci hanno sempre consigliato la discrezione di non domandare, ma in questo momento convergenti circostanze ci sospin-

> gono invece a chiedere. Il 1982 fu l'anno della storica visita al Meeting del beato Giovanni Paolo II. Il medesimo anno vide anche il riconoscimento pontificio della fraternità di Comunione e liberazione. Il 2012 pertanto rappresenta per noi un duplice e significativo trentennale ed un contesto estremamente suggestivo per accogliere il Santo Padre. Non posso inoltre, Eminenza, non confidarle che in occasione del breve incontro che ebbi l'onore di avere con il Santo Padre il 19 giugno a San Marino egli mi accolse con queste parole: «È molto tempo che non ci vediamo! Ma lei lavora ancora per il Meeting?». Il Santo Padre ricordava evidentemente gli incontri che, dalla sua partecipazione al Meeting del 1990, annualmente ci concedeva: gli sottoponevamo il titolo ogni anno scelto, grati ascoltavamo le sue riflessioni e i suoi commenti e, meno discreti di questi ultimi anni, ci permettevamo di rinvitarlo. Il titolo di quest'anno, «La natura dell'uomo è rapporto con l'infinito», osiamo sperare potrebbe rappresentare motivo di interesse per il Santo Padre. Se così fosse, Eminenza, saremmo veramente lieti, non innanzitutto in funzione dell'invito che, tramite la Sua benevolenza, stiamo rivolgendo al Santo Padre, ma perché saremmo confermati nel desiderio che ci anima di servire, anche attraverso il Meeting, le preoccupazioni e il magistero di questo grande Papa. [...] Sono a Sua totale disposizione per fornire qualunque ulteriore notizia o informazione possa favorire il percorso di questo desiderio che, in occasione di un imminente pellegrinaggio, affiderò alla Madonna di Fatima, insieme, Eminenza, alla preghiera che mi permetterò di rivolgere a Maria per la Sua persona e per quella del Santo Padre. Con devozione, prof. ssa Emilia Guarnieri.

Bertone mostra la lettera al pontefice. Ratzinger la legge, sorride a certi passaggi, soprattutto quando si fa cenno alla sua memoria e alla visita che fece nell'ormai lontano 1990, e dà il suo assenso. Andrà a Rimini per incontrare i giovani di Comunione e liberazione facendo così accendere ancor più i riflettori sul movimento fondato da don Giussani. Il segretario è soddisfatto, un altro pezzo del mosaico illumina la sua rete di potere e di reciproco aiuto nella grande famiglia cattolica. Qualche giorno dopo chiama l'assistente e comunica a Gänswein la scelta del pontefice. Con un inconsueto passaggio di informazioni dovuto probabilmente all'età del Santo Padre. In pratica Bertone, dopo aver incontrato Benedetto XVI, scrive al segretario particolare del papa per avvisarlo della prossima visita del pontefice al Meeting di Cl.

I segreti saputi e taciuti di Marcial Maciel

Per i Legionari di Cristo, la storia va diversamente. Ciò che non si vede o si nasconde, inevitabilmente sembra destinato, prima o poi, a riproporsi. Così i fantasmi del passato ritornano sulla scena. E inquietano sino a raggiungere i più importanti collaboratori del pontefice. Come accade proprio per lo scandalo dei Legionari, compromessi nella loro credibilità da quando nel 2006 emergono gli abusi del fondatore: casi di pedofilia, figli avuti da donne diverse, abusi sessuali e psicologici. La cronaca ufficiale vuole che il Vaticano reagisca con una certa lentezza. Dopo un'indagine durata più di un anno la Congregazione per la dottrina della fede con il cardinale William Joseph Levada dispone la rinuncia all'esercizio del ministero nel 2006. Padre Maciel rimarrà sospeso *a divinis* fino alla sua morte, avvenuta nel 2008 a Miami.

Nel maggio del 2010 la seconda visita apostolica compiuta da cinque vescovi fa emergere con forza tutta la dimensione dello scandalo. E la condanna è irrevocabile. Sono momenti durissimi per i Legionari: «Non è stato per niente facile – confiderà al papa padre Álvaro Corcuera, direttore della Legione

– comunicare i fatti concernenti padre Maciel. Provavamo un gran dolore quando in modo sempre più chiaro ci rendevamo conto degli aspetti nascosti della sua vita. Il cuore sanguinava trattandosi del proprio fondatore». Parole che turbano il Santo Padre, che deciderà di rispondere rincuorando il direttore Corcuera. Passa un mese e i due si incontrano. È il 17 giugno 2010. Nel promemoria dell'incontro, Benedetto XVI rimane colpito soprattutto dal punto 3A del documento stilato da Corcuera, che sottolinea il timore dei Legionari di «cadere in un revisionismo postconciliare che ci porti a una falsa rottura con la tradizione della vita religiosa nella Chiesa e, nell'affanno di rinnovamento, si ceda alle tendenze sempre presenti di rilassamento e di secolarizzazione». Ratzinger coglie il segnale, è preoccupato, la situazione potrebbe uscire dal controllo della Santa Sede. Inoltra subito il documento a Bertone e all'allora monsignor Velasio De Paolis, scelto da poco come commissario della congregazione. De Paolis si muove con determinazione. Cerca di scoprire cosa è accaduto e di arginare l'emorragia dalla Legione: 70 sacerdoti su 890 e un terzo delle laiche consacrate, infatti, hanno già lasciato il movimento o stanno pensando di farlo.[3]

Oggi, dai nuovi documenti in nostro possesso emergono elementi inediti, fatti scomodi che impongono la riconsiderazione di quanto finora trapelato. Si affaccia un'altra verità sconcertante. I segretari del papa ne vengono a conoscenza il 19 ottobre 2011, alle 9 del mattino. Nell'ufficio al terzo piano del Palazzo apostolico, proveniente dal Messico, si presenta con discrezione don Rafael Moreno. Non è uno dei tanti missionari nell'America del Sud. Il sacerdote per 18 anni è stato l'assistente privato di Maciel: Moreno è il collaboratore più vicino al padre padrone del movimento. Da tempo vive in Brasile, ma da quando è morto il leader è tormentato da un cruccio: le vicende che hanno visto protagonista nel bene e soprattutto nel male Maciel non sono mai state esaminate con attenzione dalla gerarchia vaticana. Moreno, già agli inizi del mese, ospite della parrocchia Nostra Signora di Guadalupe a Roma in via Aurelia, aveva scritto al papa manifestando le sue perplessità sull'operato del delegato De Paolis, da lui accusato di non ascoltare i disagi dei Legionari.

Oggi però Moreno vuol svelare una verità che, a suo dire, in tanti mai hanno voluto sentire. Troppi hanno voltato le spalle. Hanno fatto finta di niente. Per tanti, tanti anni, al di là delle verità ufficiali, le accuse sono state ignorate dal vertice. I segreti indicibili dei soprusi sono così rimasti custoditi nella sua memoria e ogni giorno con insistenza si ripropongono alla coscienza. È questa la storia sconvolgente che quel mattino d'autunno Moreno consegna ai segretari di Benedetto XVI affinché il Santo Padre sappia. L'assistente lo riceve. Ascolta la confessione, prende appunti. Il racconto è così sconvolgente che il segretario scrive di getto nella lingua madre, il tedesco. Poche parole scolpite. Congeda Moreno e si chiude in ufficio. Rilegge l'appunto per pesare bene le parole quando a breve dovrà riferire di questo doloroso colloquio a Ratzinger:

Segreteria Particolare di Sua Santità

19 ottobre 2011
Incontro 9.00-9.30
da me

Incontro con D. Rafael Moreno, segr. privato di M.M.
- fu per 18 anni segretario privato di M.M.; da questo è stato [sfiduciato o sfruttato, parola illeggibile, *ndt*]
- ha distrutto prove a carico (materiale incriminante)
- ha PP II già nel 2003 voluto informare, questi non è stato ad ascoltarlo, non ha creduto

– voleva informare il card. Sodano, questi non ha concesso udienza
– il card. De Paolis ha avuto troppo poco tempo.

Un appunto di appena nove righe, che però garantiscono un effetto micidiale. Al biografo Seewald, Benedetto XVI disse che in Vaticano solo dal 2000 si ebbero i primi elementi concreti. Bisognerà poi attendere il 2006 per i primi provvedimenti. Oggi una verità inedita. Se Moreno afferma il vero significa che ben tre anni prima di quanto vuole la versione ufficiale, in Vaticano già conoscevano nei dettagli la condotta del fondatore dei Legionari di Cristo e potevano prendere quei provvedimenti che invece tardarono fino al 2006. Perché? Gli elementi erano, tra l'altro, offerti non da una vittima, magari mossa dall'odio, ma dal miglior testimone possibile: il segretario che per ben 18 anni aveva seguito giorno dopo giorno il fondatore della congregazione. E, quindi, ne conosceva la doppia, tripla vita, gli aspetti più segreti. Non solo.

Moreno sostiene che avrebbe informato direttamente addirittura «PP II». Di chi si tratta? Con tutta probabilità dovrebbe essere proprio Giovanni Paolo II. La calligrafia non è ben chiara ma è facilmente deducibile, se oggi come ieri Moreno chiede udienza e bussa proprio all'appartamento del pontefice. Ma allora, perché non si fece niente? Perché né lui né il segretario di Stato dell'epoca, Sodano, vollero approfondire? Perché Sodano non volle nemmeno ascoltare le parole del sacerdote?

Moreno con la sua confessione pregiudica il proprio futuro, e per questo sembra ancor più credibile quando si autoaccusa di aver distrutto «prove a carico». Nell'appunto non è aggiunto altro. Non si sa cosa riguardasse, in particolare, questo «materiale incriminante», ma di certo potrebbe interessare gli accertamenti del commissario dei Legionari, De Paolis. Che invece liquida Moreno in pochi minuti. L'obiettivo del porporato appare un altro, mai nemmeno celato. De Paolis mai aveva nascosto di aver scelto per l'inchiesta il basso profilo: «Non vedo i benefici che avrebbe potuto derivare da un'inchiesta più approfondita». Escludendo ulteriori ricerche: «Correremmo il rischio di trovarci di fronte a un intrigo senza fine: si tratta di cose troppo private perché io possa indagarle».[4] Così in un anno di attività solo due persone vicine a Maciel escono di scena: padre Luis Garza Medina, che dal 1992 era vicario generale dei Legionari, ed Evaristo Sada, segretario generale dal 2005 della congregazione.

Legionari, la relazione segreta a Benedetto XVI

I segretari del papa cercano di capire perché Moreno si fa avanti adesso con queste verità deflagranti che, tra l'altro, confermano certi sospetti sempre circolati, ovvero che la curia romana ai suoi più alti livelli avesse coperto Maciel per un certo periodo, lasciando inevase le accuse che pur pervenivano alle persone con più potere in Vaticano. Gänswein porta l'ambasciata a Benedetto XVI, ma il Santo Padre ha ancora sulla scrivania la seconda relazione sui Legionari che proprio De Paolis aveva consegnato a settembre, dopo un anno di verifiche. Un lavoro realizzato dalla commissione d'inchiesta voluta dal pontefice composta da diversi esperti. Capeggiata da monsignor Mario Marchesi, ecclesiastico di fiducia di De Paolis, tale commissione ha potuto contare sull'aiuto di altri tre consiglieri: monsignor Brian Farrell, segretario del Pontificio consiglio per la promozione dell'unità dei cristiani, padre

Gianfranco Ghirlanda e padre Agostino Montan. Un'unità di crisi che si è articolata in almeno quattro specifiche commissioni su altrettante questioni interne: costituzioni, finanze, università e, infine, quella più delicata, la «commissione di avvicinamento». Il nome è frutto del freddo pragmatismo vaticano: la commissione, infatti, presieduta sempre da monsignor Marchesi, ha il compito di trattare i risarcimenti economici con le vittime di Maciel. Insomma, il vil denaro. La commissione deve quindi «avvicinare» le vittime e portarle sulla via del giusto ed equo indennizzo, secondo i parametri sconosciuti della Santa Sede.

Il dossier segue un primo report, stilato sempre da De Paolis, specifico sugli addebiti a Maciel, che aveva portato Benedetto XVI a ricordare «la necessità e l'urgenza di un cammino di profonda revisione del carisma e di revisione delle costituzioni», ovvero un cambiamento più radicale, come emerge dalla lettera riservata di incarico. A settembre il commissario firma così le dieci pagine del documento conclusivo, ovvero la «Relazione al Santo Padre sui Legionari di Cristo». In nove punti l'affresco di questo importante movimento è tratteggiato, la dimensione dei traumi che vive e di come è gestita l'eredità imbarazzante di padre Maciel è scandagliata.

Dopo la ricognizione, il delegato pontificio sostiene che oggi la congregazione è spaccata tra chi vorrebbe chiarezza, allontanando i più stretti collaboratori di padre Maciel, e chi invece vorrebbe voltare pagina rapidamente. Quest'ultimo gruppo è più consistente:

> Occorre riconoscere che molti Legionari non hanno idee chiare sui contenuti del giudizio della Santa Sede. Tra alcuni Legionari più anziani e alcuni superiori (anche giovani) permane l'idea che il papa e la Santa Sede si siano lasciati trascinare in un'esagerazione circa le conseguenze nella vita della congregazione

> della personalità e della vita di p. Maciel. Essi perciò invitano ad avere pazienza, che tutto passerà e si tornerà alla situazione precedente. Altri Legionari sono colpiti dalle parole del bollettino [nota ufficiale della Santa Sede, *nda*] del 1° maggio 2010: «La condotta del p. Maciel ha causato conseguenze nella vita e nelle strutture della Legione». [Questi, *nda*] sono del parere che non si possa intraprendere nessun cammino di rinnovamento se prima non viene rimosso uno dei principali ostacoli a tale cammino, la permanenza degli stessi superiori al governo della congregazione. Essi perciò continuano a fare una propaganda di scoraggiamento e di denigrazione del cammino, creando una qualche divisione e difficoltà. In realtà il numero degli oppositori, presente soprattutto nell'ultimo gruppo, è piuttosto ristretto, ma molto agguerrito.[5]

Bisogna quindi «prestare particolare attenzione all'uso dei mezzi di comunicazione» visto che per De Paolis taluni sacerdoti «ne hanno fatto largo uso, proponendosi quasi come controllori e interpreti del cammino da percorrere, con un atteggiamento piuttosto critico, provocando spesso una certa confusione e uno scoramento o un disimpegno, additando con una certa persistenza che non si faceva nessun progresso e nessun cammino». Un vero e proprio «dissenso» che può «saldarsi con coloro che già avevano abbandonato» la congregazione provocando così magari «una scissione o una emorragia».[6] Insomma, per il porporato «non mancano motivi di trepidazione e anche di timore» come quelli provocati da chi ritiene insuperabile lo choc della storia del fondatore: «Per loro il nuovo non c'è, né appare all'orizzonte. In questo modo tengono prigioniera la riflessione in un quadro angusto e senza via di uscita, suscitando sconforto e disamore per la vocazione».[7]

Un altro fronte critico è costituito dai conti finiti in rosso, con crescita dei debiti. Al Santo Padre non vengono indicate le somme ma lo scandalo ha fatto diminuire sensibilmente le donazioni. A esaminare la contabilità arriva un fedelissimo di Bertone, il cardinale Domenico Calcagno. L'idea è di dismettere degli immobili ma con la crisi del mattone pare una mossa azzardata. De Paolis riassume così il quadro:

> La situazione economica, pur non essendo grave, è però seria ed impegnativa. La situazione debitoria è rilevante, dovuta sia alla crisi economica finanziaria generale, sia alle vicende che la Legione ha dovuto affrontare (perdita di credibilità, diminuzione di donazioni, ecc.), sia alla diminuzione degli alunni, per lo stesso motivo. La crisi attuale ha fatto diminuire di valore gli immobili che si dovrebbero alienare a prezzi di sotto al loro valore, per la situazione del mercato, per pagare i debiti. Non risultano però situazioni di illegalità o di abusi. Certo, l'organizzazione economica della Legione non risponde precisamente ai criteri dell'ordinamento canonico, per quanto riguarda i religiosi. Un problema che abbiamo affrontato più volte, ma che rimane ancora insoluto e che risulta molto complesso, è quello della istituzione del gruppo Integer, sottoposto a diverse critiche, anche dal punto di vista sia finanziario che economico e religioso. Il ruolo di questo gruppo (tecnici permanenti stipendiati al servizio dei problemi della congregazione) deve essere senz'altro ridimensionato. Ma è necessario procedere con molta cautela, particolarmente in questo momento cruciale della finanza mondiale e della situazione economica della Legione. Il problema non è solo economico. È anche di organizzazione della vita religiosa all'interno della Legione.

E i risarcimenti alle vittime? Nella relazione non si spende una parola sulla gravità dei fatti addebitati a Maciel. La «commissione di avvicinamento» porta avanti un'altra missione. Cercare di ridurre al minimo l'impatto economico sulle casse vaticane delle richieste avanzate dalle parti lese. I toni sono assai ottimisti perché il «modus operandi» è a tutti chiaro e condiviso. Rispetto a chi chiede di essere risarcito deve prevalere la fermezza:

> L'accordo con alcuni non è stato difficile. Più complesso è il caso di chi pretende a titolo di giustizia spese ingenti che la Legione non può assolutamente sostenere, e che di fatto non si possono fondare su pretese di giustizia. Un cedimento in questo campo, oltre che essere ingiusto, potrebbe provocare una valanga di richieste altrettanto insostenibili. Il criterio che la commissione ha seguito è stato duplice: quello della giustizia e quello della carità e della solidarietà per la sofferenza che la vittima ha dovuto affrontare. In nessuno dei casi esaminati si possono ravvisare esigenze di giustizia legale.

Come se non bastasse, lo scandalo è comunque più ampio di quanto si possa immaginare. Oltre a Maciel, infatti, spuntano altri «religiosi in difficoltà». Si tratta di diversi casi ora «nelle mani del procuratore generale che svolge in modo appropriato il suo compito, particolarmente con l'aiuto di un canonista della stessa Legione». Si procede anche a qualche cambiamento per allontanare sacerdoti vicini a Maciel, come ad esempio revocando la nomina di vicario generale a padre Luis Garza.[8] La strada comunque è ancora lunga e ripida. Il lavoro dell'unità di crisi non si concluderà prima del 2014 per far rientrare la grande famiglia dei Legionari nella Chiesa e nei suoi regolamenti.

La remissione della scomunica ai vescovi lefebvriani

L'obiettivo è di evitare superficialità, incidenti e incomprensioni che avevano suscitato un enorme scandalo appena un anno prima, nel gennaio del 2009, quando era trapelata la notizia della revoca della scomunica ai vescovi scismatici lefebvriani disposta dal Santo Padre con l'operazione «paterna misericordia».[9] Per una diabolica coincidenza il caso esplode non per il sempre opinabile compimento di un percorso diplomatico tra gli eredi di Lefebvre e la Santa Sede in sé, ma perché uno di loro, monsignor Williamson, alla vigilia dell'ufficializzazione della remissione della scomunica, aveva rilasciato alla tv di Stato svedese un'intervista in cui ribadiva la sua posizione negazionista della Shoah. «Io credo che le prove storiche – aveva detto – siano fortemente in contrasto con l'idea che sei milioni di ebrei siano stati uccisi nelle camere a gas, a seguito di un'indicazione di Adolf Hitler. Credo che le camere a gas non siano esistite.» Dichiarazioni di questo tipo meriterebbero in un paese normale un trattamento sanitario obbligatorio, ma in Vaticano lo scenario cambia: equilibri, pesi e contrappesi hanno la meglio sul semplice buon senso.

In realtà, il decreto per la revoca della scomunica comporta un processo di lavorazione di anni. È dal 30 giugno 1988, quando i vescovi erano incorsi nella scomunica, che si cercava di ricomporre questa frattura all'interno della Chiesa, generata proprio da monsignor Marcel Lefebvre. La sua Fraternità San Pio X si era resa protagonista dello scisma nel 1976, quando Paolo VI sospese *a divinis* l'ecclesiastico francese che non accettava il Concilio Vaticano II. Ma oggi questo nessuno lo sa, né importa più di tanto. La coincidenza temporale con le dichiarazioni di Williamson unisce i due fatti indissolubilmente. Provoca un cortocircuito per un messaggio di sintesi devastante: il papa toglie la scomunica al vescovo che nega l'olocausto. È un incidente mediatico clamoroso. Com'è potuto accadere? Per capirlo bisogna seguire bene le date.

La notizia della revoca ai vescovi, che erano stati ordinati senza autorizzazione da monsignor Lefebvre, trapela il 17 gennaio. Il primo a diffondere la notizia è il blog di un giornalista spagnolo, Francisco José Fernandez de la Cigoña, ben informato sugli ambienti tradizionalisti della Chiesa. Tre giorni dopo, siamo al 20 gennaio, il primo settimanale tedesco, «Der Spiegel», anticipa l'intervista scandalo di monsignor Williamson alla tv svedese, che la manda in onda la sera del 21 gennaio. Dovrebbe suonare l'allarme rosso, ma l'episodio non suscita clamore. Per ora. Intanto l'indiscrezione della revoca rimbalza tra i giornalisti italiani e francesi, tanto che il 22 gennaio escono con la notizia sia «Il Riformista» che «il Giornale» con Andrea Tornielli. Dalla Santa Sede non arriva però nessuna reazione. Passano i giorni, nessuno segnala ai piani superiori le folli dichiarazioni che negano lo sterminio degli ebrei di Williamson alla tv svedese. La potente macchina d'informazione vaticana, che monitora migliaia di giornali, periodici, radio e tv sull'intero pianeta s'inceppa o, non è ancora chiaro, il messaggio viene sottovalutato in segreteria di Stato. Così la concomitanza accende la miccia. I due binari, la revoca della scomunica e le dichiarazioni antisemite, si avvicinano pericolosamente. Nessuno se ne accorge.

La revoca, scelta da Benedetto XVI nel processo di riconciliazione con la Fraternità San Pio X sempre per una visione di un'unica Chiesa dalle tante anime, viene diffusa sabato 24 gennaio alle 12 senza essere preceduta da una presa di distanza ufficiale dai deliri negazionisti del vescovo. Per la Chiesa doveva essere un giorno di festa mentre l'effetto boomerang è micidiale, si sollevano infinite polemiche. E cala il buio. Si cerca di recuperare in qualche modo. La diplomazia entra in fermento. Si studia un comunicato ufficiale che viene rivisto all'ultimo minuto per evitare nuove fratture. La frase «un atto scismatico alla cui base vi era il rifiuto della dottrina cattolica espressa nel Concilio Vaticano II», come si legge nella bozza della nota che si diffonderà con un certo ritardo, per stemperare le polemiche, viene poi cancellata nella comunicazione ufficiale del 4 febbraio, proprio per evitare ulteriori scontri. Invece rimane l'altro concetto cardine, ovvero che se i quattro vescovi sono ora liberi «da una pena canonica gravissima», tuttavia la scelta del papa «non ha cambiato la situazione giuridica della Fraternità San Pio X, che al momento attuale non gode di alcun riconoscimento canonico nella Chiesa cattolica né i quattro vescovi esercitano lecitamente un ministero nella Chiesa».

Nel Palazzo apostolico si vivono giorni di grande tensione. Monsignor Georg Gänswein esprime l'amarezza del Santo Padre che vuole controllare, parola per parola, la nota della segreteria di Stato per evitare ulteriori passi falsi. Ed è nelle correzioni da lui disposte che emerge la sofferenza di fronte all'incapacità di poter prevenire gli errori dei suoi collaboratori. Così quando si fa riferimento alle frasi sulla negazione della Shoah, Benedetto XVI ritiene di rendere pubblico quanto realmente accaduto e cioè che nessuno lo aveva informato delle dichiarazioni del vescovo: «Forse aggiungerei – scrive di suo pugno a Bertone con la penna stilografica e una calligrafia minuscola – non conosciute dal Santo Padre nel momento della remissione della scomunica». Quel «forse» del papa è pleonastico: le correzioni sono subito recepite. La frase viene così inserita nella nota diffusa ai media. Il comunicato subisce altre modifiche: Ratzinger toglie anche gran parte dei riferimenti alla figura del pontefice per evitare di personalizzare. Sul futuro riconoscimento della Fraternità

San Pio X, ad esempio, tutta la frase «il Santo Padre non intende prescindere da una condizione indispensabile» viene cancellata da Benedetto XVI e sostituita da: «è condizione indispensabile il pieno riconoscimento del Concilio Vaticano II e del magistero dei papi Giovanni XXIII, Paolo VI, Giovanni Paolo I e II e dello stesso Benedetto XVI». Le polemiche non si fermano, anzi si svilupperanno per mesi con numerosi interlocutori tra ebrei, la Germania, il Vaticano e la Fraternità San Pio X.

Gli appunti di Benedetto XVI contro la Merkel

Benedetto XVI cerca di intervenire in Germania dove la situazione sembra più delicata. La comunità di vescovi e cardinali si divide sulla questione e, soprattutto, si sfiora l'incidente diplomatico con il governo tedesco. Il 17 febbraio parte dall'appartamento privato di Ratzinger un appunto riservato, con qualche piccolo errore d'italiano, indirizzato al sostituto di Bertone, monsignor Filoni. Ed è forse la prima volta che si ha l'occasione di leggere direttamente le osservazioni e disposizioni interne che un pontefice rivolge ai suoi più stretti collaboratori in un momento così difficile. Ratzinger è contrariato sia con alcuni cardinali tedeschi sia con la diplomazia della Santa Sede a Berlino. La questione Williamson sembra essersi incagliata, assumendo un imprevedibile rilievo internazionale.

La situazione era precipitata solo qualche giorno prima, il 3 febbraio. In mattinata su «Avvenire», il quotidiano della Cei, Bertone aveva mostrato una soddisfazione quantomeno incauta. Aveva sostenuto che la «crisi» con il mondo ebraico era ormai conclusa, avendo ricevuto segni di distensione dal rabbinato di Gerusalemme e da parte israeliana. Nel pomeriggio le parole del porporato suonano però come una beffa. A riaccendere le polemiche è il cancelliere tedesco Angela Merkel che attacca frontalmente la Santa Sede: «È necessario che da parte del papa e del Vaticano sia detto chiaramente che non può esserci negazione dell'Olocausto» afferma. «Questo chiarimento è, dal mio punto di vista, ancora insufficiente.» Le parole sembrano cogliere in contropiede la diplomazia della Santa Sede. Passa qualche ora e il portavoce, padre Lombardi, dopo aver sentito Bertone, pone un primo provvisorio argine alle polemiche. Ricorda tutte le prese di posizione contro l'antisemitismo espresse di recente da Benedetto XVI e la sua incondizionata solidarietà ai «fratelli ebrei». Non basta. Le parole del cancelliere fanno il giro del mondo.

Dagli ecclesiastici le difese sono tiepide. Una reazione, quest'ultima, che fa arrabbiare il pontefice. Il papa legge la dichiarazione della Merkel come una grave e indebita ingerenza nelle attività della Chiesa. È furente soprattutto per la timida reazione del nunzio apostolico a Berlino, monsignor Jean-Claude Périsset. Il diplomatico doveva protestare ufficialmente e rimandare al mittente le accuse. È quanto emerge proprio dall'appunto inviato a Filoni:

> La reazione del nunzio alle esternazioni della signora Merkel (Allegato 1 alla lettera del 4 febbraio) è troppo blanda – solo una informazione. In realtà era necessaria una chiara parola di protesta contro quella ingerenza in questioni della Chiesa.

L'amarezza nei confronti della Merkel non arriverà a costituire un grave incidente diplomatico. La volontà prioritaria è di chiudere in tempi rapidi l'incidente in modo da continuare nel percorso di riaggregazione e di superamento dello scisma. Del resto l'indomani il portavoce del governo tedesco Ulrich Wilhelm sostiene che il cancelliere era intervenuto su una «questione di principio politica». Insomma, nessuna intromissione.

In realtà, non è più e solo un problema diplomatico con gli altri Stati. Quanto accaduto dimostra come la curia romana evidenzi ancora limiti significativi nella gestione delle crisi. E aumenta il disagio. Tanto che a Roma alcuni cardinali iniziano a criticarne apertamente l'operato: Walter Kasper, presidente della Pontificia commissione per i rapporti religiosi con l'ebraismo, in un'intervista a Radio vaticana punta l'indice e parla espressamente di «errori di gestione della curia». Insomma, nessuno «può sicuramente essere contento che ci siano stati equivoci». Le critiche sembrano indirizzate al presidente della commissione Ecclesia Dei, Dario Castrillón Hoyos, mediatore con gli ultratradizionalisti, e a Giovanni Battista Re, prefetto della Congregazione per i vescovi. Due porporati che, però, hanno agito in nome del Santo Padre. E quindi, indirettamente, la critica è rivolta anche a Benedetto XVI.

Ma gli smottamenti continuano anche fuori le mura. Riguardano anche la Chiesa tedesca. Benedetto XVI è sempre più amareggiato. Interviene, chiede informazioni sulle critiche che continua a ricevere. Ecco quanto scrive riservatamente ai collaboratori:

> Mi meraviglia che il nunzio «condivide pienamente i suggerimenti» di card. Lehmann, il quale ha detto che il Santo Padre dovrebbe chiedere scusa presso gli ebrei e gli uomini della Chiesa. Molto meglio di questa strana dichiarazione del porporato, la sua intervista concessa al giornale «Die Welt» il 1° febbraio, nella quale però si ritrovano diverse inesattezze: io non sono mai andato a Parigi per il dialogo con Lefebvre; Lefebvre aveva realmente firmato l'accordo, ma ha ritirato il

giorno dopo la sua firma ecc. Ma in sostanza questa intervista è buona. Il nunzio trasmette le reazioni dei card. Meisner e Lehmann; conosco inoltre quanto ha detto S. Ecc.za mons. Zollitsch, presidente della Conferenza episcopale tedesca. Ma sento che il vescovo di Rottenburg-Stuttgart avrebbe criticato il Santo Padre, e lo stesso l'arcivescovo di Hamburg. Sarebbe necessario conoscere tutte le reazioni dei vescovi tedeschi. Diverse facoltà di teologia (Münster, Tübingen, Freiburg, forse anche altre) hanno emanato dichiarazioni. Sarebbe necessario conoscere questi testi. Ho l'intenzione di scrivere, quando lo «tsunami mediatico» sarà passato, una lettera ai vescovi [come Benedetto XVI farà due settimane dopo, *nda*] per chiarire meglio la linea della Santa Sede ma aspetto ancora informazioni più complete.

Insomma, sulla questione della remissione della scomunica rimangono profonde divisioni e l'attenzione è massima. Tanto che pare davvero incredibile che nessuno possa essersi accorto della sciagurata intervista del monsignore sulla Shoah, alla vigilia della diffusione del decreto. La prova si trova nel verbale della riunione di vertice che si tiene tra i porporati il 22 gennaio 2009. Da Bertone ci sono Castrillón Hoyos,[10] William Levada, prefetto della Congregazione per la dottrina della fede, Giovanni Battista Re e il cardinale Cláudio Hummes, a capo della Congregazione per il clero. Con loro due monsignori: Fernando Filoni e Francesco Coccopalmerio, futuro porporato.

Siamo proprio alla vigilia dell'ufficializzazione del decreto. I cardinali curano ogni dettaglio perché tutto si svolga senza intoppi. Tanto che Bertone, dopo aver fatto distribuire copia del decreto che annulla le scomuniche, apre i lavori proprio approfondendo «la situazione che si creerà al momento in cui verrà pubblicato, sabato 24 gennaio 2009, alle ore 12.00 di Roma, il decreto con cui si rimette la scomunica ai quattro vescovi». Uno sforzo che, come abbiamo visto, si rivelerà inutile. Il segretario di Stato sottopone in particolare due questioni: tale atto «concerne o meno gli ecclesiastici, i religiosi e i fedeli?». E, ancora, sarà necessario che la «scelta benevola del papa venga ben illustrata». Bertone chiede quindi a Re e agli altri se sia «opportuna una nota esplicativa che accompagni il menzionato decreto». La relazione dell'incontro è una nitida fotografia dell'attenzione ai pesi e contrappesi nei sacri palazzi:

> Il card. Re ha riferito anzitutto circa il modo con cui è venuto a conoscenza del decreto e, con il consenso del Santo Padre, dopo qualche ritocco, lo ha firmato; i ritocchi sono stati del tutto marginali, per rendere il testo più chiaro. Il porporato ha fatto presente che, essendo stato il card. Gantin a firmare il decreto con cui si formalizzava la scomunica a mons. Lefebvre e ai quattro vescovi da lui ordinati nel 1988, è d'accordo che sia lo stesso prefetto della congregazione per i vescovi a firmare il decreto di remissione della pena.
> Quanto all'eventuale remissione della scomunica anche agli ecclesiastici della Fraternità San Pio X, si è aperto subito il dibattito. Mons. Coccopalmerio ha espresso il proprio convincimento che l'assoluzione dalla scomunica pone i quattro vescovi in piena comunione con la Chiesa. Quanto ai presbiteri e ai diaconi ci si attende che con atto esplicito chiedano di essere a loro volta accolti nella piena comunione. Il card. Levada si è riferito al caso di Campos, rilevando che se è vero che al vescovo e al clero è stata rimessa la scomunica, in quel caso si trattava di diocesi e clero uniti. Egli ha sottolineato, riferendosi a quanto espresso da S.E. mons. Rifan in un documento distribuito ai presenti, che i quattro presuli, nel corso di varie occasioni, hanno emesso dichiarazioni o scritto affermazioni che richiedono una chiarificazione o comunque una rettifica pubblica prima dell'assoluzione stessa.
> In merito al caso della reintegrazione dei lefebvriani di Campos nel Brasile, il card. Hummes ha affermato di avere sempre difeso

il fatto che è stato provvidenziale, nonostante i problemi e le critiche che ha sollevato. Infatti, ha sottolineato il porporato, è molto importante che il processo di integrazione sia realizzato con la prima generazione dei lefebvriani, poiché già la seconda generazione sarà molto meno sensibile e più indifferente ad un possibile ritorno alla Chiesa di origine. Il porporato, perciò, ha manifestato appoggio al gesto del papa di togliere la scomunica ai vescovi lefebvriani della Fraternità San Pio X. La remissione della scomunica è fondamentalmente un atto di misericordia e le questioni dottrinali pendenti non la rendono impossibile. Ci sarà certo – ha continuato il cardinale – un itinerario posteriore da percorrere per le questioni dottrinali. Ha concluso, quindi, affermando che concorda con la proposta di redigere una nota esplicativa che accompagni il decreto di remissione della pena della scomunica.

Il card. Castrillón, da parte sua, ha voluto illustrare la «mens» del Santo Padre, il quale nel rimettere la scomunica ai quattro vescovi lefebvriani ha voluto compiere un atto di clemenza per ricucire l'unità. In particolare, ha sottolineato che il dialogo sopra le questioni ancora aperte si svolgerà meglio quando i vescovi si sentiranno all'interno e non all'esterno della comunione ecclesiale. Inoltre ha rilevato che questo primo passo non implica che tutti i problemi siano risolti e che lo stesso Santo Padre aveva parlato di un «iter» graduale nella soluzione delle questioni.

Il card. Re ha sottolineato che la revoca della scomunica non è ancora la piena comunione, ma è un gesto che intende favorire un percorso di riconciliazione.

Mons. Sostituto ha chiesto allora di leggere il decreto su cui confrontarsi per comprendere se alcuni elementi sono già affrontati e risolti dallo stesso documento.

In effetti, la lettura che ne faceva il segretario di Stato scioglieva molte perplessità e sul testo si trovavano sostanzialmente tutti d'accordo, nonostante qualche espressione, come quella relativa alla «piena comunione» (penultimo capoverso), che S.E. mons. Coccopalmerio avrebbe preferito sostituire con «piena riconciliazione». Tuttavia, atteso che il decreto era già stato portato alla

conoscenza dei vari interessati, non si riteneva opportuno ritoccarlo; l'espressione si poteva riprendere nel comunicato.
A questo punto sulla questione se anche agli ecclesiastici fosse rimessa la scomunica, è emerso quanto segue:
1. I sacerdoti che, per l'ordinazione illegittima, sono incorsi nelle pene canoniche previste dovranno in qualche modo manifestare la propria fedeltà al Santo Padre e alla Chiesa e questo dovrà avvenire tenendo in considerazione il numero dei sacerdoti e la loro identificazione. Ciò potrà essere concordato con i responsabili della Fraternità; il superiore generale potrebbe chiederlo a nome di tutti i sacerdoti e diaconi.
2. Quanto allo stato attuale in relazione soprattutto alle celebrazioni e alle attività pastorali dovrà essere fatto appello al principio «supplet Ecclesia» non potendo trovare una soluzione immediata per tutti.
3. È stato poi rilevato che il decreto stesso costituisce anche una provocazione affinché presuli, sacerdoti, religiosi e fedeli manifestino la loro intenzione in ordine alla comunione ecclesiale e alla riconciliazione.
In tal modo non è stato più ritenuto opportuno ricorrere ad una nota esplicativa simile a quella emessa nel 1997 dal Pontificio consiglio per i testi legislativi per non complicare la situazione. Si studierà in futuro se sarà necessaria qualche chiarificazione.
Infine, mons. Sostituto ha chiesto un parere sul comunicato stampa che dovrà accompagnare la pubblicazione del decreto.
I presenti si sono detti tutti d'accordo sul testo, chiedendo una piccola variante alla fine dello scritto nei termini qui segnalati: «Il Santo Padre è stato ispirato in questa decisione dall'auspicio che si giunga al più presto alla completa riconciliazione e alla piena comunione».
È rimasto ben chiaro che questo atto di clemenza del Santo Padre esige ancora un «iter» che porti alla piena riconciliazione e al chiarimento della situazione canonica della Fraternità San Pio X, la quale pur senza essere formalmente riconosciuta, di fatto viene in qualche modo implicata e incaricata di trattare, essendo menzionata nel decreto.

Quanto alla medesima Fraternità, è stato detto che, senza fare formalmente un decreto di riconoscimento, l'attuale stato sia considerato come punto di riferimento e rimanga in vigore «donec aliter provideatur».
Si è anche deciso che mons. Coccopalmerio appronti un articolo da pubblicare su «L'Osservatore Romano» nei prossimi giorni. Si è escluso di rilasciare interviste, come pure di presentare alla stampa il documento, che di per sé appare sufficientemente chiaro.
Il card. Levada ha rilevato che vi sono questioni aperte e il cammino da compiere pertanto comporterà un lavoro collegiale da parte delle congregazioni interessate. Il porporato ha indicato che la Congregazione per la dottrina della fede procederebbe subito al dovuto esame, con le istanze ordinarie, delle questioni dottrinali da tenere in conto nel successivo iter di dialogo previsto nel decreto stesso; ha menzionato anche l'opportunità di invitare il card. Castrillón a partecipare alla riunione in Feria IV al riguardo.
Tutti si sono detti d'accordo che il decreto e il comunicato siano inviati ai capi dicastero e alle rappresentanze pontificie e, per loro tramite, alle Conferenze episcopali.
La seduta è terminata alle ore 19.50 con la preghiera.

Germania, mon amour

L'attenzione di Benedetto XVI per le reazioni della comunità cattolica tedesca alla vicenda Williamson ben sintetizza la sensibilità della Santa Sede per quanto accade in Germania. Sia tra i porporati connazionali, sia in politica. Sia, ancora, nei rapporti con la Chiesa evangelica, come emerge nel novembre del 2011 dopo il viaggio apostolico che il Santo Padre aveva compiuto a settembre in quel paese. È sempre il bistrattato nunzio apostolico a Berlino, monsignor Périsset, a segnalare a Bertone le critiche della

Chiesa evangelica al Santo Padre, dopo l'incontro ecumenico con i protestanti che si era svolto durante il viaggio apostolico a Erfurt, a settembre, nella Sala del Capitolo dell'ex convento degli Agostiniani. Gli esperti vaticani studiano gli interventi alla plenaria annuale del sinodo evangelico, tenuta dal 6 al 9 novembre a Magdeburgo, nel land della Sassonia-Anhalt. E segnalano due discorsi di particolare interesse: quello del pastore Nikolaus Schneider, capo del Consiglio della Chiesa evangelica in Germania (Ekd), e quello della signora Katrin Göring-Eckardt, che oltre a essere presidente del sinodo dell'Ekd è vicepresidente del Bundestag, il parlamento federale tedesco. Tanto che dall'ufficio di Bertone parte «alla benevola attenzione del Santo Padre» questo appunto che riassume la situazione:

> Mons. Périsset dice che bisogna confrontare le critiche dei due ai discorsi del Santo Padre a Erfurt, ampiamente riportate nella stampa tedesca, con quanto hanno detto di positivo il sig. Schneider e la signora Göring-Eckhardt, soprattutto al riguardo del discorso nella sala del Capitolo. Comunque, i due capi [della Chiesa evangelica, *nda*] hanno sentito un certo divario tra questo colloquio e l'omelia di papa Benedetto XVI durante il successivo atto ecumenico. Il nunzio apostolico vede con preoccupazione la dichiarazione della signora Göring-Eckardt, quando dice: «non abbiamo per nulla bisogno del nostro riconoscimento come Chiesa da parte di Roma». Infatti, stupiscono alcuni commenti dei sig.ri Schneider e Göring-Eckardt ai discorsi del Santo Padre. Schneider sottolinea che Dio si è «secolarizzato» (*verweltlicht*) in Cristo, in una certa polemica al concetto di *entweltlichung* del discorso del Konzerthaus a Freiburg. Su questa scia, il sig. Schneider critica il papa anche per il paragone ex negativo del dialogo ecumenico con trattative politiche, con cui l'ecumenismo, secondo Schneider, non avrebbe nulla a che vedere. Göring-Eckardt, nel suo intervento, arriva ad

alcune affermazioni pungenti, per esempio quando dice: «Nella sala del Capitolo noi evangelici abbiamo abbassato l'età media nettamente»; oppure: «Il fatto che, nella Chiesa degli Agostiniani, gli altri (cioè i cattolici) non hanno menzionato per niente Martin Lutero o la Riforma mostra proprio una certa mancanza di parole da parte di loro». Il rapporto è stato trasmesso prima alla II Sezione. S.E. mons. Mamberti ha annotato: «Alla Sezione AAGG per competenza. Nel corso dell'udienza di tabella del 30 XI 2011, ho chiesto al Santo Padre se avesse visto la documentazione. Mi ha risposto negativamente pregando di preparare un appunto». Pertanto, si sottoponga la documentazione alla benevola considerazione del Santo Padre.

Messa celebrata da donne

Pochi mesi prima un'altra vicenda spigolosa era finita in un dossier riservato direttamente sulla scrivania di Benedetto XVI. Questa volta proviene dall'Australia: monsignor William M. Morris, vescovo di Toowoomba, piccola diocesi vicino a Brisbane, nel Sudest dell'Australia, desta sempre più scandalo. In particolare vengono rivolte tre contestazioni. La prima riguarda una lettera pastorale dell'Avvento risalente al 2006: Morris aveva indicato nel sacerdozio femminile una valida soluzione alla crisi delle vocazioni e voleva far dire messa a dei pastori protestanti per arginare la mancanza di sacerdoti. Proposte inaccettabili per la dottrina: le donne non possono essere ammesse al culto perché è stato proprio Gesù a scegliere solo uomini come apostoli. Inoltre, Morris dispone le assoluzioni collettive dei fedeli senza la confessione individuale. Morris replica evidenziando l'estensione immensa della diocesi e la scarsità delle parrocchie: appena 35 in 487.456 chilometri quadrati.

Il Vaticano nel marzo 2007 spedisce nella città australiana come visitatore l'arcivescovo americano di Denver, Charles J. Chaput, poi cerca una soluzione diplomatica che eviti clamori e disorientamento nei fedeli. Ma la vicenda finisce sui giornali australiani perché Morris decide di rendere pubblica la sua storia. Si difende sostenendo che la sua lettera pastorale è stata volutamente fraintesa. Secondo alcuni quotidiani locali ciò sarebbe avvenuto per l'azione della «Temple Police» (la polizia del Tempio), un gruppo della destra ecclesiale che denuncia alla Santa Sede i preti liberal che non seguono i dettami d'Oltretevere. Tanto che il leader, Richard Stokes, pur negando l'esistenza del gruppo, è netto: «Quando c'è un prete disobbediente, è un'offesa contro Dio». Nei sacri palazzi il fascicolo di Morris diventa sempre più voluminoso. E transita dalla scrivania del cardinale Re, prefetto della Congregazione per i vescovi, a quella di Benedetto XVI. Il porporato non incontra a Roma il vescovo disubbidiente quando arriva nella Città eterna nel maggio del 2007. Ormai la situazione è cambiata, sembra non essercene più bisogno. Il 28 giugno la congregazione presieduta da Re consegna un memorandum in cui gli si chiedono le dimissioni. Che non vengono accolte.

Benedetto XVI interviene personalmente nel 2009 quando manda queste precise indicazioni al cardinale Re:

Città del Vaticano
11-12-2009
Appunto per Sua Eminenza il Cardinale Re
Grazie per il progetto di lettera a S.E. mons. Morris. Io inserirei ancora i seguenti elementi:
– Il presule parla sempre di un «processo», di «defects in process» (pag. 1, capoverso 5); dice: «I have been denied natural justice and due process» (pag. 2, capoverso 6); «there has not

been a canonical process» (*ibid.*) ecc. Sarebbe da dire che in realtà non c'era nessun processo, ma un dialogo fraterno e un appello alla sua coscienza di rinunciare liberamente all'ufficio del vescovo diocesano. Siamo convinti che la sua formazione dottrinale non è adeguata per questo ufficio ed era la nostra intenzione di spiegargli le ragioni di questa nostra convinzione.
– Il presule parla di «a lack of care for the truth» da parte nostra (pag. 1, capoverso 4). Questa affermazione è inaccettabile. Ma ovviamente c'era un malinteso, creato – mi sembra – dalla mia conoscenza insufficiente della lingua inglese. Nel nostro incontro io avevo cercato di convincerlo che le sue dimissioni sono auspicabili, e avevo capito che lui aveva espresso la sua disponibilità a rinunciare alla sua funzione di vescovo di Toowoomba. Dalla sua lettera vedo che questo era un malinteso. Ne prendo atto, ma devo decisamente dire che non si tratta di «a lack of care for the truth».
– Il presule afferma che si tratterebbe solo di differenze culturali, che però non toccano la comunione. In realtà nella sua lettera pastorale – oltre a scelte pastorali molto discutibili – si trovano almeno due proposte incompatibili con la dottrina della fede cattolica:
– La lettera dice che si potrebbe anche procedere all'ordinazione di donne, per superare la mancanza di sacerdoti. Ma il Santo Padre Giovanni Paolo II ha deciso in modo infallibile e irrevocabile che la Chiesa non ha il diritto di ordinare donne al sacerdozio.
– Egli dice inoltre che anche ministri di altre comunità (anglicani ecc.) potrebbero aiutare nella Chiesa cattolica. Ma secondo la dottrina della fede cattolica i ministeri di queste comunità non sono validi, non sono «sacramento» e perciò non permettono azioni legate al sacramento del sacerdozio.
Non c'è dubbio delle sue ottime intenzioni pastorali, ma appare con chiarezza che la sua formazione dottrinale è insufficiente. Ma il vescovo diocesano deve anche e soprattutto essere maestro della fede, essendo la fede il fondamento della pastorale. Perciò l'invito a riflettere in coscienza davanti a Dio la sua rinuncia

libera al suo attuale ministero in favore di un ministero più consono con i suoi doni. Assicurarlo della mia preghiera.

Alla fine dell'appunto compare la sigla B XVI vergata a mano. Per mesi dall'Australia alla Santa Sede è un rimpallo di accuse e carte bollate. Il caso si trascina per altri due anni. Nel maggio del 2011 Ratzinger non vuole più sentire ragioni e rimuove il vescovo, dopo diciott'anni trascorsi in una diocesi grande una volta e mezza la Germania.

Ma il pontefice nelle udienze private e dal carteggio emerso sembra preoccupato soprattutto da due fenomeni che appaiono inarrestabili, uniti in una formidabile tenaglia. La crisi economica colpisce sempre più quei paesi di religione cattolica che con le loro offerte contribuiscono alla vita e all'evangelizzazione della Chiesa. Per la legge del contrappasso, l'indebolimento si accompagna all'inarrestabile avanzata della Cina, il paese più ateo al mondo.

---

[1] Carrón critica la liturgia ambrosiana: «Il disorientamento nei fedeli è aggravato dalla introduzione del nuovo Lezionario, guidato da criteri alquanto discutibili e astrusi, che di fatto rende molto difficile un cammino educativo coerente della liturgia, contribuendo a spezzare l'irrinunciabile unità tra liturgia e fede ("*lex orandi, lex credendi*"). E già si parla della riforma del Messale, uno dei beni più preziosi della liturgia ambrosiana».

[2] Carrón se la prende anche con il modo in cui è gestita la presenza della Chiesa nella cultura: «Per quanto riguarda la presenza nel mondo della cultura, così importante per una città come Milano, va rilevato che un malinteso senso del dialogo spesso si risolve in un'autoriduzione dell'originalità del cristianesimo, o sconfina in posizioni relativistiche o problematicistiche che, senza rappresentare un reale contributo di novità nel dibattito pubblico, finiscono col deprimere un confronto reale con altre concezioni e confermare una sostanziale irrilevanza di giudizio della Chiesa rispetto alla mentalità dominante».

[3] Come emerge da un'intervista rilasciata all'Associated Press proprio dal car-

dinale De Paolis poco dopo la nomina a delegato pontificio dei Legionari nell'estate del 2010.

[4] *Ibidem.*

[5] Prosegue la relazione: quest'ultimo gruppo che chiede il ricambio «ha fatto largo uso dello strumento di internet e ha messo in atto un grande tentativo di persuasione, anche se con risultati non rilevanti, se non quelli di innervosire e ostacolare la via della riconciliazione, della purificazione e del rinnovamento. Nonostante tutto ciò, il cammino ha proseguito portando avanti il programma tracciato, con la collaborazione della grande maggioranza, che, sia pure con fatica, è andata avanti con sufficiente armonia e impegno. Rimane la perplessità sulla effettiva convinzione di quanti ancora non si rendono conto della necessità del rinnovamento e dell'ampiezza della penetrazione del messaggio di rinnovamento, particolarmente alla periferia dell'istituto, dove i superiori locali sembrano stentare ancora parecchio nel comprendere e accettare la serietà e la profondità del rinnovamento».

[6] Il processo di cambiamento voluto da Benedetto XVI è comunque difficile: «In realtà, la grande maggioranza sta entrando sempre più nel clima di purificazione e di rinnovamento, che la Legione [...] sta portando avanti. Non è difficile rilevare che di tanto in tanto si vedano ancora delle manifestazioni da parte dell'uno o dell'altro che risentono di una mentalità che fa fatica a rinnovarsi, al punto che quasi spontaneamente venga il commento: purtroppo non si riesce ad andare avanti! Siamo sempre allo stesso punto! In realtà non è così. Anche se è difficile valutare quanti hanno veramente capito, accolto e accettato i punti di rinnovamento e di purificazione, occorre riconoscere che il cammino si sta compiendo ed è accompagnato positivamente dalla quasi totalità dei Legionari. Ma non fa meraviglia che dal capire, da parte dei più, alla prassi nuova da parte di tutti il cammino non è facile. Si tratta di avere pazienza e di tenere sempre fisso il timone verso la meta. La fiducia si fonda particolarmente sul senso di obbedienza e di fedeltà alla Chiesa che i Legionari nella quasi totalità conservano e coltivano; sulla vita fraterna in comune che per loro costituisce un punto fermo; sulla vita spirituale che essi alimentano particolarmente con il culto verso l'Eucaristia e l'amore al lavoro e al loro istituto. Non mancano neppure coloro che, in nome del rinnovamento e della purificazione, di fatto cominciano a trascurare la disciplina, la fedeltà alla vita fraterna, alla preghiera e alla disciplina. Questo costituisce a volte un pretesto per altri per diffidare del cammino di purificazione che pure si deve compiere».

[7] Ancora si legge: «Non si può negare l'influsso negativo esercitato da alcuni confratelli. [...] A loro modo di vedere, la vicenda del p. Maciel qualifica come inquinata la struttura stessa della congregazione. Essi sentono come una missione personale tale genere di impegno e sfruttano allo scopo lo

strumento di internet con grande dispiego di energie, che potrebbero essere impegnate per migliore causa. Alcuni rilevano un influsso negativo particolarmente sui più giovani. Questo tipo d'informazione sarebbe anche il motivo per cui alcuni più giovani abbandonano la Legione. Alcuni che guidano questo gruppo sono inquieti per la loro vocazione e fanno ricadere sugli altri la loro inquietudine, senza alcuno sbocco positivo. Interpretano il presente secondo un vecchio schema ormai consolidato: non sanno vedere altro che il vecchio che continua nell'oggi. [...] Fermi come sono alla ferita subita dalla congregazione, sembrano fermi a guardare le piaghe e a riaprirle continuamente, invece che guardare più in profondità e con speranza verso il futuro, operando per il rinnovamento vero, intraprendendo il vero cammino di conversione. [...] Il messaggio evangelico non si ferma alla denuncia del peccato, ma guarda positivamente all'annuncio della grazia salvante, alla possibilità offerta della conversione. Tuttavia le critiche spesso traggono motivo dal vecchio che continua, dalle resistenze che si oppongono al rinnovamento, dall'attaccamento al passato, che altri ancora nutrono, negando anche l'evidenza dei fatti; come pure dalla permanenza nella prassi di comportamenti che ancora risentono troppo di un sistema che fa fatica a rinnovarsi. Il punto cruciale è riconoscere il peccato e avere fiducia nella grazia; alcuni negano il peccato, altri la possibilità che la grazia possa rinnovare. Due estremismi che possono ostacolare il cammino».

[8] Una scelta di discontinuità con il passato: «Una parola merita che recentemente il vicario generale p. Luis Garza, personaggio di grande rilievo all'interno della vita e della storia della Legione, è stato nominato superiore territoriale degli Stati Uniti d'America e Canada unificati in una sola provincia. Tale nomina è stata oggetto di attento esame, di previa consulta della provincia, e di ponderazione di diversi aspetti che essa comportava proprio per la rilevanza della figura del padre. È sembrato che egli fosse la persona atta a superare le grosse difficoltà che quel territorio oggi sta attraversando. Ma si è preteso che egli si dimettesse da vicario generale. In tal modo si è liberato anche il campo dall'avversione di un certo gruppo di Legionari che non perdonavano a lui di essere stato vicino al fondatore. Ora si tratta di passare alla nomina del nuovo vicario individuandolo con la collaborazione di tutti. L'attuale superiore generale, che alcuni considerano troppo legato al fondatore, è d'altra parte stimato dalla quasi totalità per la sua bontà e pazienza, ma non ha grande capacità di governo e di guida della stessa congregazione. Nelle decisioni risulta piuttosto incerto e proclive al compromesso».

[9] Sono quattro vescovi: Richard Williamson, Bernard Fellay, superiore della Fraternità, Bernard Tissier de Mallerais e Alfonso de Galarreta.

[10] Un profilo efficace del cardinale Castrillón Hoyos è quello che tratteggia

Marco Lillo su «il Fatto» del 10 febbraio 2012: «Il porporato fu sconfessato dal papa per una sua lettera del 2001 nella quale si complimentava con un vescovo francese condannato per non avere voluto denunciare alle autorità civili un suo sacerdote, colpevole per abusi sessuali su minori. Castrillón, più vecchio di Romeo, appartiene alla corrente più tradizionalista della Chiesa e nel 2009 da presidente della Commissione "Ecclesia Dei", quando si occupava dei lefebvriani, non segnalò al papa il pericolo rappresentato dalle posizioni antisemite del vescovo Williamson. A 80 anni nel 2010 è un pensionato e non parteciperà al prossimo conclave».

Scacco a Benedetto XVI

La ricchezza dall'Occidente cristiano all'Oriente da cristianizzare

La crisi economica aggredisce le economie dei paesi occidentali. Paesi che hanno una comunità di fedeli generosi nelle offerte. Paesi da sempre sensibili alle necessità che esprime la comunità cattolica: Stati Uniti, Germania, Italia e Spagna. La crisi di queste economie si riflette inevitabilmente sui bilanci della Chiesa. Lo stato di salute delle casse vaticane è legato alle offerte e alle donazioni; se la Chiesa dovesse impoverirsi, la sua capacità d'influenza e di evangelizzazione verrebbe ridotta.

Insieme all'impoverimento della parte tradizionalmente più ricca del mondo, quella appunto di maggioranza cattolica, assistiamo anche alla crescente influenza della Cina, dell'India e di altri paesi orientali che con il passare degli anni diventano sempre più forti sui mercati finanziari internazionali. Nei sacri palazzi si teme che, con il tempo, al neocolonialismo finanziario, economico e geopolitico di potenze come la Cina si accompagni anche una diffusione del nichilismo e dell'ateismo presenti nella cultura e nella dottrina di quegli Stati. La crisi delle offerte e il nichilismo dagli occhi a mandorla rappresentano i tasselli di un unico e sempre più preoccupante quadro complessivo.

È difficile tracciare una strategia di medio o lungo termine, indicare come reagire. Non si possono ripetere le esperienze del passato. Il momento storico è diverso. Negli anni di Giovanni Paolo II, l'allora patto di Varsavia era in disgregazione, oggi invece la forza militare ed economica della Cina è in piena crescita. Benedetto XVI, tra l'altro, ha un carattere ben diverso, non è animato da quei motivi personali che fin da giovane spinsero Wojtyla a «liberare» la sua Polonia. Secondo alcuni studiosi, come Massimo Introvigne, un'azione simile a quella della Chiesa di Wojtyla nei paesi dell'Est si potrebbe oggi attendere più dalla Chiesa anglicana americana. Potrebbe trovare finanziamenti e corridoi tali per alimentare la dissidenza in Cina.

Sui rischi rispetto al futuro economico del mondo occidentale, la preoccupazione della curia romana rimane molto alta. Tra timori e preoccupazioni crescenti, le analisi e le proposte che arrivano da esperti accreditati diventano essenziali. Tanto che i professori e gli economisti che offrono più credenziali e fiducia crescono di potere, assumendo ruoli rilevanti. È il caso di un cattolico conservatore che in poco tempo è diventato uno dei laici più accreditati in Vaticano: Ettore Gotti Tedeschi, banchiere legato all'Opus Dei, amico di Giulio Tremonti, e dall'autunno del 2009 presidente dello Ior. Il professore è cresciuto da editorialista de «L'Osservatore Romano» a banchiere del papa riuscendo a farsi notare in momenti delicati della vita più recente della Santa Sede. Gotti Tedeschi sforna decine di report, memorie e appunti riservati per padre Georg. Un rapporto epistolare intenso affinché Benedetto XVI sappia e disponga. Come abbiamo già visto nei precedenti capitoli, il professore affronta ogni criticità. Indica strategie per superare, ad esempio, le inchieste per riciclaggio sullo Ior che colpirono nel 2010 la banca vaticana. Suggerisce «sommessamente» le mosse più incisive per rendere trasparenti le finanze o evitare il naufragio dell'ambizioso progetto di creare il polo sanitario della Santa Sede, con l'ingresso sempre dello Ior nell'ospedale San Raffaele di don Verzé.

L'attività lo porta a ritagliarsi il ruolo informale ma strategico di consigliere economico della Casa pontificia, riuscendo nel tempo a raffreddare i rapporti con Bertone, che l'aveva introdotto, per privilegiare quelli con il segretario particolare del papa e con Benedetto XVI in persona.[1] Se alcuni suoi predecessori, come Marcinkus, erano figure di «potere per il potere» e di affari, bisogna dar atto a Gotti Tedeschi di non essere né avido né mosso da interessi personali.

La gestione ordinaria dello Ior è in mano al direttore generale Paolo Cipriani, quella straordinaria dell'Apsa a Paolo Mennini, figlio di Luigi, ex collaboratore di Marcinkus, insieme al quale riceve un mandato d'arresto per il crac dell'Ambrosiano che verrà poi annullato dalla Cassazione. Gotti Tedeschi offre un contributo di analisi e strategia operativa al pontefice e ai cardinali di fiducia del papa, con una solida rete di relazioni internazionali. È una figura nuova che entra per forza in collisione con chi, come Cesare Geronzi, vorrebbe o prenderne il posto o esercitare di più la propria influenza.

Queste memorie, indirizzate a padre Georg, finiscono poi sulla scrivania del papa o riportate negli aggiornamenti che i segretari particolari compiono più volte durante la giornata. Gotti Tedeschi affronta anche temi più ampi. Ed è proprio lui che nelle memorie confidenziali lancia l'allarme sull'impoverimento dell'Occidente e l'arricchimento di paesi non cattolici. Il rischio, a suo dire, è quello di pregiudicare il futuro della Chiesa, come emerge nella «nota sintetica, riservata per mons. Georg Gänswein» del giugno 2011:

La crisi economica in corso (non solo non ancora conclusa, bensì ancora all'inizio) e le conseguenze dello squilibrato processo di globalizzazione che ha forzato la delocalizzazione accelerata di molte attività produttive, ha trasformato il mondo in due aree economiche: i paesi occidentali (Usa ed Europa) consumatori e sempre meno produttori e i paesi orientali (Asia e India) produttori e non ancora equilibratamente consumatori. Questo processo ha conseguentemente creato un conflitto fra le tre funzioni economiche dell'uomo occidentale: quella di lavoratore e produttore di reddito, quella di consumatore di beni per lui più convenienti, quella di risparmiatore e investitore dove ha maggiori prospettive di guadagno. Il paradosso che si evince è che l'uomo occidentale produce ancora reddito lavorando in imprese domestiche, ma sempre meno competitive e perciò a rischio d'instabilità. Compra i beni più competitivi, prodotti altrove. Investe in imprese non domestiche, in paesi in cui l'economia cresce perché si produce. In pratica, rafforza imprese che creano occupazione altrove e persino competono con quella dove lui lavora. Finché detto uomo resta senza lavoro, non può consumare più e tantomeno risparmiare.

Per Gotti Tedeschi siamo vicini a un cortocircuito nelle economie dei paesi più vicini alla Chiesa:

Questo conflitto, non gestito, sta provocando una crisi strutturale nell'economia del mondo occidentale ex ricco. Ma questo mondo occidentale è anche quello le cui radici sono cristiane (Europa e Usa), che è evangelizzato e ha finora sostenuto la Chiesa con le sue risorse economiche. In pratica, grazie al processo di delocalizzazione, la ricchezza si sta trasferendo dall'Occidente cristiano all'Oriente da cristianizzare. In specifico, in Occidente, ciò comporta:
– minor sviluppo economico (o persino negativo), minori redditi, minori risparmi, minori rendimenti dagli investimenti locali, maggiori costi per sostenere l'invecchiamento della popolazione, ecc.

– maggior conseguente ruolo dello Stato in economia, maggiore spesa pubblica e maggiori costi. Esigenza di maggiori tasse, minori privilegi ed esenzioni fiscali, maggiori rischi.

Il mondo cristianizzato si sta impoverendo. Il mondo da evangelizzare sta acquistando in autonomia e potere. Una situazione che rischia di riflettersi sui conti. I bilanci accuseranno una dura contrazione: la crisi potrebbe spingere certi governi a incidere sulla posizione della Chiesa con politiche di «aggressione» verso i suoi beni e di «cessazione dei privilegi», sono le testuali parole di Gotti Tedeschi. Il papa deve quindi essere subito informato:

> A seguito del processo di globalizzazione e crisi economica, il mondo che deve essere ancora cristianizzato è quello che sta diventando «ricco» e quello già cristianizzato, che era ricco, sta diventando povero. Con conseguenze anche sulle risorse economiche per la Chiesa. Conseguenza conclusiva è che le risorse che tradizionalmente hanno contribuito alle necessità della Chiesa (donazioni, rendite...) potranno diminuire, mentre dovrebbero crescere i fabbisogni necessari per l'evangelizzazione. In più il «laicismo» potrebbe profittarne per creare una seconda «questione romana» di aggressione ai beni della Chiesa (attraverso tasse, cessazione privilegi, esasperazione controlli, ecc.). La «questione romana» del XXI secolo non sarà nell'esproprio dei beni della Chiesa ma nella perdita di valore degli stessi, nei minori contributi per impoverimento del mondo cristiano, nella fine dei privilegi e nelle maggiori tasse prevedibili sui beni.

Il report confidenziale è condiviso nei sacri palazzi. Nei report successivi, Gotti Tedeschi parla di autentica «emergenza». Deve scattare l'allarme rosso. Insieme ad altri, chiede a Benedetto XVI e a Bertone di creare una vera e propria unità di crisi per rifondare l'organizzazione mondiale della Chiesa.

La struttura va rimodulata partendo dall'amministrazione del denaro, «al fine di stabilire come valorizzare i beni, crescere i ricavi, ridurre i costi e minimizzare i rischi»:

> Ritengo sia il momento di prestare la massima attenzione al problema economico nel suo insieme e di affrontarlo nella sua realtà, come sto facendo con il segretario di Stato. Ciò definendo una vera e propria «reazione strategica» e costituendo un organo centrale specificamente dedicato al tema economico (una specie di ministero dell'Economia) orientato a valorizzare le attività economiche già disponibili, a svilupparne di nuove e a razionalizzare costi e ricavi. Tutto ciò sia presso gli enti centrali della Santa Sede, che presso le istituzioni (enti e congregazioni) destinate ad attività economiche, che presso le nunziature e diocesi. Ovviamente con criteri differenti.[2] È auspicabile che questa «emergenza» possa esser sensibilizzata a vari livelli. Potrebbe esser opportuno perciò pensare di creare una commissione (in staff al segretario di Stato) che raggruppi i massimi responsabili degli enti centrali della Santa Sede, nonché rappresentanti degli altri (enti, congregazioni, nunziature, diocesi), al fine di stabilire le azioni necessarie.

Bertone coglie questi segnali e sollecita i suoi contatti per raccogliere idee, consigli per ristrutturare l'organizzazione e mettere in sicurezza beni e conti, razionalizzando le finanze della Chiesa in ogni sua articolazione. Per non turbare i delicati equilibri tra le varie anime della curia romana si rivolge all'esterno e chiede un contributo agli esperti vicini ai sacri palazzi. Il lavoro ferve, porta sul tavolo del porporato diverse bozze, sia di ristrutturazione dell'organizzazione sia di messa in sicurezza di beni e conti della grande famiglia cattolica. Non è un'operazione facile. Indicare criteri e standard comuni potrebbe venir letto nelle articolazioni periferiche come una lesione dell'autonomia del singolo ente. Insomma, un'invasione di campo. Il punto critico emerge in un primo documento che Bertone riceve con numerosi suggerimenti.[3] Innanzitutto propone l'istituzione di un gruppo di intelligence e coordinamento per la sicurezza economica. Si tratta cioè di «creare un'articolazione che avvalendosi di pochi ma qualificati soggetti laici da affiancare ai religiosi, possa» garantire alcuni servizi fondamentali:

> Fornire alle strutture di vertice completezza di informazioni e valutazioni in materia economica e finanziaria, così che possano essere assunte le iniziative più opportune; quindi mettere in sicurezza e, anzi, valorizzare l'attività temporale della Chiesa; infine realizzare una rete di rapporti internazionali di carattere operativo al fine di ottenere collaborazione per prevenire azioni ostili nei confronti delle comunità religiose presenti nei vari continenti. Il modello d'intervento e valutazione da usare per qualsiasi entità della Chiesa che svolga attività economica deve essere di tipo «consulenziale e cooperativo», evitando approcci «ispettivi», atteso l'elevato valore morale di quelle attività. Va chiarito che non è assolutamente da mettere in discussione il merito delle attività economico-finanziarie della Chiesa, ma solo i modi in cui esse vengono svolte, affinché questi siano i più opportuni e sicuri.

Insomma, bisogna affrontare la crisi con i conti in ordine. Ed evitare così anche le indagini della magistratura e delle autorità di controllo. Infatti, «con modelli contabili trasparenti e affidabili» si potrebbero «prevenire criticità che esporrebbero la Chiesa a giudizi negativi». Un'azione a tutto campo: dalla verifica della provenienza delle donazioni al controllo degli «standard minimi sia per la sicurezza e proficuità degli investimenti, visto che il clero è spesso vittima di consulenti interessati, sia per la gestione e valorizzazione del patrimonio (dopo adeguata ricognizione)».

Il progetto è ambizioso, sanerebbe le situazioni opache, offrendo agli ecclesiastici una gestione precisa di ogni bene, di ogni euro. In più, con un «servizio di audit» si permetterebbe a tutti gli enti di essere in grado di porre in essere «valutazioni e verifiche» per conoscere la propria situazione economica e garantire la trasparenza. Solo così si può «assicurare un livello minimo di controllo ai vertici del Vaticano che potrà, in tal modo, orientare l'attività d'indirizzo».

I suggerimenti vengono presi in considerazione e recepiti. Infatti, dopo un attento studio di una commissione, nel marzo del 2012 diventa ufficiale il primo cambiamento. In Vaticano si mette mano all'assetto dei «ministeri» finanziari. La prefettura degli Affari economici, preposta al controllo delle amministrazioni d'Oltretevere, diventa un dicastero pontificio. Con quali obiettivi? Dovrà dedicarsi «all'indirizzo e alla programmazione economica, come pure alla vigilanza e al controllo delle amministrazioni della Santa Sede», come si legge nella nota ufficiale. È il primo passo di un percorso che sarà lungo ma che inevitabilmente porterà a una complessiva revisione della contabilità della Chiesa in ogni sua articolazione e in ogni paese. Per risparmiare, tagliare sperperi, sprechi e illegittimi interessi, prevenendo così gli scandali e l'azione della magistratura. Una strada obbligata dopo le previsioni nefaste dei consiglieri del papa.

«Italia a rischio default, intervenga Ratzinger»

Nel frattempo, però, fuori dai sacri palazzi la situazione precipita. Siamo nell'autunno del 2011 quando lo spread vola toccando i 500 punti, i tassi di raccolta per compensare il rischio default italiano superano il 6 per cento, il credito delle banche alle imprese si riduce sempre più. Gotti Tedeschi è preoccupato. Arriva a chiedere al papa una linea comune della Santa Sede sui temi economici, stando molto attento alla coerenza del Vaticano e anche all'immagine. Va su tutte le furie quando il Pontificio consiglio Giustizia e Pace propone con il segretario monsignor Mario Toso l'istituzione di «un'autorità pubblica a competenza universale, fondata su diritto, regole condivise», che vada a redigere le norme che regolano il sistema monetario e finanziario internazionale. Gotti Tedeschi trova il documento fuori dal mondo: suggerire regole di trasparenza quando lo Ior è sotto inchiesta per riciclaggio è pericoloso e imprudente. Il banchiere è a favore dei cambiamenti, purché rientrino in una strategia concordata, che consiste nel rendere pubblico quanto necessario, senza, soprattutto, dare pericolose lezioni di trasparenza. Meglio muoversi dietro le quinte, forse. Così il 24 ottobre rivolge le sue rimostranze a monsignor Georg Gänswein, affinché intervenga:

> Il documento [del Consiglio pontificio, *nda*] analizza superficialmente fatti complessi e dà suggerimenti di dubbia consistenza, più di carattere finanziario che morale. Detti suggerimenti sono fondati su premesse e considerazioni economiche non proprio condivisibili. In più detto documento è presentato, con un tono anche perentorio, in un momento in cui un ente della Santa Sede (Ior) è ancora «investigato» per presunti sospetti di non trasparenza finanziaria e la stessa Santa Sede è in attesa, con grande impegno, di essere accolta nella cosiddetta white list. Dare lezioni di finanza (non di etica) scontate mi pare scarsamente prudente. Il documento riconosce quali origini della crisi economica fatti controversi e molto discutibili, confondendo cause ed effetti. [...][4] Le proposte di soluzione, conseguenti, del documento sono poi sugli strumenti anziché su chi li ha usati. E sono proposte discusse da lustri in tutte le sedi competenti: tassazione transazioni finanziarie, ricapitalizzazione delle banche

(nessuno vuole ricapitalizzare le banche, lo potranno fare solo i governi. Che fa Giustizia e Pax, propone la nazionalizzazione delle banche?).[5]

Nel foglietto d'introduzione, Gotti Tedeschi precisa che si tratta di «una breve nota, riservata a lei», compiendo così uno strappo rispetto a riti consolidati. Senza infatti entrare nel contenuto, qui interessa evidenziare la sicurezza che Gotti Tedeschi mostra nel proporre al segretario del papa feroci critiche sulle iniziative di un consiglio pontificio, un'istituzione vaticana. Di rado in curia un laico ha l'ultima parola rispetto a una presa di posizione di un ecclesiastico o, addirittura, di un pontificio consiglio. Ma il momento è talmente delicato, troppi dossier sono sul tavolo per permettersi voci fuori dal coro.

Se ne ha la piena percezione solo qualche giorno dopo, il 6 novembre, quando Gotti Tedeschi manda un ulteriore appunto «riservato e confidenziale» al segretario del papa. Questa volta è per un aggiornamento su quei «problemi di carattere economico-politico-sociale che intendevo proporle come oggetto di discussione permanente». I rischi sono davvero rilevanti, come siamo riusciti a capire dai documenti segreti, tanto da sollecitare l'intervento del pontefice:

> Il nostro paese sta correndo un rischio di carattere economico con risvolti sociali potenzialmente gravi che potrebbero interessare Sua Santità e persino meritare una «dichiarazione di preoccupazione». [...] Se le imprese non sono sostenute adeguatamente e finanziariamente dal credito bancario, a breve termine potrebbero chiudere o ridurre l'attività. Ciò comporterebbe disoccupazione e conseguenti problemi sociali gravissimi. Si stima che l'impatto del fenomeno descritto possa essere a breve di 100/200.000 posti di lavoro a rischio.

La posizione di Gotti Tedeschi è quindi interventista. La Santa Sede dovrebbe caldeggiare presso chi governa in Italia specifiche misure per alleggerire la situazione. Ancora una volta i documenti che fuoriescono dal Vaticano fotografano il pressing delle autorità ecclesiastiche sull'Italia. La cura delle anime prevede di occuparsi anche del loro portafoglio? In quest'ottica suggerisce un intervento pubblico di Benedetto XVI:

> Soluzione: è necessario ridimensionare il costo del credito, per riuscirci si deve ridimensionare il «rischio Italia», percepito o imposto a livello internazionale. In pratica ciò si può ottenere guadagnando fiducia sulle capacità di intervenire su riforme dell'economia che sono considerate indispensabili (e ragionevoli) per il famoso riequilibrio del debito pubblico... Esiste un problema di credibilità che sta indebolendo il paese. Potrebbe essere opportuno riflettere su una dichiarazione pubblica (del Santo Padre) di preoccupazione per le soluzioni economiche del paese, soprattutto per le fasce più deboli soggette al rischio di perdita del posto di lavoro, dovuto all'inerzia con cui sembrano essere affrontati alcuni temi economici e finanziari del paese? (Raccomandando ancora una volta ai leader di ricordarsi che leadership è un mezzo e non un fine. E che significa occuparsi del bene comune.)

Passa qualche giorno e la crisi irreversibile del governo Berlusconi si aggiunge ai venti di default che arrivano dalla Grecia. Nell'appartamento privato del papa arriva così un altro report di Gotti Tedeschi, che «annuncia» l'imminente fine del governo. Il presidente dello Ior si rivolge a don Georg e risponde retoricamente a tre domande generali sull'economia del pianeta: cosa ha causato l'attuale crisi economico-finanziaria? Come si è evoluta la crisi negli ultimi tre anni? E, ancora, a che punto siamo oggi? Poi affronta la questione dell'Italia.[6] Gotti Tedeschi indica proprio nel crollo di credibilità di Berlusconi il motivo della sua fine: «In Europa non credono – spiega – alla famosa "legge di stabilità" emanata, perché fatta troppo tardi e con incompletezze, in totale dissidio tra Berlusconi, Bossi e Tremonti. E il maxiemendamento è stato voluto dal Quirinale, non dal governo. [...] Berlusconi ha perso credibilità anche per altre ragioni meno evidenti come l'accordo con Putin e il distacco dalla Germania».[7] Spiega così perché il Cavaliere è destinato a uscire di scena, su specifiche pressioni dell'Ue, lasciando spazio ai tecnici.

È l'annuncio al Santo Padre che un'era politica in Italia sta concludendosi. La finanza europea chiede a Berlusconi di fare un passo indietro. Gotti Tedeschi sembra che cerchi di far capire quanto è avvenuto e quanto questo fosse inevitabile: «Oggi l'Europa – prosegue – chiede discontinuità dal governo in carica e per recuperare tempo chiede un governo tecnico; questo governo tecnico di Monti o altri farà le misure impopolari, che un governo politico non farebbe mai». In effetti, è andata proprio così anche se il futuro non si tinge certo di rosa:

> Ora l'Italia non può più dichiarare la sua «sovranità», l'autonomia e ignorare le raccomandazioni, altrimenti corre il rischio di veder diventare «tossici» i suoi titoli di stato (tipo Grecia) e far fallire l'intero sistema bancario italiano che è pieno di titoli di Stato (Banca Intesa ne ha 60 miliardi, Unicredit ne ha 40 miliardi). Per evitare il default abbiamo bisogno di sottoscrittori stranieri, tipo Bce, Fmi. Questi sottoscriveranno solo se obbediamo subito alle regole: nel 2012 scadono 440 miliardi di titoli, le nostre banche italiane non possono più comperare titoli, chi li compra? Se nessuno [li acquista, *nda*], andiamo in default... Se attuassimo subito il piano delle riforme richieste

(la lettera Bce sulle pensioni, lavoro, evasione, liberalizzazioni, ecc.) si dovrebbe realizzare un impatto positivo ed un ritorno allo spread basso di 250pb. Ciò avverrebbe perché si accetta che l'Italia sa controllare il debito e avviare lo sviluppo necessario.

Il cardinale: «La Cina ci dichiara guerra»

Nel 2008, alla vigilia delle Olimpiadi in Cina, il cardinale Bertone mostrava grande speranza nel futuro di uno dei paesi che più preoccupa Benedetto XVI: «Speriamo che le Olimpiadi – disse solenne – comincino e si svolgano bene, che siano l'occasione di accogliere tutti. La Cina ormai è aperta». Certo, l'ottimismo non guasta mai ma, quello di Bertone, che da sempre sostiene la linea dell'Ostpolitik con Pechino, è eccessivo. La situazione infatti è drammatica. La possibilità di praticare qualsiasi confessione in Cina è ostacolata dalle autorità. Tanto che in Cina c'è una Chiesa ufficiale, che obbedisce a Pechino, e una clandestina, sostenuta dal Vaticano.

La comunità cristiana in Cina conta 67 milioni di fedeli,[8] con un incremento di centomila unità ogni anno tra quelli che fanno riferimento al culto «istituzionale» (5,7 milioni) e quelli clandestini (8-10 milioni). La situazione pareva promettere bene nel 2007, quando da un anno non c'erano più state ordinazioni di vescovi senza l'approvazione vaticana e Benedetto XVI aveva inviato una lettera ai cristiani cinesi puntando al dialogo. Il Santo Padre chiedeva la riconciliazione tra Chiesa ufficiale e clandestina per superare le divisioni, senza però arretrare rispetto all'Associazione patriottica cattolica di Pechino, che dal 1957 «gestisce» la Chiesa ufficiale insieme al consiglio dei vescovi cinesi. Per

Ratzinger, infatti, l'Associazione patriottica continua a essere inconciliabile con la fede cattolica. Pochi mesi dopo è Bertone a scrivere direttamente ai vescovi cinesi aprendo un «dialogo» con Pechino, tanto che la missiva del cardinale è giudicata «da alcuni vescovi troppo remissiva nei confronti delle autorità cinesi», come osserverà Sandro Magister, vaticanista de «l'Espresso».[9]

Tutto sembrava procedere per il meglio, l'unificazione dei due rami della Chiesa cinese diventa un traguardo vicino. Si moltiplicano reciproci segnali di distensione, vengono ordinati sette presuli con l'approvazione sia di Roma che di Pechino, in un clima sereno almeno fino all'estate del 2010. Dopo 15 mesi di detenzione, viene liberato monsignor Julius Jia Zhiguo, vescovo della diocesi di Zhengding nella provincia di Hebei, quella che ospita la più grande comunità di cattolici. Durante la detenzione l'ecclesiastico è stato sollecitato a aderire all'Associazione patriottica. È segregato in una stanza. Sottoposto a sessioni di indottrinamento politico personale, secondo quanto indica Asia News, agenzia del Pontificio istituto missioni estere, pur di farlo aderire alla Chiesa di Pechino. Ancora oggi nulla si sa di altri due presuli spariti da tempo, appartenenti alla Chiesa clandestina, monsignor Cosma Shi Enxiang di Yixian e Giacomo Su Zhimin di Baoding.

Il 20 novembre lo strappo, ripartono le ordinazioni episcopali illecite, cioè quelle che non prevedono nessun intervento del Vaticano. L'Associazione patriottica nomina vescovo padre Giuseppe Guo Jincai della diocesi di Chengde, senza consultare il Vaticano. Proprio in quei giorni di fine novembre esce il libro-intervista *Luce nel mondo*, colloquio tra Benedetto XVI e il giornalista tedesco Peter Seewald. Ratzinger esprime la speranza che l'unificazione tra Chiesa clandestina e ufficiale possa avvenire sotto il suo pontificato. Una speranza che suona come beffa visto che riprendono le persecuzioni e le nomine di Pechino. Nel dicembre del 2010 monsignor Giuseppe Li Lian Gui non partecipa all'annuale assemblea dell'Associazione patriottica. Anzi, sparisce ed evita l'accompagnamento «forzoso» al quale sono stati sottoposti molti altri vescovi. La reazione della polizia è immediata: è ricercato in tutto il paese come «pericoloso criminale». Da Roma si risponde con la scomunica di un ecclesiastico ufficiale di rilievo come Paolo Lei Shiyin, nominato vescovo di Leshan senza l'approvazione della Santa Sede il 29 giugno 2011. Anche in Italia il mondo cattolico è in fermento. Nel luglio del 2011 viene presentata una mozione da un gruppo trasversale di deputati nella quale si sostiene che «la politica conciliante adottata dalle autorità cinesi tra il 2006 e il 2010 può apparire dettata da una logica di riemersione, individuazione, schedatura e controllo di soggetti considerati potenzialmente pericolosi per l'ordine costituito».

Tra i porporati si scontrano quindi due linee: i falchi, con il salesiano Giuseppe Zen Zekiun, già vescovo di Hong Kong, che vorrebbe la linea dell'intransigenza, e la strategia di Bertone, portata avanti dal cardinale Ivan Dias, prefetto della Congregazione per l'evangelizzazione dei popoli. I «duri» sono irremovibili; secondo Zen la politica del dialogo a tutti i costi si è rivelata «disastrosa» come quella della Ostpolitik degli anni di Wojtyla. «Disastrosa allora e ancor più disastrosa oggi» afferma Zen Zekiun, secondo cui il solo risultato sarebbe di «sprofondare sempre di più i cattolici cinesi nella melma della schiavitù».[10] Nel novembre del 2011, Zen si rivolge a Benedetto XVI per sostenere ancora la linea della fermezza, pur sapendo di avere pochi margini:

Beatissimo Padre,

[...] La situazione della Chiesa in Cina: mi pare che tutti i guai provengano proprio dal desiderio di successo, successo immediato, facile, a ogni costo, mentre il segreto della vittoria sta nell'accettare i fallimenti del momento immediato. Leggere la Ponenza delle riunioni è sempre una fatica, ma un immenso conforto mi ha procurato la lettura delle 3 pagine (Fascicolo 1, pp. 89-91) dove vengono trascritte le sue parole, Santità, quando è venuto a salutarci alla fine dell'ultima plenaria della commissione [sulla Cina, *nda*]. Che consolazione sentirci confermati nella linea del papa: in quel mirabile equilibrio, che era della lettera del 2007, tra la chiarezza, la fermezza della dottrina della fede e la comprensione, la compassione per le persone. Equilibrio mirabile, ma facile a perdersi quando si sfumano le verità o si esagera nella falsa compassione. Beatissimo Padre, il popolo cristiano in Cina gioisce nel notare un ritorno alla chiarezza e fermezza perdute da un po' di tempo. I cristiani non han paura di soffrire per la fede; avevano paura al non riconoscere più qual è la nostra Chiesa. La Virgo Potens ci porterà alla vittoria. Con devozione filiale.

Zen ritiene che la Cina abbia dichiarato «guerra» alla Santa Sede e conosce bene il quadro della situazione, diocesi per diocesi, potendo contare su una rete d'informatori nella Chiesa ufficiale, che passano notizie anche a monsignor Ante Jozić, nativo di Split e rappresentante della Santa Sede nello sterminato paese. Dopo aver incontrato un suo contatto di fiducia (che indichiamo come reverendo X), Jozić già il 13 luglio aveva mandato al cardinale Dias, a Roma, un cablo cifrato urgente, indicando gli imminenti cambiamenti della politica cinese, tra versamenti di denaro, operazioni psicologiche e nomine illegittime.

Il quadro è capillare e inquietante, soprattutto perché si denunciano specifici casi di versamento di denaro da parte delle autorità cinesi a dei vescovi affinché questi procedano a ordinare sacerdoti senza l'approvazione del Vaticano:

> Per quanto riguarda le voci di compensi elargiti dal governo ai vescovi coinvolti nelle ordinazioni illegittime (e nella partecipazione all'VIII Assemblea nazionale dei rappresentanti cattolici di dicembre scorso a Pechino), X ha riferito quanto segue:
> Nanyang: il vescovo emerito Giuseppe Zhu Baoyu ha ricevuto dal governo provinciale la somma di 1 milione di Renminbi [Rmb, moneta del popolo, *nda*]. La somma è stata già depositata sul conto della diocesi. D'ora in poi, la diocesi riceverà 100.000 Rmb e la somma sarà data all'Associazione patriottica che avrà il compito di amministrarla (c'è da sottolineare che, precedentemente, non c'era Ap in Nanyang, è stata istituita da poco). Secondo il sacerdote, in molte diocesi non ci sono mezzi sufficienti di sussistenza quotidiana per il clero, e il governo, attualmente anche a Daming, offre l'assicurazione medica a preti e suore. Questi ricevono dai 300 ai 600 Rmb al mese.
> Ho chiesto al rev. X se sapesse qualcosa riguardo al vescovo di Yongping/Tangshan (Hebei), S.E. mons. Pietro Fang Jianping, e sembra certo che ha ricevuto, per l'ordinazione in Chengde (viaggio e presenza), la somma di 600.000 Rmb. Gli altri vescovi partecipanti hanno ricevuto qualcosa di meno. Anche nella diocesi di Yongping/Tangshan preti e suore ricevono uno stipendio che, prima, era di 300 Rmb, e ora di 600 Rmb. I vescovi che sono vicini al governo ricevono uno stipendio, come anche mons. Fang, che oscilla tra i 2000 ed i 3000 Rmb al mese.

Jozić anticipa poi a Roma le prossime mosse di Pechino, diocesi per diocesi:

> *Eccellenza Reverendissima,*
> [...] In questo momento il governo cinese, per quanto concerne la provincia di Henan, è diventato molto più attivo nei suoi contatti con i vescovi e con i sacerdoti sia ufficiali che clandesti-

ni e avrebbe individuato cinque candidati per l'episcopato. Per la diocesi di Kaifeng, il governo avrebbe in mente il nominativo del rev. Giovanni Chai Yuliang per l'episcopato. Il medesimo avrebbe confessato al rev. X che l'Associazione patriottica sta organizzando tutto perché il governo lo vuole ordinare vescovo. In seguito potrebbe anche volerlo trasferire altrove.
Il rev. X ha potuto vedere il vescovo di Xinxiang, mons. Giuseppe Zhang Weizhu, il quale gli ha riferito che il candidato episcopale per la diocesi di Xinxiang è il rev. Francesco Li Jianlin. Per la diocesi di Anyang, il governo sta formando, già da 4 o 5 anni, il rev. Pietro Song Baoxin per l'episcopato. Per la diocesi di Nanyang, il rev. X mi ha riferito che per i sacerdoti clandestini è cosa impensabile e assurda che un vescovo clandestino venga accettato dal governo e installato ufficialmente. È venuto a sapere che il governo ha convocato 4, 5 sacerdoti chiedendo loro di creare, in diocesi, tra il clero una situazione di caos. Sempre con riferimento a Nanyang, X dice che il vescovo ordinario, mons. Pietro Jin Lugang, potrebbe anche venire accettato dal governo e dall'Associazione patriottica ma che ciò potrà avvenire soltanto dopo le ordinazioni illegittime già in programma. Per la diocesi di Zhengzhou, il nominativo è quello del rev. Taddeo Wang Yaosheng (classe 1966), per la diocesi di Zhumadian quello del rev. Giovanni Li Wenyuan (classe 1968), per la diocesi di Shangyu, il rev. Giuseppe Ge Xujie. Invece, per la diocesi di Luoyang, sembra che il governo potrebbe ritenere il rev. Pietro Yan Shiguang (classe 1964, appena approvato amministratore dalla Santa Sede) candidato gradito e accettabile. X ha continuato dicendo che solo dalla diocesi di Daming (Hebei) nessuno dei sacerdoti ha partecipato all'VIII Assemblea nazionale dei rappresentanti cattolici di dicembre scorso a Pechino, né ha preso parte alle ordinazioni illegittime. Secondo il mio interlocutore, il governo ha in mente di spartire il territorio di Daming, che si trova nella provincia di Hebei, tra la diocesi di Xinxiang (Henan) e la diocesi di Yongnian/Handan (Hebei). Oppure, la porzione che si trova in Hebei potrebbe anche rimanere sempre come diocesi di Daming nominando pure un vescovo ma

> con un territorio ridotto. I sacerdoti clandestini e alcuni ufficiali sono contrari a questo progetto. Il governo sarebbe mosso dalla motivazione che il territorio in questione, che per la Santa Sede ha un'estensione più ampia di quella considerata dalle autorità cinesi, non ha clero sufficiente o, almeno, non sacerdoti sui quali esso possa fare affidamento.[11]

Stando a queste allarmanti informazioni, le autorità hanno cambiato strategia. Stanno preparando il grande assalto alla Chiesa cattolica. La diplomazia ne risentirà ma il quadro che emerge sembra lasciare pochi spazi di manovra ed è allarmante:

> Da quanto sopra riportato si evince chiaramente come il governo abbia cambiato totalmente approccio e procederà con le ordinazioni illegittime come da programma. A tale proposito, ritengo che sarebbe necessario intervenire in qualche modo, convocando, prima di tutto e al più presto, una riunione ad hoc di alcuni membri della commissione per la Cina in modo che si possano studiare nuove strategie per cercare di tamponare lo stato attuale della situazione della Chiesa cattolica cinese. Tale Chiesa è ora più che mai prostrata per quanto sta succedendo e ha bisogno di trovare nella sede di Pietro consolazione, sostegno e condivisione alle sofferenze e agli oltraggi che sta subendo nella persona di tutti coloro, vescovi, sacerdoti e fedeli, che ancora sono profondamente e sinceramente fedeli a Pietro e alla Chiesa universale. Molti ritengono che, ora, la Santa Sede si faccia sentire solo per sanzionare i reprobi, correndo il rischio di dimenticare tutti quelli che fino ad ora hanno sofferto e resistito strenuamente per la loro fedeltà alla Chiesa di Cristo. Dalle informazioni fino ad ora pervenute, concernenti la partecipazione alle ordinazioni illegittime del recente passato e del presente, sappiamo per certo che molti dei vescovi hanno subito pesanti intimidazioni e forti restrizioni delle loro libertà personali, ragione per cui non possono essere messi tutti sullo stesso piano.

Il Vaticano prosegue sulla strada del dialogo e a dicembre del 2011 Bertone manda un cablo cifrato alla nunziatura di Hong Kong per comunicare che «Benedetto XVI ha concesso al rev. Antonio Ji Weizhong l'approvazione generica all'episcopato per l'ufficio di vescovo coadiuatore della diocesi di Fenyang». Le ordinazioni «miste» sembrano riprendere.

Giappone: «Violenza e corruzione parte del mondo cristiano»

In Oriente la situazione è sempre più difficile, l'evangelizzazione sempre più impegnativa. Anche in Giappone la situazione è molto problematica per la Chiesa cattolica. La Chiesa cerca di aumentare la propria influenza ma talvolta utilizza strumenti indeguati. Proprio quando Jozić incontra la sua fonte per lanciare poi l'allarme a Roma sulla Cina, monsignor Alberto Bottari de Castello, dal 2005 nunzio apostolico a Tokyo, scrive ai superiori. È arrivato al termine del suo mandato e indica i limiti che gli attuali strumenti di evangelizzazione incontrano in terre così lontane. Tutto scritto nella nota «Riflessioni finali sulla mia missione in Giappone», del 15 agosto 2011:

> In tutti questi anni ho sentito dentro di me e mi è stata rivolta con frequenza questa domanda: «come mai questo mondo incantevole è ancora lontano dal Vangelo? Perché solo mezzo milione di giapponesi su 128 milioni sono cattolici?». Ho rivolto anch'io la domanda a vescovi, missionari e laici e le risposte sono state diverse. Il Giappone ha una sua cultura elevata, una storia gloriosa, una forte identità nazionale legata a certi simboli (l'imperatore) ed espressioni religiose (shintoismo, buddismo). Diventare cristiani è rompere con quel mondo, apparire (e anche percepire nel profondo) che si è «meno giapponesi». Il sentire

> comune è che il Giappone è diventato uno dei paesi più grandi del mondo con le sue forze, con i valori ricevuti dai secoli. Sono orgogliosi della loro identità, non sentono il bisogno di insegnamenti venuti da fuori... Sono aperti e curiosi: integrano cose nuove nel loro mondo culturale, che però non vogliono lasciare. [...] Al punto che si arriva a pensare che ogni conversione al Vangelo è quasi un miracolo [...]. Certe immagini e modi di vivere del mondo occidentale, diffusi continuamente dai media: violenza, materialismo, corruzione, sono percepiti come parte del mondo cristiano, ben difficile perciò da accettare.

Il nunzio critica con una certa ironia gli strumenti per trovare nuovi fedeli, che ritiene incompatibili con la popolazione giapponese:

> Qui, direi, sta il punto controverso e le difficoltà poste dal metodo dei membri del Cammino neocatecumenale. Da quanto si vede, essi vengono ed applicano alla lettera un metodo nato e preparato in Europa, senza curarsi di adattarlo al mondo locale. Ho ritrovato tra loro qui in Giappone lo stesso stile che ho visto in Camerun, dove ero missionario vent'anni fa: gli stessi canti (con la chitarra), le stesse espressioni, la stessa catechesi, il tutto trasmesso con uno stile più impositivo che propositivo. Si capiscono allora le tensioni, i dissapori e le reazioni che, trovando a volte poca disponibilità al dialogo, arrivano al rifiuto. È certo ammirevole in loro l'intenzione, la buona volontà, ma manca l'inserimento nella cultura locale: questo – a mio modesto parere – è quanto stanno chiedendo loro i vescovi giapponesi: spogliarsi del vestito europeo per presentare il cuore del messaggio in maniera purificata e vicina alla gente.

Le considerazioni del diplomatico danno poca speranza di vedere crescere la comunità cattolica in Giappone anche se il Vaticano, con la sua rete di ambasciate e missioni che abbracciano il pianeta, è molto attento a ogni passo, a ogni problema, di natura economica, politica, religiosa, che possa arrivare da piazza San Pietro sino alla più sperduta diocesi in Ecuador. Soprattutto quando può destare scandalo o suscitare scalpore tra i fedeli.

---

[1] In genere, i banchieri italiani accreditati nei sacri palazzi coltivano rapporti privilegiati con i singoli porporati. Si pensi solo a Massimo Ponzellini, già presidente della Banca popolare di Milano e oggi al vertice di Impregilo, preso come consulente finanziario al governatorato per espressa volontà del cardinale Giovanni Battista Re.

[2] In particolare, per Gotti Tedeschi l'intervento dovrebbe così svilupparsi nell'immenso mondo della Chiesa a diversi livelli:
– per gli enti centrali della Santa Sede vanno definiti gli obiettivi e le strategie di valorizzazione delle risorse dei maggiori enti (quali Ior, Apsa, Propaganda Fide, governatorato), al fine di stabilire come valorizzare i beni, crescere i ricavi, ridurre i costi e minimizzare i rischi;
– agli enti e alle congregazioni vanno dati indirizzi e supporti per difendere le loro attività economiche e proteggere i loro patrimoni (anche creando appositi fondi immobiliari per esempio);
– alle nunziature e alle diocesi vanno solamente proposte attività di formazione, assistenza e consulenza.

[3] Si legge nell'introduzione al documento: «Occorre muovere da tre constatazioni: negli ultimi anni e, in particolare, nei mesi più recenti, l'attività temporale della Chiesa, intesa come istituzione (Vaticano ed entità religiose con capacità economica), è stata particolarmente esposta a censure di varia natura; molte denunce sono risultate, peraltro, meramente strumentali; le comunità religiose presenti in varie parti del mondo in posizione di minoranza, sono più spesso oggetto di attacchi e azioni violente».

[4] La nota di Gotti Tedeschi approfondisce così: «Il credito eccessivo fatto dalle banche è un effetto, non la causa. La causa è stata il crollo della natalità nel mondo occidentale con le sue conseguenze sullo sviluppo e sulla crescita dei costi per l'invecchiamento della popolazione. Il documento, da queste cause, trae conseguenze altrettanto discutibili. Per esempio la maggior disuguaglianza creatasi fra i popoli. In realtà in questi ultimi tempi, grazie al processo di globalizzazione, è avvenuto il contrario. E in più i nuovi poveri, semmai, stiamo diventando noi occidentali. Il documento parla anche di una spinta verso una spirale inflazionistica solo limitata dal rischio per le

banche. Ma oggi il problema vero è esattamente l'opposto, siamo in deflazione preoccupante».

[5] Prosegue Gotti Tedeschi: «Ma argomentare sugli strumenti, anziché sul "senso" da dare loro, vuole una competenza specifica riconosciuta. E ci si è domandato ieri in vari ambienti rimasti perplessi (che non hanno ritrovato in questo documento lo spirito di *Caritas in veritate*) se questo sia il compito nostro. Mi domando, per prudenza, se sia opportuno fare, in questo momento così complesso, proposte politico-finanziarie, anche se miranti al bene comune».

[6] Il documento è indicato come «Memoria riservata e confidenziale per mons. Georg Gänswein». In postilla, il banchiere precisa che «i temi sono trattati con sintesi estrema e formulati con domande e risposte»:
«Prima domanda: cosa ha causato l'attuale crisi economico-finanziaria? Risposta: l'ha causata una serie di politiche economiche adottate progressivamente (negli ultimi 30 anni) per sostenere la crescita del Pil (prodotto interno lordo) nei paesi cosiddetti occidentali a seguito del crollo della natalità. Non crescendo la popolazione, la crescita economica può avvenire (dopo interventi sulla produttività) solo facendo crescere i consumi pro capite. Detta crescita dei consumi pro capite è avvenuta:
a) delocalizzando (in Asia) molte produzioni reimportate a minori costi per crescere il potere di acquisto;
b) facendo indebitare le famiglie (il famoso consumismo a debito). Detto processo di indebitamento progressivo si è esteso, in modo diverso, nei vari paesi con un indebitamento dell'intero sistema economico (delle imprese, delle istituzioni finanziarie, degli stati). Solo negli ultimi 10 anni prima dello scoppio della crisi (dal 1998 al 2008) l'indebitamento medio nel mondo occidentale è cresciuto di circa un 50 per cento. Lo scoppio della crisi (2008) ha prodotto effetti diversi nei vari paesi secondo il modello d'indebitamento provocato. Per esempio in Usa l'indebitamento è stato soprattutto fatto dalle famiglie, mentre in Italia soprattutto dallo Stato. Per tentare di risolvere il problema di detto indebitamento negli Usa si è progressivamente "nazionalizzato" il debito (cioè lo Stato ha assorbito l'eccesso di debito salvando le banche che stavano fallendo perché le famiglie non pagavano i debiti). In Europa, ma soprattutto in Italia, si è invece "privatizzato" il debito fatto da governi, banche e imprese, facendolo pagare ai cittadini (attraverso i tassi di interesse zero e ora con lo spettro di una "patrimoniale").
Seconda domanda: come si è evoluta detta crisi economica negli ultimi tre anni?
Risposta: dal 2008 a oggi i paesi occidentali indebitati han promesso ai cittadini, e hanno cercato con espedienti vari di ridurre il debito, senza

riuscirci. Non potevano riuscirci perché mancavano soprattutto i fondamentali della crescita economica (la crescita della popolazione). Gli Usa e i paesi europei hanno rifiutato di diminuire il debito attraverso la opzione (vera ed unica) della austerità (per ricostituire i fondamentali della crescita e per assorbire una crescita passata falsa e insostenibile, diventata debito non pagato) ed han tentato varie strade. Riconosciuto che erano impraticabili, chi era ed è in posizione di forza (gli Usa) han cercato di trasferire i loro problemi sugli altri paesi meno forti (europei). Le banche Usa, si suppone per riprendere a guadagnare, han cominciato a fare speculazione sui titoli di Stato dei paesi più indebitati europei. Il primo paese europeo messo in difficoltà anche grazie alla speculazione (ovviamente anche grazie a squilibri di bilancio e qualche trucco usato per entrare nell'euro) è stata la Grecia.
L'incertezza europea nel salvataggio della Grecia e il suo successivo "default-guidato" ha creato sfiducia sull'Europa nei mercati internazionali. Questa sfiducia si è accentuata sui paesi a maggior debito pubblico (Portogallo, Irlanda, Spagna e poi Italia). Questa sfiducia ha comportato il maggior costo progressivo del debito, quando ad ogni scadenza il debito pubblico doveva esser rinnovato. Anche un paese come l'Italia, che ha equilibrio patrimoniale dello Stato e un fortissimo risparmio privato (che copre 5 volte il debito pubblico) ed è potenzialmente solvibile, si scopre in difficoltà nel rinnovo emissioni, e si trova con l'esigenza di far crescere il costo degli interessi a ogni emissione (spread).
[Terza domanda]: a che punto della crisi siamo oggi?
Risposta: una risposta sintetica sta in un valore significativo quanto simbolico: a settembre i titoli di Stato italiani venivano emessi a tassi del 3,6 per cento, oggi a più del 6 per cento, quasi il doppio. A luglio di quest'anno dopo le incertezze sul salvataggio della Grecia e il discorso di Obama sul possibile default delle banche italiane, era evidente che tutte le circostanze spiegavano un rischio imminente per il nostro paese e pertanto l'esigenza di interventi adeguati e immediati. Invece non ci sono stati. Non si è voluto riconoscere che l'Italia, come paese europeo che ha accettato l'euro e doveva osservare coerentemente le regole imposte per esser "compliant" (conforme alle regole condivise), doveva necessariamente rispettarle per la stabilità dell'intero sistema. Queste regole erano state accettate e non erano più rinegoziabili. Dette regole si concretizzavano, e si concretizzano, in necessarie riforme. Non tanto ci è stato chiesto di ridurre il debito pubblico, quanto di dimostrare di voler ridurlo avviando riforme orientate a un maggior rigore nei conti e nelle prospettive per la crescita (lettera Bce: riforma pensioni, riforma del lavoro, liberalizzazioni, evasione fiscale...).
Perché non lo abbiamo fatto nonostante l'impegno?
Perché il nostro paese ha come problemi strutturali proprio quelli dove ci

chiedono di avviare riforme (bassa produttività, alta rigidità e costo del lavoro, alta spesa pubblica per welfare di Stato, alta economia sommersa ed evasione), dove varie parti sociali e politiche faticano a permettere accordi (sindacati, partiti politici, lobby varie)».

[7] «Il fatto che il governo non abbia dimostrato la forza per realizzare riforme non più negoziabili – si sottolinea nella memoria –, ha fatto cadere la fiducia internazionale nel governo stesso. Ora gli altri paesi europei (anche se non stanno meglio di noi, persino se stanno peggio!) hanno accettato e applicato dette regole (anche la Spagna: Zapatero ha annunciato la sua uscita e adottato un pacchetto di riforme imposte dall'Europa), solo l'Italia le ha "ignorate". Così si è sviluppata la crisi delle ultime settimane: la Bce ha smesso di sostenere l'acquisto dei titoli italiani (le banche Usa han fatto crescere il Cds, cioè il costo copertura rischio titoli, le società di rating hanno penalizzato esageratamente il rischio paese, ecc.), in pratica si è deciso di imporre all'Italia le regole di riforma minacciando (e dimostrando) la sfiducia (anche se ingiusta per il paese per la sua potenziale solvibilità) perché non garantisce il sistema europeo (su di noi si è scaricato il timore Grecia dove si doveva garantire la salvezza e invece si è fatto un default pilotato con effetti devastanti per gli investitori). Da qui gli ispettori di Bruxelles che ci ispezionano i conti e la crisi di governo di oggi. Gli errori non sono solo nostri, altri paesi hanno responsabilità e ci sono sospetti di comportamenti ambigui, ma la nostra classe politica non ha saputo fronteggiare e gestire la crisi come avrebbe dovuto.»

[8] The Pew Forum, centro americano di ricerche, dicembre 2011.

[9] Sandro Magister, *Cattive nuove dalla Cina. A Pechino si è aperta una breccia*, Espresso.repubblica.it, 11 febbraio 2009.

[10] Asia News, agenzia online del Pontificio istituto missioni estere, 1° aprile 2011.

[11] Le mosse di Pechino sembrano quasi militari: «Inoltre, il governo cinese – prosegue il cablo – ha deciso di organizzare, ogni anno, il 12 di giugno, un corso di formazione per i rappresentanti chierici delle diocesi. La maggior parte di questi sacerdoti saranno possibili candidati per l'episcopato. Dal 12 giugno di quest'anno, tale corso è stato tenuto a Pechino. I primi tre giorni sono stati di effettivo corso di formazione (12-14 giugno), mentre dal 15 al 20, tutti i partecipanti sono stati portati in gita turistica per alcune città della Cina. Quest'anno, il governo ha chiesto anche al rev. Pietro Gao Lianzeng, amministratore apostolico di Daming, di mandare due persone al corso di Pechino ed egli ha inviato due laici. Questi, al loro ritorno, hanno riferito che erano presenti più di cento sacerdoti provenienti da diverse diocesi della Cina. La maggior parte di questi sacerdoti avevano partecipato all'VIII Assemblea di dicembre 2010».

Vatileaks, terrorismo e omicidi

I terroristi dell'Eta chiedono aiuto al Vaticano

Nell'ottobre del 2011, dopo 43 anni di azioni in cui sono morte 829 persone, l'organizzazione terroristica basca Eta dichiara ufficialmente «la fine definitiva dell'attività armata». È una svolta clamorosa per la Spagna, che chiude un sanguinoso periodo storico, con un ulteriore passo nel difficile cammino verso la pacificazione. Il voltapagina è senza precedenti: nella penisola iberica siamo alla vigilia delle elezioni politiche e la dichiarazione dell'Eta diventa volano nella campagna elettorale. Soprattutto per la sinistra. L'allora premier José Luis Zapatero annuncia con emozione che «d'ora in poi la nostra sarà una democrazia senza terrorismo ma non senza memoria», mentre il suo vice, Alfredo Pérez Rubalcaba, candidato premier per il Psoe, cerca di riaffermare la lotta senza quartiere al terrorismo, ricordando le vittime del separatismo basco.

Cosa si sia mosso dietro le quinte, se e come la macchina della diplomazia abbia sollecitato e condizionato questa scelta non è dato sapere. L'annuncio dell'Eta arriva tre giorni dopo la conferenza di pace di San Sebastián, in cui è stato ufficialmente chiesto all'organizzazione eversiva basca di abbandonare le armi. Il classico simposio delle grandi occasioni, con l'ex segretario dell'Onu e premio Nobel per la pace Kofi Annan che partecipava ai lavori insieme alla triade artefice della fine degli scontri in Irlanda, e con l'appoggio espresso da personaggi importanti come Tony Blair, Jimmy Carter e il leader dei democratici americani George Mitchell. Non potevano mancare i partiti e i sindacati baschi, in contatto, chi più chi meno, con l'Eta.

La Chiesa lavora da tempo sottotraccia sia a livello centrale sia direttamente nella regione basca, dove i presuli godono di una certa autonomia dai sacri palazzi. Pochi mesi dopo sarà la Chiesa stessa a segnare l'ulteriore tappa della riconciliazione. Nel febbraio del 2012 tre vescovi baschi – monsignor Mario Iceta di Bilbao, monsignor José Ignacio Munilla di San Sebastián e monsignor Miguel Asurmendi di Vitoria – firmano un'omelia congiunta sulla fine del terrorismo. Chiedono lo scioglimento e la «definitiva sparizione» del movimento terroristico. I vaticanisti osservano come «per i presuli le parole-chiave per il futuro sono tre: pentimento, perdono e giustizia». I membri dell'Eta devono cercare un «pentimento vero» e che li porti a una «richiesta sincera» di perdono. Da parte loro le vittime del terrorismo sono invitate a offrire questo «perdono risanante e liberatore» ai loro carnefici – un perdono che «senza annullare le esigenze della giustizia, la supera».[1]

In realtà quest'ultimo è solo il momento visibile di una sottile attività sotterranea, svolta dietro le quinte dai presuli baschi e dalla nunziatura di Madrid, retta dal 2009 dall'arcivescovo Renzo Fratini. Senza l'ostinazione di alcuni vescovi, il processo di pacificazione sarebbe stato più lento.

Dalle nuove carte si scopre che il ruolo di tessitrice della Chiesa era in piena fase dinamica già almeno nove mesi prima dell'annuncio ufficiale. Nel gennaio del 2011 il segretario di Stato Tarcisio Bertone invia all'ufficio cifra della nunziatura spagnola un cablo riservato per sciogliere una questione in apparenza sorprendente. L'Eta vuole concordare una tregua e ci tiene a coinvolgere la Chiesa affinché autorevolezza e impatto mediatico della successiva dichiarazione pubblica siano garantiti. Chiede così che alcuni terroristi possano recarsi all'ambasciata della Santa Sede e concordare con i diplomatici in tonaca il messaggio di annuncio. La richiesta finisce direttamente sulla scrivania di Bertone. Il segretario di Stato non nasconde la propria sorpresa:

> Faccio riferimento al cifrato n. 263, del 3/01/2011, e al successivo e-mail di ieri, 4 gennaio 2011, circa la possibilità di un incontro nella sede di codesta rappresentanza pontificia con qualche esponente dell'organizzazione terroristica armata Eta, al fine di una dichiarazione, da parte di questa, di una tregua unilaterale, permanente e verificabile internazionalmente. Considerando anche quanto riferisce S.E. mons. José Ignacio Munilla, vescovo di San Sebastián, si concorda con V.E. [Vostra Eminenza, *nda*] circa l'inopportunità di accettare detto incontro. È altresì utile tener presente che il vicepresidente e ministro dell'Interno di codesto governo, onorevole Rubalcaba, ha affermato di recente che la suddetta organizzazione non deve dichiarare nessuna tregua, ma solo sciogliersi.

Bertone non chiude la porta, come sembra. In realtà, la socchiude. Si muove con cautela. È prudente. Prima di ogni mossa ordina ai suoi di informarsi in modo approfondito sulla reale strategia dell'Eta attraverso i solidi contatti che il Vaticano ha in Parlamento, a Madrid. Per capire se la volontà di deporre le armi e chiudere con gli anni di piombo è concreta o si tratta solo di una tregua momentanea, destinata a essere infranta, come già accaduto in passato:

> Inoltre, V.E. è pregata di prendere contatto con l'on. Jaime Mayor Oreja, al fine di sentire il suo parere sulla situazione attuale dell'Eta e sui suoi veri obiettivi. La conversazione con il parlamentare sarà utile perché, in futuro, codesta nunziatura apostolica potrebbe ricevere proposte analoghe a quella in parola, nonostante il presente diniego. Se ciò dovesse avvenire, V.E. è pregata di continuare a riferire a questa segreteria di Stato e, in ogni caso, prima di prendere qualsiasi decisione, dovrebbe ottenere il benestare del governo e dell'opposizione; per giunta bisognerebbe porre alla menzionata organizzazione, come precondizioni, la deposizione delle armi e la richiesta di perdono per tutti i crimini commessi durante vari decenni di lotta terroristica armata. Bertone.

Il cardinale indica di far riferimento allo storico primo segretario del partito popolare basco, il cattolico intransigente Mayor Oreja, che da ministro dell'Interno negli anni Ottanta visse i periodi più drammatici dello scontro con il movimento terroristico. E ricorda al proprio ambasciatore di confrontarsi sempre con i partiti spagnoli. Stendere un filo diplomatico si annuncia assai difficile ma Bertone non vi rinuncia, ben sapendo che la partita è complessa: da un lato i familiari delle vittime, dall'altro i settecento attivisti che si trovano tuttora in carcere. Un processo quindi lungo che si svilupperà nei prossimi anni, necessariamente a tappe dopo la prima, attesa e annunciata svolta dell'ottobre del 2011.

Lo snodo nevralgico tra la Santa Sede e la Chiesa nel mondo si trova nella terza loggia, sezione per gli Affari generali. È un ufficio di modeste dimensioni, sconosciuto al grande pubblico ma dall'importanza essenziale. Si tratta dell'ufficio cifra, preposto a criptare e decriptare i messaggi riservati tra il papa, il segretario Bertone, gli altri cardinali e gli oltre cento nunzi apostolici. Sono loro che aggiornano di continuo il Vaticano, inviando cablogrammi, composti con codici segreti, che racchiudono le questioni più spinose delle nunziature. All'ufficio cifra gli esperti decriptano le comunicazioni e le fanno arrivare al vertice della Chiesa. Da qui, in primis Bertone ma anche direttamente il papa, fanno partire le consegne per le attività pastorali, politiche ed economiche ai nunzi in ogni parte del globo. Sono ben 179 rappresentanze pontificie sparse in ogni angolo della terra. Un numero altissimo se si considera che la rete diplomatica del pontefice è seconda solo a quella della prima potenza al mondo, gli Stati Uniti.[2] Un dato che esprime anche quanto sia importante per il Vaticano avere rilievo primario sulla scena geopolitica mondiale, una linea portata avanti dalla fine degli anni Settanta: «Nel 1900 questi paesi – scrive Gianni Cardinale su "Avvenire" – erano appena una ventina ma nel 1978 ammontavano già a 84. Nel 2005 erano [più che raddoppiati, *nda*] a 174 e con Benedetto XVI sono diventati 179. Nel 2006 infatti sono stati allacciati rapporti col neonato Montenegro, nel 2007 con gli Emirati Arabi Uniti, nel 2008 col Botswana, il 9 dicembre 2009 è stata la volta della Federazione Russa, con cui c'erano già relazioni di natura speciale come quelle che continuano a sussistere con l'Olp».[3]

Con la sala operativa della gendarmeria, i caveau dello Ior, alcuni settori dell'archivio segreto e l'appartamento di Benedetto XVI, l'ufficio cifra fa parte degli ambienti meno accessibili della Santa Sede. Vi si accede solo se vi si lavora all'interno, se si è dotati di un particolare codice d'ingresso. I dipendenti sono tenuti alla riservatezza più assoluta. Personaggio di riferimento è stato per molti anni monsignor Pietro Principe, scomparso nell'estate del 2010. Per apprezzarne l'importanza basta ricordare che la salma nella camera ardente allestita nella chiesa del governatorato venne omaggiata dai più importanti porporati fino alla benedizione congiunta di Bertone e Bagnasco. Principe è stato depositario della sempre discreta attività di questo ufficio, ha letto le comunicazioni più insolite, impreviste e drammatiche. Ogni cablo svela infatti una storia, racchiude un segreto. Vediamone alcuni che per la prima volta nella storia della Chiesa superano le mura leonine e diventano così accessibili.

Ecuador, omicidio in monastero

I fedeli lo aspettano per officiare la messa della sera, ma il polacco Miroslaw Karczewski, 45 anni, sacerdote dei frati minori Conventuali, non si presenta. Dopo un'attesa inutile iniziano le ricerche. Ma durano solo poche decine di minuti: Karczewski viene ritrovato senza vita e con ferite sul collo e altre parti del corpo, in un lago di sangue, nella canonica del convento di Sant'Antonio da Padova. Siamo a Santo Domingo de los Colorados, nord dell'Ecuador, a circa 300 km dalla capitale Quito. Sul movente dell'omicidio s'impone subito una versione ufficiosa: gli assassini avrebbero ucciso il prete, mite, sorridente e sempre disponibile, dopo aver rubato cellulare, computer e i soldi provenienti dalla raccolta per il convento. Una tesi che lascia attoniti e che nessuno contesta.

Alcuni siti cattolici raccolgono e rilanciano la notizia.[4] I frati nel mondo piangono il fratello, che viene indicato come esempio di martire cristiano, ucciso durante una rapina. Dai primi cablogrammi riservati che la nunziatura di Quito si scambia con la Santa Sede emerge però un'altra verità. È diametralmente opposta a quella che si è voluto far filtrare per far scemare l'attenzione. È la verità ufficiale, seppur riservata, che emerge dalle indagini, sostenuta con discrezione dalla polizia. Una verità che potrebbe destare scandalo e creare scompiglio.

Il presule della zona, monsignor Wilson Moncayo, fa scattare l'allarme che rimbalza subito a migliaia di chilometri di distanza, nelle segrete stanze vaticane, quando la polizia investigativa del paese bussa alla porta del vescovo. Gli agenti senza preamboli gli mostrano delle fotografie sconcertanti:

> Da: Quito A: Uff. Cifra Cifr. n. 81 Data cifrazione: 17/12/2010 Data decifrazione: 17/12/2010
>
> Con riferimento Cifr. n. 79 del 6 dicembre corrente, mi reco a dovere di riferire V.Em.R., circa le ultime notizie, riguardanti l'omicidio del Rev.do P. Miroslaw Karczewski, OFM Conv., religioso polacco, trovato morto (con la gola tagliata), il 6 c.m., presso la casa parrocchiale, parrocchia di San Antonio de Padua, in Santo Domingo de los Tsachilas. L'Ecc.mo mons. Wilson Abraham Moncayo Jalil, vescovo della diocesi di Santo Domingo in Ecuador, ha chiamato la sera del 15 dicembre scorso, ore 21.00, informandomi di essere stato visitato da alcuni agenti di polizia – incaricati di risolvere l'omicidio del religioso – i quali lo hanno edotto circa i primi esiti dell'investigazione in corso. Appena terminato l'incontro, il vescovo ha chiamato la nunziatura.
> A detta di Moncayo, che riferisce le dichiarazioni fattegli dalla polizia in base alle prove raccolte sulla scena del crimine, i primi risultati dell'indagine concordano nell'affermazione «casi segura» del «carácter pasional» dell'omicidio, escludendo così l'ipotesi dell'assalto o del furto.

La polizia non ha dubbi: è un omicidio a sfondo sessuale.

> Nella sua conversazione telefonica, il vescovo ha tenuto a precisare i seguenti dati:
> – la vittima conosceva i suoi uccisori; si ipotizza che fossero tre, perché il religioso, prima dell'accaduto, ha chiesto alla domesti-

ca in servizio presso la casa parrocchiale di preparare tre stanze per i suoi ospiti;
– sul luogo del crimine sono stati trovati quattro bicchieri ed una bottiglia di un non meglio precisato superalcolico;
– le prove, secondo la relazione della polizia, rivelano che i soggetti avevano iniziato a consumare la bevanda alcolica, approssimativamente, fin dalle ore 14.00 del giorno del crimine;
– dalla scena dell'omicidio si inferisce che il religioso ed i suoi «ospiti» avrebbero avuto delle relazioni sessuali, dato che, sul luogo del delitto, si sono rintracciate macchie di sperma (mons. Moncayo mi ha riferito che la polizia gli ha mostrato le foto relative a questo particolare);
– il cellulare del religioso è in possesso della polizia, la quale, esaminando le chiamate, cerca di rintracciare i presunti assassini. Dalle parole del presule, si conferma anche la scomparsa della laptop [notebook della vittima, *nda*]. Secondo quanto mi è stato riferito da mons. Moncayo, pare che la polizia abbia individuato la pista giusta per giungere ai colpevoli;
– il vescovo mi ha detto che la polizia ha ricevuto un ordine «desde lo alto» al fine di giungere alla soluzione di questo caso criminale. Il presule, mentre parlava, non nascondeva la sua preoccupazione per lo scandalo che si potrebbe creare appena le informazioni giungeranno a conoscenza dei media, soprattutto di quelli dedicati alla cronaca nera. Inoltre ha commentato che in occasione del funerale del religioso, egli, nell'omelia, ebbe ad accennare addirittura alla buona fama di cui il sacerdote generalmente godeva. La vittima era conosciuto come un buon parroco, vicino ai giovani, alle famiglie ed ai poveri, organizzando nella parrocchia numerose attività dirette a togliere i giovani dai pericoli della strada. Mi ha detto anche che gli agenti di polizia gli hanno garantito la segretezza circa lo svolgimento delle indagini. A tale proposito, ho chiesto al presule di mantenere la confidenzialità e di vigilare sui prossimi sviluppi della vicenda. Moncayo mi ha avvisato che avrebbe informato la comunità dei pp. Francescani conventuali polacchi sui primi risultati dell'indagine.

L'addetto all'ambasciata che segue il caso, il reverendo Aliaksandr Rahinia, vorrebbe una relazione dettagliata e scritta su quanto accaduto. Il vescovo Moncayo è l'unico interlocutore che potrebbe preparare un rapporto completo da mandare subito oltreoceano, all'attenzione della gerarchia dei sacri palazzi. Ma da Casa Bomboli, sede della diocesi, il vescovo risponde picche:

> Alla mia richiesta di mettere per iscritto le informazioni raccolte concernenti all'accaduto (in via riservatissima), Moncayo mi ha risposto testualmente «no voy a escribir nada». Tuttavia, sempre su mia insistenza, mi ha assicurato che, appena riceverà qualche referto ufficiale da parte della polizia, non tarderà a inviarlo [a noi, *nda*]. L'ho anche invitato a venire in nunziatura per chiarire personalmente. Mi ha risposto che ha molto da fare, si sente molto male e non ha tempo disponibile. Non mancherò di comunicare a V.Em.R. gli ulteriori eventuali sviluppi.

La cacciata del monsignore siriano

Il silenzio è regola aurea. Monsignor Moncayo preferisce non scrivere niente, non lasciare traccia del movente dell'omicidio del frate. A volte va anche peggio, con casi dei quali si sa poco o nulla. Come quando Benedetto XVI spinge alle dimissioni e al trasloco da un continente all'altro un vescovo dopo aver ricevuto un infamante dossier sul suo conto. È il caso di un esarca orientale, nato ad Aleppo nel 1952: Isidore Battikha era l'arcivescovo emerito di Homs, in Siria, dopo esser stato ordinato sacerdote dell'ordine Basiliano Aleppino dei Melchiti nel 1980. Vent'anni dopo Ratzinger accetta la sua rinuncia al governo pastorale, non divulgandone però le ragioni. La situazione si deteriora, ancora, a fine novembre del 2011, quando una delegazione pontificia, capeggiata da monsignor Antonio Franco, nunzio in Israele, raggiunge il presule in Libano. L'obiettivo è uno solo: bisogna convincere Battikha a fare le valigie e trasferirsi dove preferisce, o in Venezuela o in un monastero in Francia. Passaporto italiano, Battikha è un personaggio conosciuto e influente in Siria, ospite spesso in tv: «È sicuramente un presule dinamico e dalle riconosciute qualità artistiche – commenta monsignor Mario Zenari, nunzio della rappresentanza di Damasco –, si relaziona bene con le autorità del paese dal presidente in giù. Il motivo delle sue dimissioni? Non posso dire nulla, mi dispiace».[5] Del resto, né sui giornali, controllati dal governo, né su internet c'è traccia di questa storia. Deve comunque trattarsi di una vicenda di particolare gravità se gli emissari vaticani, a nome del Santo Padre, intimano di lasciare l'episcopio, senza lasciare vie d'uscita al presule.

Da: Jerusalem A: Ufficio Cifra Cifr. n. 77 Data cifrazione: 28/11/2011 Data decifrazione: 28/11/2011 Ricevuto Cifr. n. 94 Urgente, del 18 u.s.

Ieri, 26 u.s. nella sede della nunziatura apostolica in Libano, alle ore 10, insieme a sua eccellenza mons. Jean-Abdo Arbach, esarca apostolico per i fedeli di rito greco-melkita in Argentina, abbiamo incontrato S.E. mons. Isidore Battikha, arcivescovo emerito di Homs dei Greco-Melkiti, in Siria. Nel corso di una vivace conversazione, abbiamo spiegato al presule che eravamo venuti a nome del Santo Padre per invitarlo a considerare con tutta l'attenzione la gravità e la delicatezza della situazione in cui si trova ed esortarlo ad accettare di recarsi in Venezuela, per due o tre anni, ospite dell'esarca apostolico dei Greco-Melkiti di quel paese. Abbiamo cercato di spiegargli che non si tratta di una condanna ma di un provvedimento preso per il bene della Chiesa e per consentire a lui maggiore serenità e una vita dignitosa. Gli abbiamo pure richiamato le condizioni che gli erano state già comunicate nei mesi scorsi dal nunzio in Siria e abbiamo detto esplicitamente che aveva la scelta del Venezuela o del monastero in Francia, ma che se non accettava sarebbe seguito qualche provvedimento disciplinare *ex officio*. Mons. Battikha, da parte sua, ha ripetutamente ribadito la sua innocenza e la sua amarezza per essere stato condannato senza aver potuto neanche difendersi.[6]

«Né il nunzio in Israele né l'esarca argentino – ricorda ora Battikha[7] – sapevano le ragioni del mio doloroso trasferimento. Arbach mi diceva di lasciare la Siria perché così voleva il Santo Padre. Ero stupito. Se il pontefice ha stabilito questo ci sarà un documento, una lettera firmata da lui. Invece niente, il nulla. Sulle ragioni nessuna spiegazione. Ho chiesto di poter conoscere le accuse che mi venivano contestate. Non avevano un foglio di carta. Ho domandato allora di poter subire un regolare processo, niente. Mi hanno risposto che mancando prove certe non si poteva celebrare. Se ami la Chiesa, lascia.»

Non conosciamo la gravità delle accuse che gli venivano rivolte ma Battikha sembra sincero. Anche dai documenti sulla questione sembra confermato che nemmeno la delegazione pontificia fosse a conoscenza dei fatti. L'unico è monsignor Zenari, nunzio a Damasco, ma al telefono non vuole dire niente di più.

Battikha deve lasciare la sua comunità. L'incontro con Franco e Arbach è drammatico. Il presule in Siria ha una madre vecchia e malata ma sembra essere ininfluente. Quello che più sconvolge è che il provvedimento nei suoi confronti rimane un ordine senza spiegazioni. Battikha si rivolge al nunzio Franco con un'arringa appassionante.

Mons. Battikha, in sintesi, ha detto: «Se il Santo Padre mi chiede di andare in Venezuela, io vado ma non posso accettare di

> andare con la serie di condizioni che mi imponete perché questo significherebbe che accetto di essere colpevole ed in coscienza non posso farlo. Voi mi dite che non sono stato condannato, ma allora perché mi si mettono tante condizioni? E se sono stato condannato, come si può condannare qualcuno senza ascoltarlo e senza consentirgli di difendersi? E cosa significano le minacce? Non è una condanna questa? Le minacce non mi spaventano: chi è già steso a terra non può cadere più, gli si può dare solo il colpo di grazia! Sono pronto ad accettare tutto!».[...][8] Mi permetto, molto sommessamente, di esprimere quanto sento nel cuore: [...] Battikha ha già ricevuto una dura lezione e sa bene quali sono le preoccupazioni della Santa Sede. Se vuole e se davanti a Dio si riconosce responsabile, saprà osservare le condizioni che già conosce, anche se a parola non le accetta e vuole ancora salvare la faccia, per quanto gli è possibile. [...] Non conosco il caso, non mi pronuncio e rispetto ovviamente le decisioni prese. Con umiltà, però, ribadisco la mia convinzione che tentare di aiutare Battikha a decidersi di andare in Venezuela, evitando di imporgli le condizioni già formulate e a lui notificate, sarebbe nelle presenti circostanze il male minore. L'accusa di essere stato condannato senza essere stato ascoltato ed avere potuto difendersi è grave. Il caso è veramente molto delicato e molto complesso. [...][9] † Franco.

Battikha alla fine si convince. Rimanere lì non ha più senso. Si trasferisce così in Venezuela. Raggiunge e aiuta un amico di vecchia data, monsignor Georges Kahhalé Zouhaïraty, esarca a Caracas. Il silenzio ricompone tutto. I motivi delle dimissioni e del trasferimento rimangono un segreto custodito nelle segrete stanze della lontana Città del Vaticano: «Ho risposto da monaco – aggiunge dal Sud America Battikha – me ne vado e basta. Di cosa mi accusavano? Gli inviati da Roma mi hanno detto che tutto era rumore. Il Signore ha chiesto che io lavorassi in un certo posto e ho obbedito.

Dio perdoni i chierici che hanno detto cose cattive su di me. Certo, le trame non sono chiare: bisognerebbe guardare dietro le quinte. Chi e perché ha fatto questo contro di me, quale congregazione voleva che lasciassi la Siria».[10]

New York, Bertone e gli svedesi rapiti

Il 1° luglio 2011 due giornalisti svedesi vengono rapiti in Etiopia durante uno scontro a fuoco tra l'esercito e un gruppo di uomini appartenenti all'Onlf (Ogaden national liberation front), l'organizzazione che chiede l'autonomia della regione di Ogaden, ricca di giacimenti di petrolio e gas. Durante il conflitto a fuoco i soldati uccidono 15 ribelli e feriscono diversi civili. Tra questi, due reporter europei, gli svedesi Johan Persson e Martin Schibbye. Armati solo di passaporto, telecamera e cellulari finiscono in carcere, prima accusati di esser entrati in Etiopia senza le necessarie autorizzazioni poi per violazione della legge antiterrorismo. In Svezia si forma un movimento d'opinione per liberare i due freelance mentre dall'Etiopia il primo ministro Meles Zenawi liquida le richieste di chiarimenti sostenendo che i due non sarebbero semplici giornalisti ma fiancheggiatori dell'Onlf. I due si difendono affermando che facevano solo il loro mestiere di cronisti: stavano indagando sul rispetto dei codici e dei diritti dei lavoratori di alcune compagnie petrolifere.

La situazione sembra in stallo quando la Svezia chiede l'intervento della Santa Sede, ben consapevole dell'influenza degli ecclesiastici in quella zona dell'Africa. Bertone chiede lumi al nunzio apostolico ad Addis Abeba che però ben si guarda dall'intervenire. La motivazione fa riflettere. Il diplomatico infatti non vuole «creare un precedente» visto che «la detenzione di giornalisti è una cosa comune». Se l'ambasciata intervenisse in questo caso, dovrebbe poi prendere sempre posizione, esponendola con il governo etiopico. In parole semplici il monsignore si lava le mani dei due europei detenuti in Etiopia. A questo punto Bertone cambia scacchiera. Si rivolge direttamente a monsignor Francis Chullikatt, osservatore permanente all'Onu per il Vaticano:

> Da: Uff. Cifra A: New York Cifr. n. 34 Data cifrazione 03/12/2011
> Il 31 ottobre scorso il governo svedese ha chiesto alla Santa Sede, in modo confidenziale, un intervento in favore dei due giornalisti [...]. Il processo [...] riprenderà il 6 dicembre p.v. Dalle informazioni in possesso dell'ufficio, risulta che un simile intervento sia stato chiesto anche al governo statunitense. Interpellato in merito durante la sua recente visita in Urbe, il nunzio apostolico a Addis Abeba ha escluso la possibilità di compiere un passo diplomatico formale in loco, anzitutto perché teme che creerebbe un precedente, dato che la detenzione di giornalisti è una cosa comune, ma soprattutto per il rischio di ritorsioni contro la Chiesa da parte di un governo molto sensibile ad ingerenze straniere, o azioni percepite come tali. Per venire incontro alla richiesta del governo di Stoccolma, sono a chiedere a V.E. se, avvalendosi di qualche contatto di fiducia che eventualmente intrattiene con codesto ambasciatore di Etiopia o con un diplomatico etiopico in missione costì, ella ritiene possibile compiere un intervento personale per sollecitare un passo di indole umanitaria (tesa ad assicurare almeno una rapida conclusione del processo e, possibilmente, la liberazione dei prigionieri) in favore dei due cittadini svedesi, atteso anche il momento propizio dell'avvicinarsi delle festività natalizie. Ad ogni buon fine, le invio un breve appunto sul caso, preparato da questo ufficio. Bertone.

Di fronte a una richiesta di intervento firmata direttamente da Bertone, l'arcivescovo Chullikatt valuta subito le possibili soluzioni. Per fortuna i rapporti con l'ambasciatore africano all'Onu sono buoni. Così in tempi rapidi risponde e rende cifrato il messaggio di risposta per il segretario di Stato:

> Da: New York Uff. A: Uff. Cifra Cifr. n.4 Data cifrazione: 03/12/2011 Data decifrazione: 03/12/2011
>
> Ricevuto messaggio n. 34 in data odierna. Lunedì, 5 dicembre p.v., mi metterò in contatto con l'ambasciatore di Etiopia presso l'Onu per sollecitare un passo di indole umanitaria in favore del rilascio dei due cittadini svedesi, anche in vista dell'avvicinarsi delle festività natalizie. Non mancherò di informarLa senza indugio dell'esito dell'incontro con il diplomatico in parola. † Chullikatt

Le pressioni diplomatiche degli Usa e del Vaticano tramite l'Onu non sortiscono gli effetti sperati. Anzi, passa qualche settimana e il 27 dicembre 2011 si arriva alla sentenza del processo. I due reporter sono condannati a undici anni di carcere duro per terrorismo. Il colpo fiacca gli sforzi degli sherpa. La Svezia si ritrova con le armi della diplomazia spuntate e due connazionali rinchiusi nel carcere d'Etiopia. Dopo qualche mese, a febbraio, i giornalisti provano a chiedere la grazia. Il governo svedese intensifica le azioni diplomatiche all'Onu, coinvolgendo i paesi amici, e sull'Etiopia. In Svezia si intensificano le iniziative popolari di raccolta fondi a sostegno della liberazione dei due giornalisti: «Purtroppo è molto difficile – spiega Anne Markowski, del comitato per la libertà – i due sono ancora in carcere e serve l'aiuto di tutti».[11]

«Polonia, peggio di Cuba e del Sudan»

Influente e conservatore presbitero polacco, Tadeusz Rydzyk, leader carismatico della «Famiglia di Radio Maryja», un movimento di stampo nazionalistico-clericale fondato sul motto «Dio, Chiesa, Patria», può contare su oltre 5 milioni di sostenitori. Le posizioni antieuropee, creazioniste e antisemite lo pongono spesso al centro di polemiche e critiche alle quali, colpo su colpo, risponde. La comunicazione diventa più efficace grazie al gruppo editoriale che ha costruito negli anni, con a capo la fondazione Lux Veritatis: il network diffonde le idee del movimento via radio, giornali e la tv Trwam («Io persisto»).

Non mancano le tensioni con il governo polacco, come quando nell'estate del 2011 Rydzyk è accusato di aver sostenuto che la Polonia è uno stato totalitario. La reazione del governo di Varsavia non si fa attendere. In una nota ufficiale di protesta, consegnata al nunzio Celestino Migliore, si chiede «d'intraprendere un'azione atta a impedire simili ulteriori discorsi pubblici di padre Rydzyk, che colpiscono il buon nome della Polonia, e di impedire anche quella attività politica e imprenditoriale del padre che è in contrasto con la missione spirituale dell'ordine dei Redentoristi». Le relazioni tra i due paesi si fanno tese. Il dialogo tra Roma e l'ambasciata a Varsavia si sviluppa ai massimi livelli della Santa Sede: da una parte Bertone dall'altra il nunzio Migliore. Non è la prima volta che Rydzyk mette in imbarazzo la Santa Sede. Ma a Roma lo si protegge sempre.

Da: Warszawa A: Uff. Cifra Cifr. n. 212 Data cifrazione: 26/06/2011 Data decifrazione: 28/06/2011 Invio Rapporto n.1.046 † Migliore

> Varsavia, 28 giugno 2011. A sua eminenza reverendissima card. Tarcisio Bertone, su sua richiesta stamani ho fatto visita al primo viceministro degli Esteri, dr. Jan Borkowski, il quale mi ha intrattenuto sulla protesta di questo ministero degli Affari esteri circa alcune dichiarazioni rilasciate dal reverendo padre Tadeusz Rydzyk il 21 c.m. a Bruxelles. Si è trattato di un incontro molto cordiale come è anche nello stile del dottor Borkowski – e franco. Egli ha esordito dicendo che il ministro Sikorski, a seguito della comunicazione telefonica di venerdì scorso col sottoscritto l'ha incaricato di consegnarmi una nota, diretta a questa nunziatura apostolica e dello stesso tenore di quella inviata alla segreteria di Stato in data 24 giugno. Con evidente imbarazzo ha detto che non si attendeva una risposta immediata da parte mia, ma avrebbe comunque gradito raccogliere qualche elemento utile da riferire al ministro. Ha poi aggiunto che la nota ha sollevato nel paese un dibattito suscettibile di esacerbare il clima elettorale. Mi pare evidente ciò che l'interlocutore confermò, poi, al termine della conversazione e cioè che, seppur tardi, il ministro si rende conto di aver preso una misura precipitosa e sproporzionata la quale rischia di ritorcersi in termini politici sull'andamento della campagna elettorale.

La Santa Sede difende a spada tratta Rydzyk. Senza condizioni. La richiesta di zittire il sacerdote e di bloccare le sue attività imprenditoriali è respinta. Del resto i rapporti tra Polonia e Santa Sede non sono ottimi e sebbene certe posizioni del sacerdote-imprenditore siano indifendibili, sembra che questo goda della più alta considerazione in Vaticano. Migliore ricorda che politici polacchi come il leader Janusz Palikot e Grzegorz Napieralski, ex presidente dell'Alleanza della sinistra democratica (Sld), «insultano tranquillamente la Chiesa senza mai dare spiegazioni e scuse». E non sono i soli. Migliore se la prende anche con il premier polacco Donald Tusk:

Lo stesso primo ministro ha messo in imbarazzo 30.000 sacerdoti polacchi con le sue dichiarazioni che non ha mai ritirato, né ha mai presentato alcuna spiegazione o scusa. Inoltre, ho attirato l'attenzione sulla dichiarazione resa venerdì scorso dal presidente del Parlamento europeo, Jerzy Buzek, il quale pur deplorando le affermazioni spropositate del reverendo Rydzyk, ha detto che la vicenda passò inosservata per almeno due giorni e tale sarebbe rimasta se non fosse stato lo stesso ministro degli Esteri a sollevare un polverone mediatico.

Insomma, Tusk mette in imbarazzo la Chiesa polacca facendo rimpiangere il predecessore, Jaroslaw Kaczynski, che aveva sempre sostenuto la linea ultraconservatrice a difesa della Chiesa in Polonia di Radio Maryja. E proprio Kaczynski aveva chiuso la sua campagna elettorale nella sede dell'emittente.

Brucia ancor di più la seconda richiesta, quella di inibire l'attività imprenditoriale del sacerdote. Come si può solo chiedere al Vaticano di ripudiare, di fatto, un proprio ecclesiastico? Qui Migliore, sostenuto anche dalla «meraviglia suscitata in segreteria di Stato» dalle richieste del governo polacco, sceglie toni che ricordano la guerra fredda:

Non si può «impedire» ad alcun cittadino, anche se religioso, di mantenere opinioni politiche o attività che è estremamente sommario, ingiusto e contro gli interessi della società civile definire «business». [...] Ho aggiunto che la sala stampa vaticana non ha reso pubblica la nota proprio per evitare alla Polonia una brutta figura nel momento stesso che sta assumendo la presidenza europea. Ho notato nell'interlocutore una gran voglia e fretta di considerare chiuso l'incidente, anche in vista del clima elettorale. L'ho rassicurato che la Santa Sede non ha alcuna intenzione di accettare la sfida lanciatale con una nota che neanche Cuba o Sudan (tutti Stati con relazioni diplomatiche con

> la Santa Sede) si sono permessi di inviare. Pertanto sul piano bilaterale siamo pronti a voltare pagina: già un passo l'abbiamo fatto convincendo Rydzyk a spiegarsi e chiedere scusa e assicuriamo vigilanza. [...].[12] Non potranno farsi illusioni: se tirano la corda e provocano padre Rydzyk (il quale non si è inchinato alla nota ma alla richiesta del nunzio accompagnato dal vescovo locale), scherzano con il «leone», il quale rincarerà la dose. E a questo punto non potranno venire a chiedere alla Santa Sede di spegnere il fuoco che essi stessi attizzano. [...] Tenuto conto della corsa ai ripari di questo ministero degli Esteri e *pro bono pacis* della Chiesa in Polonia, sarei del sommesso parere che convenga dare alla nota in oggetto una risposta verbale. Profitto volentieri della circostanza per confermarmi con sensi di profonda venerazione, dell'Eminenza Vostra Reverendissima dev.mo † Celestino Migliore.

Migliore difende, pure «senza se e senza ma», padre Rydzyk ma le posizioni antisemite di Radio Maryja spaccano da tempo la comunità cattolica polacca. Tanto che il cardinale di Cracovia Stanislaw Dziwisz, fedele segretario particolare di Giovanni Paolo II, ne aveva chiesto la chiusura o l'azzeramento del vertice. Già nell'estate del 2007 erano divampate le polemiche, quando Ratzinger aveva dato udienza, proprio a Rydzyk, durante le vacanze estive a Castel Gandolfo. «Siamo scioccati dall'apprendere – reagì il congresso ebraico europeo – che Benedetto XVI ha concesso nella sua residenza estiva un'udienza privata al direttore della radio antisemita Maryja.»

Washington, Comunità di Sant'Egidio, aborto e matrimonio gay

L'antisemitismo non sembra scandalizzare più di tanto nelle stanze dei sacri palazzi. O, quantomeno, suscita una reazione ben più morbida rispetto all'irrigidimento che subisce, per esempio, chi propone di introdurre la legge sul matrimonio omosessuale. È il destino, negli Stati Uniti, del governatore dell'Illinois, che si è visto bocciare l'onorificenza che la Comunità di Sant'Egidio voleva concedergli.

> Da: Washington A: Uff. Cifra Cifr. n. 300 Data cifrazione: 03/11/2011 Data decifrazione: 03/11/11
>
> L'Em.mo card. George Francis, arcivescovo di Chicago, ha informato questa rappresentanza pontificia che la Comunità di Sant'Egidio ha in animo di concedere un'onorificenza al governatore dell'Illinois, sig. Quinn, per aver soppresso la pena di morte in tale Stato. Atteso che il sig. Quinn è di fede cattolica, i vescovi e il cardinale George ritengono che tale riconoscimento sia inopportuno per i seguenti motivi:
> – ha promosso la legge sul matrimonio omosessuale;
> – è a favore dell'aborto;
> – ha ritirato alla Chiesa cattolica il diritto di poter contrattare con le agenzie federali per le adozioni dei minori.
> Il card. George chiede cortesemente di intervenire presso le autorità della Comunità di Sant'Egidio affinché la decisione venga riconsiderata. Da parte di questa nunziatura nulla osta a tale proposta dell'Em.mo arcivescovo di Chicago. Lantheaume Incaricato d'Affari a.i.

L'ayatollah vuole incontrare Benedetto XVI

Nei casi più gravi e delicati, come abbiamo visto, le comunicazioni vengono gestite direttamente dal segretario di Stato Bertone, che interviene in ogni angolo del globo. Sia in casi di presunte malversazioni, come accade in Camerun, con Bertone che con cautela vuole conoscere le reazioni di un cambio della guardia in curia:

> Da: Uff. Cifra A: Yaounde - Camerun Cifr. n. 59 Data cifrazione: 14/12/2011
> L'Ecc.mo prefetto della Congregazione per l'evangelizzazione dei popoli ha consultato la sezione per i rapporti con gli Stati circa le possibili reazioni politiche in codesto paese, all'eventuale richiesta di dimissioni dell'Ecc.mo mons. Tonyé Bakot, a causa della sua gestione amministrativa dell'arcidiocesi. Prima di dare riscontro a Propaganda Fide, questa segreteria di Stato gradirebbe conoscere, con cortese sollecitudine il parere di V.E. Bertone.

Sia se un ayatollah da Teheran si fa avanti chiedendo udienza al papa, provocando la prudente risposta del segretario di Stato:

> Da: Uff. Cifra A: Teheran Cifr. n. 29 Data cifrazione: 05/12/2011
> Ambasciata Iran ha chiesto udienza pontificia in favore ayatollah Morteza Moghtadai et delegazione per un giorno tra 16 e 20 gennaio 2012. Atteso che udienze private vengono concesse a capi di Stato e di governo, si potrebbe prospettare «baciamano» al termine udienza generale mercoledì 18 gennaio. Inoltre, si ritiene opportuno che ayatollah chieda anche incontro previo con card. Tauran ed eventualmente con card. Grocholewski. V.E.R. vorrà farmi conoscere suo apprezzato parere in merito specificando «livello» effettivo ayatollah nella gerarchia religiosa-politica. Bertone.

La potente rete delle nunziature, delle missioni e della cooperazione è quindi uno degli strumenti più efficaci per l'evangelizzazione della Chiesa nel mondo. L'attenzione per ogni possibile problema segnalato indica quanto siano delicati i meccanismi dell'orologio mondiale cattolico. Tutti i denti delle rotelle devono incastrarsi a perfezione per far sì che la Chiesa continui come sta facendo da duemila anni e riesca a sopravvivere, come si ripete con ironia nei sacri palazzi, ai suoi stessi sacerdoti. Per diradare in anticipo qualsiasi nube scura con un'opera di prevenzione su ogni sussurro che possa degenerare.

---

[1] Alessandro Speciale, *I tre vescovi baschi e l'omelia congiunta per la sparizione definitiva dell'Eta*, Vaticaninsider.it, 28 febbraio 2012.

[2] Il dato certo risale al 2009, alla visita del presidente Barack Obama in Vaticano quando, stando ai dati diffusi nei cablogrammi dell'ambasciatore Usa presso il Vaticano diffusi da Wikileaks, la prima potenza mondiale contava su 188 ambasciate contro le allora 177 della Santa Sede.

[3] Gianni Cardinale, *Il mondo in udienza dal papa*, «Avvenire», 8 gennaio 2012. In particolare: «Mantiene osservatori permanenti presso le principali organizzazioni internazionali governative come, ad esempio, l'Onu nelle sedi di New York e Ginevra, il consiglio d'Europa a Strasburgo, la Fao a Roma, l'Unesco a Parigi, il Wto. Inoltre presso la Lega degli stati arabi e l'Organizzazione dell'unità africana. Dell'Ocse con sede a Vienna la Santa Sede è storico membro fondatore. Dallo scorso anno poi per la prima volta ha accreditato un nunzio presso l'Asean, l'Associazione delle nazioni del Sud Est asiatico».

[4] Come il portale Reginamundi.info.

[5] Intervista rilasciata all'autore, aprile 2012.

[6] Il cablo cifrato prosegue così: «Dopo un'ora di discussione, mons. Battikha ha chiesto di lasciare la nunziatura e ritirarsi a pregare, promettendo di ritornare a mezzogiorno per dare la sua risposta. Dopo una mezz'ora ha chiamato al telefono per chiederci se c'era una lettera per lui o se avevamo un mandato scritto del Santo Padre. Abbiamo subito capito che era dal suo avvocato. Ho troncato la conversazione insistendo che non si poteva discutere di queste cose al telefono e l'ho invitato a ritornare in nunziatura. Il secondo incontro è stato più duro e sofferto, anche da parte mia e di mons. Arbach. Abbiamo dato tutte le spiegazioni e le informazioni».

[7] Intervista rilasciata all'autore, aprile 2012.

[8] «Alle ore 14 ci siamo congedati. Mons. Battikha, un po' disarmato da una conversazione ferma ma molto serena e persuasiva da parte nostra, ci ha detto che quella di andare in Venezuela è una decisione molto importante per lui, anche perché dovrebbe lasciare la madre vecchia e malata, e deve pensarci bene. Ha promesso di dare una risposta appena possibile. Poiché Arbach lascerà il Libano solo venerdì 2 dicembre, gli ha chiesto di incontrarlo giovedì, 10 dicembre, per portare a Roma la sua risposta».

[9] Conclude Franco: «Da parte mia offro la piena disponibilità a venire a Roma ed incontrare i superiori per spiegare meglio le motivazioni del parere espresso, o per tornare a Beirut e incontrare di nuovo mons. Battikha, con nuove eventuali istruzioni».

[10] Intervista rilasciata all'autore, aprile 2012.

[11] Intervista rilasciata all'autore, marzo 2012.

[12] «Questo gli osservatori internazionali – prosegue Migliore – lo hanno notato. Tuttavia a livello diplomatico non tutto si risolve con la buona volontà di una sola parte. La nota del ministero è pubblica e finché gli altri ambasciatori in Polonia non vedranno che anche il ministero fa un gesto di distensione, si penserà che la questione rimane aperta. È in questo senso che ho suggerito una presenza, anche breve, del ministro al ricevimento per la festa del Papa, domani 29 giugno, in nunziatura.»

Le carte segrete di Benedetto XVI

Riportiamo qui alcuni dei principali documenti sui quali è basato questo libro.

pal

Riservata
A Monsignor Georg Gaenswein

Mi è stato detto che potevo inviarLe questa lettera; spero di non aver compreso male.
In ogni caso, ho il piacere di presentarLe i migliori auguri per l'anno appena iniziato.
Col più devoto ossequio,

Dino Boffo

(5 fogli, compreso questo)

Dino Boffo, ex direttore di «Avvenire», scrive al segretario particolare del papa, Georg Gänswein, per denunciare i responsabili del complotto nei suoi confronti, 6 gennaio 2010.

pa2

RISERVATISSIMA

Treviso, 6 gennaio 2010

Reverendissimo Monsignore,

Lei probabilmente saprà che cosa mi è capitato tra la fine del mese di agosto e oggi, ossia delle dimissioni dalla direzione di Avvenire e degli altri media Cei a cui sono stato costretto a causa di una campagna denigratoria, e della ritrattazione di queste stesse accuse da parte del suo principale propalatore, il dr. Vittorio Feltri, direttore de "Il Giornale". Ritrattazione avvenuta a tre mesi esatti dalle mie dimissioni, ossia il 4 dicembre 2009.

Ebbene, è da questa ritrattazione che devo prendere le mosse per argomentare le circostanze che sono all'origine della presente lettera. Quella ritrattazione infatti, benché non abbia raggiunto le punte di notorietà mediatica toccate dalle dimissioni, mi ha messo nelle condizioni di entrare in una certa confidenza con un mondo in precedenza a me sconosciuto. Nei contatti informali che precedettero la decisione del dr. Feltri di ritrattare, e culminati con la visita del mio avvocato al direttore del "Giornale" per fargli prendere visione di tutte le carte relative al caso da lui cavalcato, e specialmente nei contatti che da allora sono seguiti con esponenti vari di quel quotidiano, sono venuto a conoscenza di un fondamentale retroscena, e cioè che a trasmettere al dr. Feltri il documento falso sul mio conto è stato il direttore de "L'Osservatore Romano", professor Gian Maria Vian. Il quale non ha solo materialmente passato il testo della lettera anonima che agli inizi dello scorso mese di maggio era circolata negli ambienti dell'Università Cattolica e della Curia Romana, volta a ostacolare la mia riconferma nell'organo di controllo della stessa Università, ossia il Comitato Toniolo, ma ha dato ample assicurazioni che il fatto giudiziario da cui quel foglio prendeva le mosse riguardava una vicenda certa di omosessualità, che mi avrebbe visto protagonista essendo io – secondo quell'odioso pettegolezzo – un omosessuale noto in vari ambienti, a cominciare da quello ecclesiastico, dove avrei goduto di colpevoli coperture per svolgere indisturbato il delicato ruolo di direttore

1

pa3

responsabile di testate riconducibili alla Conferenza Episcopale Italiana.

Naturalmente non mi sfugge, Monsignore, l'enormità di questa rivelazione, né io che ho patito le conseguenze della calunnia potrei mai lasciarmi andare a qualcosa di analogo. Mi decido a parlare, e a parlare oggi in una sede alta e riservata, perché non posso infine tacere quello di cui sono venuto a conoscenza e che tocca così da vicino la missione della Santa Sede. Inutile che Le precisi come sia stato attento a non cadere a mia volta vittima di tranelli, e come abbia per settimane avuto difficoltà a credere a ciò che mi si rivelava.

D'altra parte, Monsignore — come tacerlo? — è questo inatteso tassello che rischia di apparire ragionevole di fronte a una serie di circostanze rimaste in qualche modo sospese. Si pensi ai dieci giorni in cui si è materialmente orchestrata la campagna diffamatoria del "Giornale", incurante di qualunque obiezione che nel frattempo gli veniva rivolta sia su "Avvenire" che su altri giornali, e incurante altresì delle pressioni che gli arrivavano per via informale e riservata da soggetti di per se stessi del tutto credibili e autorevoli. Ma quella versione gli era stata garantita — al dire di Feltri — "da un informatore attendibile, direi insospettabile", e quindi perché indietreggiare? Forse che non era possibile che la supposta immoralità del direttore di "Avvenire" fosse stata sconosciuta ai suoi Superiori? Oppure, altro scenario ancora più inquietante, che i suoi Superiori — pur sapendolo — l'avessero per convenienza coperto? Intanto Feltri, nel proprio delirio, aveva cura di lasciare qualche traccia, come quando (e lo fece fin dal primo giorno) parlò di "regolamento di conti interno alla Chiesa", oppure quando arrivò a insinuare che "la velina proveniva dalla Gendarmeria Vaticana".

E come non annotare, almeno tra di noi Monsignore, che l'intervista apparsa sul "Corriere della Sera" del 31 agosto e rilasciata dal professor Vian non a titolo personale ma nel suo ruolo di direttore de "L'Osservatore Romano", e nella quale ampiamente mi si criticava, finisce per apparire oggi come qualcosa di diverso da una iniziativa improvvida e vanesia? Impossibile non chiedersi, tra l'altro, perché non si sia trovato il modo di ridimensionare quell'intervista, se non anche di prendere le distanze da essa e da ciò che stava causando, nonostante una richiesta esplicita in tal senso avanzata dal

2

pa4

Presidente della Cei. Non credo, per essere con Lei schietto fino in fondo, che il cardinale Bertone fosse informato fin nei dettagli sull'azione condotta da Vian, ma quest'ultimo forse poteva far conto, come già in altri frangenti, di interpretare la *mens* del suo Superiore: allontanato Boffo dal quel ruolo, sarebbe venuto meno qualcuno che operava per la continuità tra la presidenza del cardinale Ruini e quella del cardinale Bagnasco. Un collegamento, quello tra l'iniziativa di Vian e il cardinale Bertone, che più di qualcuno potrebbe erroneamente aver supposto, se lo stesso portavoce dell'onorevole Berlusconi, Paolo Bonaiuti poteva rispondere *off the record* a qualche cronista accreditato a Palazzo Chigi: "Abbiamo fatto un favore a Bertone". Da qui probabilmente il disagio che all'inizio della vicenda il *premier* aveva lasciato trasparire, per prendere poi pubblicamente le distanze dalla campagna scandalistica, infine per impegnarsi con Feltri – questo è dato certo – perché ritrattasse e sanasse la ferita inferta a Boffo.

Vede, Monsignore, i giornalisti sono soggetti strani, a volte sparano notizie senza avere le pezze d'appoggio appropriate, altre volte raccolgono frammenti e li lasciano maturare nei loro taccuini, in attesa che gli eventi abbiano un loro sviluppo. Ebbene, mi è noto, essendo stato al riguardo interpellato da taluni colleghi, che qualcuno di loro è in possesso di singolari affermazioni che nei giorni della polemica Vian ha fatto nei riguardi, ad esempio, del "coraggio dimostrato da Feltri" con la sua denuncia, come sono a conoscenza della frase che nelle stesse ore a Feltri è sfuggita in redazione: "Ah, Vian, in questi giorni è meglio che non lo chiami direttamente ...". Così oggi negli ambienti vicini al "Giornale" c'è chi ironizza sul fatto che il direttore dell'"Osservatore Romano" si è consegnato mani e piedi ad uno spregiudicato come Feltri...

Al pari di altri, sono anch'io a conoscenza dell'indiscrezione pubblicata nel mese di ottobre da Sandro Magister sul suo blog, là dove si attribuisce esplicitamente a Vian la paternità di un certo articolo di difesa della campagna diffamatoria uscito sul "Giornale" stesso a firma (inventata) di Diana Alfieri. Le assicuro che la replica di Vian a tale indiscrezione è stata così contorta da suscitare, tra gli stessi addetti ai lavori, più dubbi di quelli che avrebbe dovuto placare. Eppure, fino a quel momento io pensavo che fossimo sul piano delle illazioni o dei sospetti. Oggi invece mi trovo nella

3

pa5

condizione di non potermi obiettivamente sottrarre a quanti attestano come sicuro il fatto che Vian è l'ispiratore della vicenda.

Se non c'è motivo di dubitare sulle spiegazioni ripetutamente accampate da Feltri per "giustificare" la propria campagna, ossia svergognare chi aveva osato obiettare su alcune scelte della vita privata di Berlusconi, nulla di documentato posso dire sulle motivazioni che hanno indotto il professor Vian ad agire nel senso qui rilevato. Ma a parte il fatto che nei suoi contatti con i giornalisti il personaggio è abituato fin troppo ad arrischiare, potrei dar credito alle riserve da Vian stesso avanzate circa il mio modo di concepire il ruolo dei media Cei, quello cioè di assicurare alla Chiesa italiana una voce pubblica orchestrata in modo tale da obbligare la politica a tenere conto delle posizioni della Chiesa stessa. Il caso della povera Eluana era stato al riguardo emblematico per i critici dell'"Avvenire" di allora. Per cui solo superando la direzione in carica si poteva sperare di attenuare il peso della Chiesa sulla politica, rendendola più flessibile e adeguata a nuovi futuri scenari. E proprio qui si profila quel dato di ingenuità che tutto sommato connota l'operare del direttore dell'"Osservatore". Ma questo non è discorso che propriamente mi riguarda.

Mi chiedo invece, e ora che si fa? Monsignore, Le assicuro che non muoverò un dito perché tale ricostruzione dei fatti sia risaputa: i superiori interessi della Chiesa restano per me la bussola che determina il mio agire. Ho perso, è vero, il mio lavoro, e un lavoro in cui credevo molto, ma non coltivo desideri di vendetta. È chiaro tuttavia che ciò che è accaduto non è più oggi un segreto al "Giornale", e quindi che i retroscena della vicenda possono uscire sulla stampa in qualunque momento, nonostante eventuali promesse. Non manca infatti chi è già all'opera per risalire, con i propri mezzi, alla verità dei fatti. Per questo, Monsignore, ritengo giusto informarLa su quello che ho appreso, e così in qualche modo allertarLa su uno scenario che potrebbe tra non molto presentarsi.

Ovvio che, per quanto qui scritto, io resti a disposizione.

Con ciò voglia, Monsignore, scusarmi per l'incomodo e considerarmi come Suo

dev.mo Dino Boffo

4

pal

Riservata
A Monsignor Georg Gaenswein

Busso per una seconda volta, e mi scuso. Conto di non disturbare oltre.
Col più devoto e grato ossequio,

(4 fogli, compreso questo)

La seconda lettera di Boffo al segretario del papa, 12 gennaio 2010.

pa2

Monsignore Reverendissimo,

desidero anzitutto e sinceramente ringraziarLa per la carità sacerdotale e per la franchezza che mi ha riservato nella telefonata di ieri, 11 gennaio 2010. Dio sa se mi dispiace di aver arrecato così tanto disturbo.

Vorrei, col Suo permesso Monsignore, aggiungere un particolare che ieri, sul momento, non mi è venuto alla mente. Parlavamo del pettegolezzo che, se ho ben capito, sarebbe circolato già in qualche Ufficio, e Le raccontai con confidenza l'unica traccia che mi poteva in qualche modo suggerire un collegamento, quella che passava per monsignor Angelo Pirovano. Ma poi, a telefonata conclusa, mi sono ricordato, e mi spiace di non essere stato subito pronto, che – poteva essere nel 2000 o 2001 – mi capitò di sentire che un certo monsignor Pio Pinto, che allora lavorava se non erro alla Sacra Rota, e col quale mi ero imbattuto nell'anno in cui occupai un appartamentino che mi era stato gentilmente offerto nelle soffitte del Palazzo di Propaganda Fide in Piazza di Spagna, aveva parlato non proprio bene di me. Egli, un tipo singolare e un po' visionario, aveva l'abitazione nello stesso palazzo, e ogni tanto incontrandoci ci si soffermava per fare due chiacchiere, con l'impegno che saremmo andati una sera o l'altra a cena insieme, ma la cosa a me non interessava più di tanto perché le chiacchiere curiali non sono mai state il mio forte. Dico un tipo singolare, perché non raramente questi lasciava di sera il portone di casa socchiuso e io, rientrando magari sul tardi, puntualmente prendevo dello spavento. Ebbene, ricordo che già non abitavo più lì quando un giorno mi si dice che quel sacerdote avanzava sospetti espliciti sul sottoscritto. Onestamente non mi turbai più di tanto, e ricordo di aver detto al mio divertito interlocutore che Pinto probabilmente aveva scambiato la visita serale di alcuni miei colleghi di Sat2000 – la tv allora agli inizi e per me era importante sfruttare le occasioni per conoscere quei ragazzi e ragazze – con chissà chi. Ma per me la cosa è finita lì, e devo dire che l'avevo quasi scordata.

1.

pa3

Tutto qui, Monsignore. Mi pareva importante completare l'informazione sulle uniche tracce che a me il pettegolezzo incredibilmente avanzato fa tornare alla mente.

Mi consenta tuttavia di osservare che ciò di cui Vian si è reso purtroppo responsabile si pone ad un altro livello. Questi si imbatte in un foglio anonimo, vistosamente contraffatto (in quale modulo della Repubblica italiana l'imputazione a carico di un cinquantenne viene fatta citando il nome e cognome dei suoi decrepiti genitori?), oltre che calunnioso (nelle carte di Terni non si fa mai parola né riferimento a qualsivoglia circostanza rapportabile ad omosessualità, come Feltri ha dovuto prendere atto), e che cosa fa? Lo prende e lo passa – lui direttore dell'Osservatore Romano – ad un collega noto per la spregiudicatezza, dando assicurazione di autenticità, con la prospettiva che si voglia imbastire una campagna pubblica (e strumentale) contro il direttore del quotidiano cattolico. Qual è il senso morale e il sentire ecclesiale di una tale operazione?

Monsignore, non Le posso nascondere che qualcosa della Sua cortesissima telefonata di ieri mi aveva in un primo momento lasciato come attonito. Ma Le assicuro, davanti a Dio, che sono sereno, e che non posso dubitare che il principio di realtà anche in questa circostanza si affermi. Le ripeto, se io fossi un omosessuale, tanto più un omosessuale impenitente, davvero i colleghi delle mie tre redazioni con i quali ho passato ore, giorni e anni, affrontando qualunque argomento e mettendo in pagina le posizioni della Chiesa su tutti gli argomenti sollecitati dall'attualità, non si sarebbero accorti che qualcosa non andava? Davvero avrei potuto conservare fino ad oggi la loro stima di credenti e di padri di famiglia? Inoltre, Monsignore, non essendo più un giovanetto, nella mia vita sono passato come tutti attraverso vari ambienti. Dai trenta ai quarant'anni sono stato animatore del settimanale diocesano di Treviso, e presidente di un'Azione cattolica molto vivace che faceva, per dire, una cinquantina di campi scuola ogni estate (Lei conosce Lorenzago, ecco quella era una delle sedi dei nostri campi): possibile che nessuno avesse trovato qualcosa su cui ridire? In precedenza, dai 22 ai 30 anni fui un giovanissimo "dirigente" (si fa per dire) del Centro nazionale dell'Azione Cattolica (allora in via della Conciliazione 1, presidente era il Professor Agnes), e con me crebbero decine e decine di altri giovani, sui quali poi Giovanni

2

pa4

Paolo II avrebbe fatto conto per lanciare le Gmg: anche allora, possibile che nessuno avesse trovato qualcosa da ridire? Infine, in questi ultimi nove anni a Roma ho abitato in un appartamentino ricavato da un appartamento «padronale» più vasto, e la proprietaria, madre zelante di due figli, quando il mese scorso l'ho salutata per fine locazione, per poco non si metteva a piangere. Possibile che con un'entrata dell'appartamento visibile dalla sua cucina, non abbia mai visto nulla?

Perdoni la tirata, ma è solo un piccolo sfogo che affido al Sacerdote sperimentato e saggio, confidando nella Sua benevolenza. In ogni caso, mi compatisca e mi abbia sinceramente come

Suo obbl.mo

Dino Boffo

3

pa2

Onè, 2. 9. 2010

Eminenza,
vorrei tanto che Lei mi avesse davanti e potesse avvertire tutta la mia desolazione.

Desolazione anzitutto di trovarmi nella necessità di importunarLa, sapendo quali sono gli affanni quotidiani cui deve far fronte. Dio sa quanto vorrei poter risolvere da solo queste mie grane.

E desolazione c'è in me per questa ripresa di attenzione sulla vicenda che mi ha e ci ha interessato. Accludo l'articolo di Marco Travaglio apparso nella prima pagina del "Fatto" di oggi. È il coronamento che mancava alla sottile giostra persecutoria di questi ultimi giorni.

Non so se ha presente chi è il giornalista Travaglio. Per capirci: è il più puntuto, incsorabile e documentato avversario di Berlusconi. Più ancora di Santoro. È il giornalista «nemico» per antonomasia. Lui avrà seguito la trasmissione televisiva dell'altro giorno, con Feltri che faceva i suoi numeri da circo, ha sentito che se tornasse indietro Feltri sarebbe più cauto, ha sentito le insinuazioni avanzate nei confronti dei vescovi, ha sentito Feltri ricordare che io non avrei fatto querela né penale né civile, e gli è scattata la mosca al naso. Com'è possibile che Boffo stia ancora zitto? Cosa nasconde o cosa lo preoccupa? I suoi vecchi padroni (lui ragiona così) perché l'hanno mollato? Non è che per caso è sceso a patti col suo torturatore, ha preso dei soldi per tacere e ora se ne sta alla larga? Per la gente come Travaglio è inspiegabile che, con quello che mi è stato fatto, io non abbia impugnato la bandiera e sia andato sulle barricate con loro. Lui, in sostanza, mi vorrebbe stanare naturalmente nell'ottica della sua causa.

Cosa faccio? Faccio un'intervista per dire la mia e dare ragguagli sulla mia situazione? Ancora ieri Ezio Mauro di "Repubblica" si è offerto di venire lui a casa mia e a farmela, come direttore, l'intervista. Ma lo stesso "Fatto" me l'ha chiesta, "il Foglio", "la Stampa", "il Resto del Carlino". Non avrei problemi cioè a poter parlare, ma io non sono ancora convinto che sia la strada migliore, perché andrei di fatto a rinfocolare le polemiche e comunque finirei per arrecare danno a qualcuno, tanto più che se parlo non è che possa sorvolare del tutto sulla parte svolta da Bertone-Vian. Potrei andare leggero, potrei dire esplicitamente che non mi va di coinvolgere la Chiesa, ma anche solo una frase così lascerebbe intendere qualcosa. D'altra parte, se parlo posso negare completamente quella che a tutt'oggi risulta essere la realtà dei fatti? Sarebbe prudente ed evangelico negare, o è più prudente ed evangelico starmene zitto? Questo è il punto. Tra l'altro, io non ho nessuna remora oggi come oggi a far togliere la riservatezza al fascicolo del tribunale, ma certo andrei – pur senza volerlo – a scatenare l'attenzione dei media sulle due famiglie, alle quali io – ben inteso – non debbo nulla, ma che mi è sempre apparso più prudente tenere alla larga giacché non le conosco al punto da potermi fidare delle loro reazioni. E comunque, sarebbe una via che probabilmente solleva me (la reazione di chi oggi legge quel fascicolo è: tutto qui?), ma non chiuderebbe la vicenda in un freezer, e ri-ecciterebbe probabilmente il bailamme. Ecco perché finora, nonostante tutto, e nonostante le mille provocazioni di Feltri, ho preferito starmene zitto.

Lui però (stupidissimo) non è stato a sua volta zitto perché sente di nuovo addosso la scadenza (prevista a fine mese) dell'Ordine nazionale dei Giornalisti che dovrebbe confermare o meno la sentenza già emessa dall'Ordine regionale della Lombardia. Chiaro che lui i sei mesi di sospensione dalla firma del giornale – questa la pena già inflittagli, e ora da confermare – non li vuole, tanto più dopo la battaglia recentemente fatta su Fini. Lui non vuol trovarsi sconfessato. E pensa così, parlando come sta parlando e agitandosi come si sta agitando, di attenuare le proprie responsabilità circa il mio caso, senza invece rendersi conto che accresce il proprio danno, e infatti i suoi stessi avvocati in tal senso si sono espressi proprio ieri che col mio avvocato, dicendosi disperati perché non ascolta nessuno e agisce di impulso).

1

Dino Boffo scrive al cardinale Angelo Bagnasco, presidente della Conferenza episcopale italiana, 2 settembre 2010.

pa3

Eminenza, glielo chiedo in ginocchio, se questo può aiutarLa a intuire lo spirito con cui oso parlarLe: non crede che la Chiesa dovrebbe dare o fare un qualche segno che, dal suo punto di vista, mi riabiliti agli occhi del mondo? E si possa in tal modo sperare di far scendere la febbre…Non le nascondo infatti l'idea che mi sono fatto, e che si sono fatti anche altri di cui mi fido, ossia che a colpire la categoria dei miei colleghi giornalisti oggi non siano tanto le uscite pazze di Feltri o del suo dirimpettaio Travaglio, tutti li sanno misurare, ma il silenzio della Chiesa, che loro interpretano come un fatto sospetto. Dimenticano che Lei ha parlato, e come. Che Lei ha fatto fare una dichiarazione anche dopo il 4 dicembre, quando ci fu la ritrattazione di Feltri. Purtroppo poi c'è stata la rivelazione del coinvolgimento superiore, e ha riportato in auge in taluno i sospetti. Certo, se potessi dire che la Cei mi sta comunque aiutando, sarebbe una cosa diversa e griderebbe, a chi vuol sapere, che non sono proprio abbandonato a me stesso, che la Cei a suo modo mi è solidale, che sono semplicemente a casa, ad aspettare che il procedimento abbia termine, ma non mi sento un reietto agli occhi del mio ex Editore… Le chiedo in punta di piedi: facciamo uscire questa cosa (dell'articolo 2, per grazia della Cei) così che circoli e raffreddi un po' il clima? Ci sono contro-indicazioni? Forse sì… O pensa, Eminenza – e qui mi faccio davvero tremolante – che si possa risolvere, la faccenda del segnale da dare, in altro modo? D'altro canto, se io oggi do la notizia che accetto la proposta di lavoro che mi proviene dalla Stampa, forse che non ci sarà in questo clima qualcuno che obietterà che me ne vado dal mio ambiente perché, perché, perché.

Non voglio metterLa in angustie, non voglio nulla, Eminenza. Vorrei solo sparire, ma sparire non posso, e allora sono qui a parlarGliene ancora una volta con il cuore in mano, analizzando passo passo con Lei questa faccenda, che non vuol finire (ma forse – ed è l'ultima spiegazione che riesco a darmi – l'imbroglio che ci sta sotto è troppo grande perché sia frantumato e assorbito anonimamente nelle pieghe della storia, che pur ha una bocca buona…).

Non parole per scusarmi con Lei, che è persona e Vescovo a cui voglio molto bene, e che mi displace non sa quanto disturbare in questo modo.

Suo dev.mo

Dino Boffo

2

Arcivescovo tit. di Ulpiana
Segretario Generale del Governatorato

Beatissimo Padre,

Mi vedo purtroppo costretto a ricorrere a Vostra Santità per un'incomprensibile e grave situazione che tocca il governo del Governatorato e la mia persona.

L'Em.mo Card. Lajolo, che mi conforta con la sua stima e fiducia, nella sua grande bontà d'animo, non priva però di un qualche irenismo, non pare percepirne la gravità e mi invita a continuare con serenità nel mio lavoro.

Un mio trasferimento dal Governatorato in questo momento provocherebbe profondo smarrimento e scoramento in quanti hanno creduto fosse possibile risanare tante situazioni di corruzione e prevaricazione da tempo radicate nella gestione delle diverse Direzioni.

Gli Em.mi Cardinali Velasio De Paolis, Paolo Sardi e Angelo Comastri conoscono bene la situazione e potrebbero informarne Vostra Santità con piena conoscenza e rettitudine.

Pongo nelle mani di Vostra Santità questa mia lettera che ho indirizzato all'Em.mo Cardinale Segretario di Stato, perché ne disponga secondo il Suo augusto volere, avendo come mio unico desiderio il bene della Santa Chiesa di Cristo.

Con sinceri sentimenti di profonda venerazione,

di Vostra Santità

devotissimo figlio

+ Carlo Maria Viganò

Monsignor Carlo Maria Viganò, segretario generale del governatorato, scrive a Benedetto XVI denunciando gravi irregolarità nella gestione finanziaria della Santa Sede, 27 marzo 2011.

27. XI. 2010

Monsignore Reverendissimo,
come vede la Sua fiducia è ben riposta. Rocky la merita tutta, perché è molto bravo. Purtroppo, però, la situazione dell'ANSA non consente accelerazioni. Bisogna aver pazienza e aspettare. Ma sarà una attesa utile

e operosa. E, se sarà possibile, cercheremo anche di abbreviare i tempi. Lo farò volentieri e con impegno. E mi saluti Rocky e il Maresciallo. A Lei un pensiero grato con un saluto devoto e - se mi consente - riverente.

Gianni Letta

Gianni Letta, sottosegretario alla presidenza del Consiglio, scrive al segretario particolare del papa commentando l'esito di una raccomandazione avanzata dal Vaticano, 27 novembre 2010.

Dr. Bruno Vespa

PERVENUTO IL
23 DIC. 2011

Roma, 21 dicembre 2011

Monsignore Georg Ganswein
Segretario di Sua Santità
Città del Vaticano

Caro Monsignor Georg,

anche quest'anno , mi permetto di farLe avere a nome della mia famiglia una piccola somma a disposizione della Carità del Papa.

Auguro a Sua Santità e a Lei, caro Don Giorgio, di trascorrere un sereno Natale e un nuovo anno di proficua missione

Mi creda, il suo

Allegato assegno NT Unicredit Banca di Roma n. 3581597098-01 di euro 10000/00

P.S. Quando possiamo avere un incontro per salutare il Santo Padre? Grazie.

VISTO DAL SANTO PADRE
24 DIC. 2011

Lettera di donazione di Bruno Vespa per le opere di carità del Santo Padre, con richiesta di udienza privata, 21 dicembre 2011.

assegno € 25.000.-

INTESA SANPAOLO

Il Presidente del Consiglio di Sorveglianza

PERVENUTO IL 22 DIC. 2011

Milano, dicembre 2011

Sua Eccellenza Reverendissima
Mons. Georg Ganswein
Segr. Santo Padre
ROMA

tramite il
Dott. Colombo

Eccellenza Reverendissima,

nella ricorrenza del Santo Natale sono lieto di inviarLe, qui unito, a nome di Intesa Sanpaolo un contributo per le Sue opere di carità.

Mi è gradito porgerLe, in questa occasione, i più fervidi auguri, insieme al mio deferente saluto.

Giovanni Bazoli

MILANO, 18/11/2011
INTESA SANPAOLO
Intesa Sanpaolo S.p.A. pagherà a vista per questo assegno circolare
n. 3303621234-04
euro**25.000,00**
EURO**VENTICINQUEMILA/00**********************************
NON TRASFERIBILE
ALL'ORDINE DI: S.E. MONS. GEORG GANSWEIN-SEGRETARIO SANTO PADRE
ABI 3069-2
CAB 20091-5
Codice ISO: Italia (IT)
Intesa Sanpaolo S.p.A.
vale fino a euro 100.000
#3303621234# 306920091# 999999999#

Intesa Sanpaolo S.p.A. Via Monte di Pietà, 8 20121 Milano

Lettera di donazione di Giovanni Bazoli, presidente del Consiglio di sorveglianza di Intesa Sanpaolo, per le opere di carità del Santo Padre, 22 dicembre 2011.

SEGRETERIA PARTICOLARE
DI SUA SANTITÀ

9 dicembre 2011

Egregio Signore
Dott. Paolo Cipriani
Direttore Generale dell'Istituto
per le Opere di Religione
Città del Vaticano

Caro Direttore,

La prego di trasferire la somma di **EURO 25.000,-** **(venticinquemila)** dal conto della "Fondazione Joseph Ratzinger – Benedetto XVI" al seguente indirizzo: "Joseph Ratzinger Papst Benedikt XVI.-Stiftung", München; Hauck & Aufhäuser:
IBAN: DE75502209000007382005;
BIC: HAUKDEFF

Scopo: a) Borse di studio per 2 studentesse africane (20.000,- Euro) e b) aiuto per una Sig.ra dall'Iran (5.000,- Euro).

Ringraziando per la Sua cortese disponibilità, La saluto cordialmente

d. Georg Gänswein

Mons. Georg Gänswein
Segretario particolare di Sua Santità Benedetto XVI

Ordine di bonifico al direttore dello Ior Paolo Cipriani per trasferimento di una somma di denaro dalla Fondazione Joseph Ratzinger, 9 dicembre 2011.

RISERVATO E CONFIDENZIALE

SINTESI DEL PROBLEMA ICI (Memoria per SER il Card.Tarcisio Bertone , suggeritami riservatamente dal Ministro del Tesoro)

Su denuncia del mondo radicale (2005)la Comunità Europea viene spinta a contestare l'esenzione ICI sugli immobili della Chiesa non utilizzati per fini religiosi ,pertanto quelli "commerciali" , cioè scuole, collegi, ospedali, ecc.(esclusi quelli che ricadono sotto il Trattato dei patti Lateranensi) .

Nel 2010 la CE avvia una procedura contro lo stato italiano per "aiuti di stato"non accettabili alla Chiesa Cattolica.

Detta procedura evidenzia oggi una posizione di rischio di condanna per l'Italia e una conseguente imposizione di recupero delle imposte non pagate dal 2005. Dette imposte deve pagarle lo stato italiano che si rifarà sulla Cei (si suppone), ma non è chiaro con chi per Enti e Congregazioni .

Poichè la Commissione Europea non sembra disponibile a cambiare posizione , ci sono tre strade percorribili :

- **abolire le agevolazioni ICI (Tremonti non lo farà mai)**
- **difendere la normativa passata limitandosi a fare veriche sulle reali attività commerciali e calcolare il valore "dell'aiuto di stato" dato. (non è sostenibile)**
- **modificare la vecchia norma che viene contestata dalla CE (art.7 comma bis DL 203 , 2005, che si applicava ad attività che avessero "esclusivamente" natura commerciale).Detta modifica deve produrre una nuova norma che definisca una CATEGORIA per gli edifici religiosi e crei un CRITERIO di classificazione e definizione della natura commerciale (secondo superficie , tempo utilizzo e ricavo). Si paga pertanto ICI al di sopra di un determinato livello di superficie usata, di tempi di utilizzo, di ricavo. In funzione cioè di parametri accettati che dichiarano che un edificio religioso è commerciale o no.**
- **A questo punto la Cei (e chi altri?) accetta la nuova procedura .Detta accettazione fa decadere le richieste pregresse (dal 2005 al 2011) e la Comunità Europea (Almunia) deve accettarle .**

Il tempo disponibile per interloquire è molto limitato . Il responsabile Cei che finora si è occupato della procedura è mons. RIVELLA . Ci viene suggerito di incoraggiarlo ad accelerare un tavolo di discussione conclusiva dopo aver chiarito la volontà dei vertici della santa Sede. L'interlocutore all'interno del Ministero Finanze è Enrico Martino (nipote del card. Martino)
Io posso suggerire come interloquire con il Commissario Almunia affinchè ci possa lasciare un pò di tempo (fino a fine novembre)e non acceleri la conclusione della procedura

(Ettore Gotti Tedeschi – 30settembre 2011)

Rapporto del presidente dello Ior Ettore Gotti Tedeschi al cardinale Tarcisio Bertone, a proposito dell'intervento della Comunità europea contro l'esenzione Ici sugli immobili della Chiesa, 30 settembre 2011.

CIFRATO SPEDITO

Da:	Ufficio Cifra
A:	Madrid
Cifr. N.	204
Data Cifrazione:	10/01/2011

Faccio riferimento al Cifrato N. 263, del 3/01/2011, ed al successivo e-mail di ieri, 4 gennaio 2011, circa la possibilità di un incontro nella sede di codesta Rappresentanza Pontificia con qualche esponente dell'organizzazione terroristica armata ETA, al fine di una dichiarazione, da parte di questa, di una tregua unilaterale, permanente e verificabile internazionalmente.

Considerando anche quanto riferisce S.E. Mons. Mons. José Ignacio Munilla, Vescovo di San Sebastián, si concorda con VE circa l'inopportunità di accettare detto incontro. E altresì utile tener presente che il Vice-Presidente e Ministro dell'Interno di codesto Governo, On. Rubalcaba, ha affermato di recente che la suddetta organizzazione non deve dichiarare nessuna tregua, ma solo sciogliersi.

Inoltre, VE è pregata di prendere contatto con l'On. Jaime Mayor Oreja, al fine di sentire il suo parere sulla situazione attuale dell'ETA e sui suoi veri obiettivi. La conversazione con il Parlamentare sarà utile perché, in futuro, codesta Nunziatura Apostolica potrebbe ricevere proposte analoghe a quella in parola, nonostante il presente diniego. Se ciò dovesse avvenire, VE è pregata di continuare a riferire a questa Segreteria di Stato e, in ogni caso, prima di prendere qualsiasi decisione, dovrebbe ottenere il benestare del Governo e dell'opposizione; per giunta bisognerebbe porre alla menzionata organizzazione, come pre-condizioni, la deposizione delle armi e la richiesta di perdono per tutti i crimini commessi durante vari decenni di lotta terroristica armata.

Bertone

Tarcisio Bertone, segretario di Stato vaticano, scrive alla rappresentanza pontificia a Madrid precisando la posizione della Santa Sede sull'Eta (organizzazione terroristica basca), 10 gennaio 2011.

19. 10. 2011

SEGRETERIA PARTICOLARE
DI SUA SANTITÀ

Incontro: 8.00-9.30
bei mir

Incontro con D. Rafaele Moreno, seg. privato di M.M.
· war 18 Jahre Privatsekretär von M.M.; von diesem mißbraucht worden
· hat belastendes Material vernichtet
· hat JP II schon 2003 benachrichtigen wollen, dieser hat nicht zugehört; nicht geglaubt
· wollte Card. Sodano informieren, dieser hat keine Audienz gewährt
· Card. De Paolis hat zu wenig Zeit gehabt

Appunto di padre Georg Gänswein relativo a un incontro con don Rafaele Moreno, assistente del fondatore dei Legionari di Cristo Marcial Maciel, riconosciuto colpevole di abusi sessuali su minori, 19 ottobre 2011.

Alla cortese attenzione di Mons. Gänswein

ANGELUS
18 DICEMBRE 2011

Si allega:
1. Il **testo dell'Angelus** al quale sono state apportate le modifiche volute dal Sommo Pontefice;
2. la **prima pagina del Dopo Angelus** che sostituisce la precedente: si è solo inserito, nel pensiero alle Filippine, la menzione dei numerosi dispersi (per favore verifichi che la prima pagina sia uguale alla precedente, finisca, cioè, con il saluto in francese).

Per quanto riguarda la menzione del caso Orlandi, dopo aver sentito Padre Lombardi, e nuovamente Mons. Ballestrero, si è giunti alla conclusione che non è opportuno un cenno al caso. Il fratello della Orlandi sostiene fortemente che ai vari livelli vaticani ci sia omertà sulla questione e si nasconda qualcosa. Il fatto che il Papa anche solo nomini il caso può dare un appoggio all'ipotesti, quasi mostrando che il Papa "non ci vede chiaro" su come è stata gestita la questione.
Semmai, si vedrà come andranno le cose s poi si potrà scrivere al Sig. Orlandi una Lettera a firma del Sostituto in cui si esprima la vicinanza del Papa, ma si precisi anche che non vi sono nuovi elementi a conoscenza delle nostre Autorità (sarà eventualmente da studiare molto bene). Il Cardinale è stato informato ed era d'accordo.

Gloder
17/12/11

B 14

VISTO DAL SANTO PADRE
17 DIC. 2011

Appunto sul caso Emanuela Orlandi allegato al testo dell'Angelus del 18 dicembre 2011.

A Sua Santità

devotamente
+D. Mamberti

Incontro con il Presidente della Repubblica italiana
Giorgio Napolitano
(19 gennaio 2009)

1. Il Presidente Napolitano
Giorgio Napolitano è nato a Napoli il 29 giugno 1925. Nel 1947 si è laureato all'Università di Napoli in giurisprudenza con una tesi di economia politica sul mancato sviluppo del Mezzogiorno. Ha conosciuto Clio Maria Bittoni (nata nel 1935) all'Università di Napoli, dove anch'ella si laureò in giurisprudenza. Si sono sposati con rito civile nel 1959. I coniugi Napolitano hanno due figli, Giulio e Giovanni.
Il Presidente Napolitano si è iscritto nel 1945 al Partito Comunista Italiano (PCI), facendone parte fino alla sua trasformazione nel Partito dei Democratici della Sinistra (DS), al quale ha poi aderito. Dopo aver ricoperto incarichi a livello regionale, nel 1956 è diventato dirigente del PCI a livello nazionale.
È stato eletto alla Camera dei deputati per la prima volta nel 1953 e ne ha fatto parte – tranne che nella IV legislatura - fino al 1996. Il 3 giugno 1992 è stato eletto Presidente della stessa Camera dei deputati, restando in carica fino all'aprile del 1994. Dal 1989 al 1992 e nuovamente dal 1999 al 2004 è stato membro del Parlamento europeo. Nella XIII legislatura è stato Ministro dell'Interno e per il coordinamento della protezione civile nel Governo Prodi, dal maggio 1996 all'ottobre 1998. Il 23 settembre 2005 è stato nominato senatore a vita dal Presidente della Repubblica Carlo Azeglio Ciampi. Il 10 maggio 2006 è stato eletto Presidente della Repubblica ed ha prestato giuramento il 15 maggio 2006.
Ha compiuto una visita ufficiale in Vaticano il 20 novembre 2006. Il 24 aprile 2008 ha offerto a Sua Santità un concerto in onore del terzo anniversario di Pontificato. Il 4 ottobre 2008 Sua Santità si è recato in visita al Quirinale.

2. Alcuni temi di interesse per la Santa Sede e la Chiesa in Italia
a) Famiglia. Occorre dare piena attuazione al *favor familiae* sancito dall'art. 29 della Costituzione, anche per contrastare il sempre più preoccupante calo demografico. In quest'ottica, potrebbero risultare utili: un sistema di tassazione del reddito delle famiglie che tenga conto, accanto all'ammontare del reddito percepito, anche del numero dei componenti della famiglia e quindi delle spese per il mantenimento dei familiari; la previsione di aiuti a sostegno della natalità che non siano solo *una tantum*; l'adozione di misure volte a incentivare la realizzazione di servizi per la prima infanzia.
Allo stesso tempo si devono evitare equiparazioni legislative o amministrative fra le famiglie fondate sul matrimonio e altri tipi di unione. Due esponenti del Governo (Brunetta e Rotondi) hanno purtroppo fatto annunci in tal senso.
b) Temi eticamente sensibili. Riguardo all'ipotesi di un intervento legislativo in materia di cure di fine vita e di dichiarazioni anticipate di trattamento, si avverte anzitutto l'esigenza di una chiara riaffermazione del diritto alla vita, che è diritto fondamentale di ogni persona umana, indisponibile e inalienabile. Conseguentemente, si deve escludere qualsiasi

Filipazzi
19.1.2009

Documento riservato scritto in vista di una cena privata in Vaticano tra Benedetto XVI e i coniugi Napolitano, con vari indirizzi che la Santa Sede suggerisce al governo italiano, 19 gennaio 2009.

forma di eutanasia, attiva e omissiva, diretta o indiretta, e ogni assolutizzazione del consenso. Occorre evitare sia l'accanimento terapeutico sia l'abbandono terapeutico.

c) Parità scolastica. Il problema attende sempre una soluzione, pena la scomparsa di molte scuole paritarie, con aggravi sensibili per lo stesso bilancio dello Stato. Occorre trovare un accordo sulle modalità dell'intervento finanziario, anche al fine di superare recenti interventi giurisprudenziali che mettono in dubbio la legittimità dell'attuale situazione.

e) Situazione generale socio-economica. Essa registra un senso di insicurezza, attualmente aggravato del contesto economico globale. Nel suo discorso di fine d'anno il Presidente Napoletano ha ampiamente affrontato il tema di come l'Italia debba e possa affrontare l'attuale crisi. Permangono timori di fronte al fenomeno dell'immigrazione di persone provenienti da Paesi poveri; sul tema dell'accoglienza di questi immigrati si soffermò particolarmente il Presidente Napoletano nel suo discorso in occasione della visita del Santo Padre al Quirinale.

3. Alcuni temi di politica estera

Possono essere individuati nei seguenti:

a) l'attuale situazione nella Striscia di Gaza con le attuali speranze aperte dalla tregua e le prospettive di una soluzione definitiva. Tutto ciò avrà un peso nella decisione circa il pellegrinaggio apostolico del Santo Padre in Terra Santa;
b) l'attenzione al Continente africano, che verrà visitato dal Santo Padre nel marzo prossimo e che sarà al centro di un'assemblea del Sinodo dei Vescovi. Il tema può interessare l'Italia che assume quest'anno la presidenza del G8. Si ricorda che sono tuttora in mano ai loro sequestratori due suore italiane rapite in Kenya, dove nei giorni scorsi è stato assassinato un missionario.

4. Per alcuni chiarimenti

a) Chiesa cattolica e leggi razziali.

Il Presidente Napoletano aveva fatto conoscere il suo rammarico per la critica de "L'Osservatore Romano" al discorso del Presidente Fini circa le leggi razziali imposte dal fascismo, al quale non si sarebbe opposta neppure la Chiesa.

Il giudizio espresso dal Presidente Fini, oltre a non tenere conto della situazione di non libertà allora vigente, ha dimenticato le prese di posizioni di Pio XI contro tali provvedimenti, condannandoli sia in via di principio sia anche per il "vulnus" al Concordato del 1929. Non mancarono anche voci di autorevoli Pastori italiani, come il Card. Schuster di Milano, che riaffermarono la condanna dell'antisemitismo. E' spiaciuta questa "chiamata a correità" della Chiesa, fondata su giudizi storici non ben articolati.

b) Legge sulle fonti del diritto dello Stato della Città del Vaticano.

Si è creata una forte polemica mediatica attorno a tale norma, che sostituisce quella emanata nel 1929. La polemica, forse causata da qualche spiegazione infelice del provvedimento e dalla solita sommarietà dei mezzi di comunicazione nell'esporre le questioni, non ha ragioni di essere. Non è anzitutto toccato nessun patto fra la Santa Sede e l'Italia, trattandosi di un atto sovrano vaticano. Inoltre, né nel 1929 né ora vi è un recepimento automatico e e totale della legislazione italiana; oggi come nel 1929 la legislazione italiana costituisce una fonte di norme suppletive per l'ordinamento dello Stato della Città del Vaticano.

RISERVATA

Città del Vaticano, 10 dicembre 2009

GOVERNATORATO

DIREZIONE DEI SERVIZI DI SICUREZZA
E PROTEZIONE CIVILE

CORPO DELLA GENDARMERIA

Prot. n. 120 /Ris.

Appunto per l'Ecc.mo Mons. Sostituto della Segreteria di Stato

Verso le ore 22.45 di ieri personale di questo Corpo della Gendarmeria, uscendo dal ristorante *"Da Arturo"* in via Aurelia Antica n. 411 – al termine di una cena con alcuni funzionari dell'*Interpol* convenuti in Vaticano per una visita istituzionale – notava che l'autovettura *Volkswagen Passat* targata SCV 00953, che avevano utilizzato in questi giorni per i vari spostamenti, era stata danneggiata con alcuni colpi d'arma da fuoco.

La vettura presentava infatti il lunotto posteriore completamente sfondato, e tre piccole ammaccature provocate da altrettanti colpi di pistola sul montante destro. A terra, vicino alla macchina, sono stati rinvenuti i quattro bossoli (calibro 22) ma nessuna traccia delle pallottole.

D'intesa con l'Eccellenza Vostra Rev.ma, è stato inviato sul posto altro personale del Corpo e nel contempo è stata richiesta la presenza dei Carabinieri del Nucleo Operativo per le relative indagini.

Da precisare che la vettura era stata parcheggiata di fronte al ristorante, a ridosso dell'inferriata delimitante l'area *"Mediaset"* – spazio comunemente usato dai frequentatori del locale – ma non intralciava il transito dei pedoni, e proprio davanti all'autovettura, a pochi metri, era stata parcheggiata un'altra macchina della Gendarmeria, anche questa utilizzata per la circostanza, passata del tutto inosservata.

Sono state sentite alcune persone ma nessuno è stato in grado di fornire elementi utili alle indagini; solo un inserviente del ristorante, senza specificare l'orario, ha sentito alcuni spari, ma non ha dato peso al fatto pensando che fossero petardi.

Dall'analisi delle immagini registrate dalla telecamera installata all'ingresso del ristorante, non è stato raccolto alcun indizio, in quanto l'impianto è puntato sul muro perimetrale dell'edificio e non sulla strada.

RISERVATA

Relazione del capo della gendarmeria vaticana Domenico Giani sul caso di un'auto di servizio targata Stato Città del Vaticano (SCV) trovata crivellata di colpi d'arma da fuoco nel parcheggio di un ristorante a Roma, 10 dicembre 2009.

RISERVATA

Subito dopo i necessari rilievi, la vettura è stata portata presso la stazione "*Bravetta*" dei Carabinieri, poco distante, e alle ore 12.30 di oggi, dopo ulteriori accertamenti balistici, non essendo stata sottoposta a sequestro, personale della Gendarmeria ha ripreso in consegna l'autovettura.

Dalla dinamica del fatto, emerge l'ipotesi che a compiere l'atto vandalico sia stato uno squilibrato, che transitando occasionalmente su via Aurelia Antica, notando un'autovettura con targa vaticana, abbia voluto compiere un gesto dimostrativo e intimidatorio, spinto quasi sicuramente da risentimenti di carattere personale.

A conferma che con tutta probabilità si è trattato di un folle, il fatto che, stando a quanto affermato dagli esperti balistici, l'autore del gesto ha rischiato molto per la sua incolumità a sparare sull'autovettura così da vicino, nonostante il modesto calibro delle pallottole.

Si trasmette in allegato la relativa documentazione fotografica.

Mi valgo volentieri della circostanza per rinnovarLe i miei sentimenti di sincero affetto, confermandomi

dell'Eccellenza Vostra Reverendissima
dev.mo
IL DIRETTORE

RISERVATA

PERVENUTO IL
0 3 MAR. 2011

Eccellenza Reverendissima,

rispondo alla Sua richiesta permettendomi di offrirLe in tutta franchezza e confidenza, ben consapevole della responsabilità che mi assumo di fronte a Dio e al Santo Padre, alcune considerazioni sullo stato della Chiesa ambrosiana.

1) Il primo dato di rilievo è la crisi profonda della fede del popolo di Dio, in particolare di quella tradizione ambrosiana caratterizzata sempre da una profonda unità tra fede e vita e dall'annuncio di Cristo "tutto per noi" (S. Ambrogio) come presenza e risposta ragionevole al dramma dell'esistenza umana. Negli ultimi trent'anni abbiamo assistito a una rottura di questa tradizione, accettando di diritto e promuovendo di fatto la frattura caratteristica della modernità tra sapere e credere, a scapito della organicità dell'esperienza cristiana, ridotta a intimismo e moralismo.

2) Perdura la grave crisi delle vocazioni, affrontata in modo quasi esclusivamente organizzativo. La nascita delle unità pastorali ha prodotto tanto sconcerto e sofferenza in vasta parte del clero e grave disorientamento nei fedeli, che mal si raccapezzano di fronte alla pluralità di figure sacerdotali di riferimento.

3) Il disorientamento nei fedeli è aggravato dalla introduzione del nuovo Lezionario, guidato da criteri alquanto discutibili e astrusi, che di fatto rende molto difficile un cammino educativo coerente della Liturgia, contribuendo a spezzare l'irrinunciabile unità tra liturgia e fede ("lex orandi, lex credendi"). E già si parla della riforma del Messale, uno dei beni più preziosi della Liturgia ambrosiana...

4) L'insegnamento teologico per i futuri chierici e per i laici, sia pur con lodevoli eccezioni, si discosta in molti punti dalla Tradizione e dal Magistero, soprattutto nelle scienze bibliche e nella teologia sistematica. Viene spesso teorizzata una sorta di "magistero alternativo" a Roma e al Santo Padre, che rischia di diventare ormai una caratteristica consolidata della "ambrosianità" contemporanea.

5) La presenza dei movimenti è tollerata, ma essi vengono sempre considerati più come un problema che come una risorsa. Prevale ancora una lettura sociologica, stile anni '70, come fossero una "chiesa parallela", nonostante i loro membri forniscano, per fare solo un esempio, centinaia e centinaia di catechisti, sostituendosi in molte parrocchie alle forze esauste dell'Azione Cattolica. Molte volte le numerose opere educative, sociali, caritative che nascono per responsabilità dei laici vengono guardate con sospetto e bollate come

B xv

VISTO DAL SANTO PADRE
0 3 MAR. 2011

Lettera di Julián Carrón, presidente della Fraternità di Comunione e liberazione, a monsignor Giuseppe Bertello, nunzio apostolico in Italia, recapitata e vistata da Benedetto XVI, 3 marzo 2011.

"affarismo", anche se non mancano iniziali valorizzazioni di quelli che sono nuovi tentativi di realizzazione pratica dei principi di solidarietà e di sussidiarietà e che si inseriscono nella secolare tradizione di operosità del cattolicesimo ambrosiano.

6) Dal punto di vista della presenza civile della Chiesa non si può non rilevare una certa unilateralità di interventi sulla giustizia sociale, a scapito di altri temi fondamentali della Dottrina sociale, e un certo sottile ma sistematico "neocollateralismo", soprattutto della Curia, verso una sola parte politica (il centrosinistra) trascurando, se non avversando, i tentativi di cattolici impegnati in politica, anche con altissime responsabilità nel governo locale, in altri schieramenti. Questa unilateralità di fatto, anche se ben dissimulata dietro a una teorica (e in sé doverosa) "apoliticità", finisce per rendere poco incisivo il contributo educativo della Chiesa al bene comune, all'unità del popolo e alla convivenza pacifica, fatto ancora più grave in una città, in una Regione (la Lombardia) e in una parte d'Italia (il Nord) in cui più forti sono le spinte isolazioniste e ormai drammatici e quotidiani i conflitti tra poteri dello Stato.

7) Per quanto riguarda la presenza nel mondo della cultura, così importante per una città come Milano, va rilevato che un malinteso senso del dialogo spesso si risolve in una autoriduzione della originalità del cristianesimo, o sconfina in posizioni relativistiche o problematicistiche che, senza rappresentare un reale contributo di novità nel dibattito pubblico, finiscono col deprimere un confronto reale con altre concezioni e confermare una sostanziale irrilevanza di giudizio della Chiesa rispetto alla mentalità dominante.
Né va trascurata la peculiarità della presenza a Milano dell'Università Cattolica che, nonostante il prodigarsi ammirevole dell'attuale Rettore e dell'Assistente Ecclesiastico, attraversa una crisi di identità così grave da fare temere in tempi brevi un sostanziale e irreversibile distacco dalla impostazione originale. Nel rispetto delle prerogative della Santa Sede e della Conferenza Episcopale, non appare irrilevante il contributo che un nuovo Presule, per la sua preparazione e sensibilità, potrebbe offrire a favore di una più precisa linea culturale e educativa dell'Ateneo di tutti i cattolici italiani.

Mi permetto infine di rilevare, per tutte queste ragioni, pur sommariamente delineate, l'esigenza e l'urgenza di una scelta di discontinuità significativa rispetto alla impostazione degli ultimi trent'anni, considerato il peso e l'influenza che l'Arcidiocesi di Milano ha in tutta la Lombardia, in Italia e nel mondo.

Attendiamo un Pastore che sappia rinsaldare i legami con Roma e con Pietro, annunciare con coraggio e fascino esistenziale la gioia di essere cristiani, essere Pastore di tutto il gregge e non di una parte soltanto. Occorre una personalità con profondità spirituale, ferma e cristallina fede, grande prudenza e carità, e con una preparazione culturale in grado di dialogare efficacemente con la varietà delle componenti ecclesiali e civili, fermo sull'essenziale e coraggioso e aperto di fronte alle numerose sfide della postmodernità.

Per la gravità della situazione non mi sembra che si possa puntare su di una personalità di secondo piano o su di un cosiddetto "outsider", che inevitabilmente finirebbe, per inesperienza, soffocato nei meccanismi consolidati della Curia locale. Occorre una personalità di grande profilo di fede, di esperienza umana e di governo, in grado di inaugurare realmente e decisamente un nuovo corso.

Per queste ragioni l'unica candidatura che mi sento in coscienza di presentare all'attenzione del Santo Padre è quella dell'attuale Patriarca di Venezia, Card. Angelo SCOLA.

2

Tengo a precisare che con questa indicazione non intendo privilegiare il legame di amicizia e la vicinanza del Patriarca al movimento di Comunione e Liberazione, ma sottolineare il profilo di una personalità di grande prestigio e esperienza che, in situazioni di governo assai delicate, ha mostrato fermezza e chiarezza di fede, energia nell'azione pastorale, grande apertura alla società civile e soprattutto uno sguardo veramente paterno e valorizzatore di tutte le componenti e di tutte le esperienze ecclesiali. Inoltre l'età relativamente avanzata (70 anni nel 2011) del Patriarca rappresenta nella situazione attuale non un "handicap", ma un vantaggio: potrà agire per alcuni anni con grande libertà, aprendo così nuove strade che altri proseguiranno.

Colgo l'occasione per salutarLa con profonda stima.

don Julián Carrón
Presidente

Julián Carrón

Sua Ecc.za Rev.ma
Mons. Giuseppe Bertello
Nunzio Apostolico in Italia
Via Po 27-29
00198 Roma

3

RISERVATA - PERSONALE

Dal Vaticano, 24 marzo 2011

N. 194.135

Signor Cardinale,

circa otto anni or sono Ella, accogliendo con encomiabile zelo e generosa disponibilità la richiesta che Le veniva fatta, accettò per un biennio la nomina a Presidente dell'Istituto Giuseppe Toniolo di Studi Superiori.

Occorreva infatti provvedere alla nomina di un successore al Sen. Emilio Colombo, il quale, a seguito della modifica statutaria concordata con la Segreteria di Stato, aveva lasciato la carica di Presidente. In tale circostanza, sempre su indicazione della Segreteria di Stato, egli stesso aveva proposto al Comitato Permanente la nomina di Vostra Eminenza.

Come Ella sa, secondo una prassi risalente alle fasi iniziali dell'Istituto, è la Segreteria di Stato ad indicare il nome di colui che deve svolgere il ruolo di Presidente del Toniolo, dal momento che l'Istituto "non è una qualsiasi Fondazione privata, ma un'emanazione della Chiesa", come ebbe a sottolineare il 27 ottobre del 1962 l'allora Card. Giovanni Battista Montini.

Di fatto, l'impegno di Vostra Eminenza a servizio dell'Istituto Toniolo si è protratto ben oltre il tempo originariamente previsto, e questo ovviamente a prezzo di ben immaginabili sacrifici. In considerazione di ciò, il Santo Padre mi ha dato incarico di ringraziare Vostra Eminenza per la dedizione profusa anche in tale compito a servizio di una Istituzione assai importante per la Chiesa e per la società in Italia.

Ora, essendo scaduti alcuni Membri del Comitato Permanente, il Santo Padre intende procedere ad un rinnovamento, in connessione col quale Vostra Eminenza è sollevata da questo oneroso incarico.

A Sua Eminenza Reverendissima
il Signor Card. Dionigi TETTAMANZI
Arcivescovo di Milano
Presidente dell'Istituto Toniolo
Palazzo Arcivescovile - Piazza Fontana, 2
20122 - MILANO

./.

Tarcisio Bertone scrive a Dionigi Tettamanzi, arcivescovo di Milano, per informarlo della volontà del Santo Padre di sollevarlo dall'incarico di presidente dell'istituto Toniolo, ente fondatore dell'Università Cattolica di Milano, 24 marzo 2011.

Adempiendo pertanto a tale Superiore intenzione, sono a chiederLe di fissare l'adunanza del Comitato Permanente entro il giorno 10 del prossimo mese di aprile. In tale circostanza Vostra Eminenza vorrà notificare ai Membri di quell'Organo le Sue dimissioni dal Comitato stesso e dalla Presidenza dell'Istituto. Contestualmente indicherà il Prof. Giovanni Maria Flick, previa cooptazione nel Comitato Permanente, quale Suo successore alla Presidenza.

Il Santo Padre dispone inoltre, che fino all'insediamento del nuovo Presidente, non si proceda all'adozione di alcun provvedimento o decisione riguardanti nomine o incarichi o attività gestionali dell'Istituto Toniolo.

Sarà poi compito del Prof. Flick proporre la cooptazione dei Membri mancanti nell'Istituto Toniolo, indicando in particolare il prossimo Arcivescovo *pro tempore* di Milano ed un Prelato suggerito dalla Santa Sede.

In previsione dell'avvicendamento indicato, questa Segreteria di Stato ha già informato il Prof. Flick, ottenendone il consenso. Non c'è bisogno che mi soffermi ad illustrare le caratteristiche etiche e professionali che raccomandano questa illustre Personalità, ex allievo dell'Università Cattolica del Sacro Cuore, oggi nelle migliori condizioni per assumere la nuova responsabilità in quanto libero da altri incarichi.

Profitto volentieri dell'occasione per trasmettere a Lei, Eminenza, ed agli altri illustri Membri dell'Istituto il benedicente saluto di Sua Santità. Unisco anche l'espressione dei miei personali deferenti ossequi e mi confermo

di Vostra Eminenza Reverendissima
dev.mo nel Signore

+Tarcisio Card. Bertone

✠ Tarcisio Card. Bertone
Segretario di Stato

Nota sintetica su temi economici interessanti la Santa Sede
Rieservata per Mons. Georg Ganswein
Da parte di Ettore Gotti Tedeschi Giugno 2011

Premessa

La crisi economica in corso (non solo non ancora conclusa , bensì ancora all'inzio)e le conseguenze dello squilibrato processo di globalizzazione che ha forzato la delocalizzazione accelerata di molte attività produttive , ha trasformato il mondo in due aree economiche :

- **Paesi occidentali (Usa ed Europa) consumatori e sempre meno produttori**
- **Paesi orientali (Asia e India) produttori e non ancora equilibratamente consumatori**

Questo processo ha conseguentemente creato un conflitto fra le tre funzioni economiche dell'uomo occidentale : quella di lavoratore e produttore di reddito,quella di consumatore di beni per lui più convenienti, quella di risparmiatore e investitore dove ha maggiori prospettive di guadagno .

Il paradosso che si evince è che l'uomo occidentale produce ancora reddito lavorando in imprese domestiche, ma sempre meno competitive e perciò a rischio di instabilità. Compra i beni più competitivi ,prodotti altrove. Investe in imprese non domestiche, in paesi dove l'economia cresce perchè si produce.In pratica rafforza imprese che creano occupazione altrove e persino competono con quella dove lui lavora. Finchè detto uomo resta senza lavoro, non può consumare più e tantomeno risparmiare.

Questo conflitto , non gestito, sta provocando una crisi strutturale nell'economia del mondo occidentale ex ricco . Ma questo mondo occidentale è anche quello le cui radici sono cristiane (Europa e Usa) , che è evangelizzato e ha finora sostenuto la Chiesa con le sue risorse economiche . In pratica ,grazie al processo di delocalizzazione , la ricchezza si sta trasferendo dall'occidente cristiano all'oriente da cristianizzare.

In specifico ,in occidente, ciò comporta :

- **minor sviluppo economico (o persino negativo) minori redditi, minori risparmi , minori rendimenti dagli investimenti locali, maggiori costi per sostenere l'invecchiamento della popolazione, ecc.**
- **Maggior conseguente ruolo dello stato in economia, maggiore spesa pubblica e maggiori costi . Esigenza di maggiori tasse, minori privilegi ed esenzioni fiscali, maggiori rischi.**

Conseguenza conclusiva è che le risorse che tradizionalmente hanno contribuito alle necessità della Chiesa (donazioni , rendite, ...)potranno diminuire , mentre dovrebbero crescere i fabbisogni necessari per l'evangelizzazione . In più il "laicismo" potrebbe profittarne per creare una seconda "questione romana" di aggressione ai beni della Chiesa (attraverso tasse, cessazione privilegi, esasperazione controlli, ecc.) .

Considerazioni di massima.

Ritengo sia il momento di prestare la massima attenzione al problema economico nel suo insieme e di affrontarlo nella sua realtà (come sto facendo con SER il Segretario di Stato). Ciò definendo una vera e propria "reazione strategica" e costituendo un Organo centrale specificamente dedicato al tema economico (una specie di Ministero dell'economia) orientato a valorizzare le attività economiche già disponibili , a svilupparne di nuove e a razionalizzare costi e ricavi. Tutto ciò sia presso gli Enti centrali della Santa Sede, che presso le Istituzioni (

Nota di Ettore Gotti Tedeschi al segretario particolare del papa su alcuni temi economici rilevanti per la Santa Sede, giugno 2011.

Enti e Congregazioni) destinate ad attività economiche , che presso le Nunziature e Diocesi. Ovviamente con criteri differenti :

- **a livello di Enti centrali della Santa Sede vanno definiti gli obiettivi e le strategie di valorizzazione risorse per i maggiori Enti (quali IOR, Apsa, Propaganda Fide, Governatorato) .I pratica al fine di stabilire come valorizzare i beni, crescere i ricavi, ridurre i costi e minimizzare i rischi.**
- **A livello di Enti e Congregazioni vanno dati indirizzi e supporti per difendere le loro attività economiche e proteggere i loro patrimoni . (anche creando appositi fondi immobiliari per es.)**
- **A livello di Nunziature e Diocesi vanno solamente proposte attività di formazione , assistenza e consulenza.**

E' auspicabile che questa "emergenza" possa esser sensibilizzata a vari livelli . Potrebbe esser opportuno perciò pensare di creare una Commissione (in staff al Segretario di Stato) che raggruppi i massimi responsabili degli Enti centrali della Santa Sede, nonchè rappresentanti degli altri (Enti , Congregazioni, Nunziature , Diocesi) , al fine di stabilire le azioni necessarie.

Sintesi riassuntiva

- ***a seguito del processo di globalizzazione e crisi economica, il mondo che deve essere ancora cristianizzato è quello che sta diventando "ricco" e quello già cristianizzato ,che era ricco, sta diventando povero. Con conseguenze anche sulle risorse economiche per la Chiesa.***
- ***La "questione romana" del XXI secolo non sarà nell'esproprio dei beni della Chiesa ,ma nella perdita di valore degli stessi, nei minori contributi per impoverimento del mondo cristiano, nella fine dei privilegi e nelle maggiori tasse prevedibili sui beni della Chiesa.***
- ***Il problema dell'uomo dei paesi ex ricchi può diventare più grave di quello dei paesi poveri perchè si è rotto l'equilibrio nelle sue tre dimensioni economiche (produttore,consumatore,risparmiatore-investitore).***

Memoria sintetica riservata a mons. Georg Ganswein

QUALE REATO CI E' CONTESTATO

Il reato contestato all'Istituto per cui il Presidente e Direttore sono indagati (e i fondi sequestrati) è di omissione degli obblighi di fornire informazioni sul beneficiario e causale della operazione di trasferimento di 23mio€ dal conto Ior sul Credito Artigiano al conto Ior di J.P.Morgan –Francoforte (6 settembre). Detta omissione è aggravata dal fatto che l'Istituto ,secondo l'Inquirente, non potesse neppure dare questo ordine di trasferimento fondi perchè non ancora concluse le condizioni scritte di accordo tra l'Istituto e il CreditoArtigiano. Secondo l'Inquirente detto ordine di trasferimento , e la mancanza delle informazioni , lascia presupporre occultamento di fondi e riciclaggio.

COSA E' SUCCESSO

L'ordine di trasferimento(firmato dal Direttore e Vice) da conto Ior a conto Ior , riguardava una operazione di tesoreria per un investimento in bund tedeschi. Il direttore ha spiegato all'Inquirente che l'ordine è stato dato informando che si trattava di trasferimento fondi ,nella certezza che non fossero necessarie ulteriori informazioni sul destinatario visto che il Credito Artigiano lavora con l'Istituto da 20anni e dovrebbe conoscere come sono stati costituiti i fondi presso di lei. E' stato anche ritenuto di confermare l'ordine di trasferimento (nonostante il mancato accordo scritto) essendo questo ritardo imputabile (anche) allo stesso Credito Artigiano (su cui giacevano inutilizzati 28mio€). Su 7 banche con cui l'Istituto lavora in Italia , con ben 5 banche detti accordi erano stati già definiti, lo conferma il fatto che lo stesso giorno (6settmbre) 20mio€ furono trasferiti dal conto Ior sul D.B. al conto Ior J.P.Morgan-Francoforte. Va notata anche la sorprendente rapidità (inusuale secondo gli esperti) degli avvenimenti : Il Credito Artigiano segnala l'operazione (con autorizzazione del Presidente del gruppo bancario che è anche Consigliere dell'Istituto) all'UIF (banca d'Italia) .Questa dopo 5 giorni informa la Procura di Roma e la notizia va alla stampa prima che noi fossimo informati o richiesti di dare spiegazioni.

QUALE REAZIONE IMMEDIATA

Il Presidente e Direttore chiedono , spontaneamente, di essere interrogati dagli Inquirenti per chiarire i fatti e comportamenti che apparivano semplici da spiegare e trasparenti , solo frutto di equivoci nella interpretazione delle norme (e magari di incomprensioni nei rapporti tra i reponsabili operativi).Il Presidente spiega agli inquirenti il processo in corso di adeguamento alle norme internazionali che l'Istituto ha intrapreso, proprio per risolvere definitivamente gli equivoci inquisiti. In sede processuale l'Inquirente non da alcuna indicazione a proposito di ipotesi di reato di riciclaggio che non furono contestate ,nè nell'interrogatori,nè negli atti .Dette informazioni sono state lette sui giornali (Corriere della Sera)°. Dopo l'interrogatorio,l'avvocato dell'Istituto decide di ricorrere al Tribunale del Riesame per avere i fondi disponibili. Detto ricorso sembra aver infastidito l'Inquirente che (sempre via stampa) cerca di dimostrare con fatti pregressi (2009) che esistevano altre operazioni che confermavano la non trasparenza dell'Istituto.

° Il comportamento del Corriere è stato curioso considerata l'enfasi data, in prima pagina ,alle notizie il giovedì 21 per modificarle il giorno dopo venerdi 22,ma a pag.11.Detto comportamento curioso rende lecito qualche sospetto sul ruolo di un azionista del Corriere.

Il presidente dello Ior Ettore Gotti Tedeschi scrive al segretario particolare del papa in merito all'inchiesta che lo vede coinvolto insieme al direttore dell'Istituto Opere di Religione.

STRATEGIE IN CORSO

- **Strategia difensiva :** E' stata modificata la strategia difensiva originale , caratterizzata da un forte pregiudizio nei confronti dell'Inquirente, cooptando nel Collegio dei difensori (a fianco del prof.Scordamaglia) il prof.Paola Severino , con l'intento di cercare subito un dialogo con l'Inquirente per chiarire , evidentemente, meglio o diversamente i comportamenti, e cercare in tal modo di produrre una nuova istanza di sblocco dei fondi e archiviazione delle indagini. Se ciò non fosse realizzabile si deve ricorrere , con ipotesi adeguate, in Cassazione . Il ricorso in Cassazione presenta rischi da non sottovalutare (il rinvio a giudizio) , il termine massimo per ricorrere è il 4 novembre. Il 28 ottobre i nostri avvocati incontreranno gli Inquirenti .
- **Strategia di comunicazione:** Fino ad oggi è stata adottata una strategia difensiva e di comunicazione di "*volontà di cose da fare*". Ora sembra necessaria adottare una strategia di comunicazione più attiva di "*cose già fatte*" (per esempio :- La lettera inviata al Gafi e la risposta incoraggiante di conferma ricevuta dal Presidente del Gafi.-La costituzione della Commissione di attuazione del programma per adempiere alle condizioni richieste e la nomina del Presidente della Autorità interna di vigilanza (card.Nicora)- ecc.
- **Strategia di relazione con gli Enti e Congregazioni :** Le vicende in corso potrebbero turbare e confondere gli Enti e Congregazioni . A fare questo stanno pensando anche alcune banche (...)che competono con il nostro Istituto sui "clienti Enti religiosi" . E' necessario proteggere la reputazione dell'Istituto non solo in sede giudiziale. In tal senso stiamo provvedendo a discussioni con tutti gli economi degli Enti e abbiamo già organizzato un convegno il 3 novembre(Alla Sala delle Benedizioni) rivolto a 1200 responsabili economici di Enti religiosi , dove discuterò di fatti e prospettive economiche con il Ministro Tremonti e il segretario generale Iberamericano Iglesias .Con la presenza del Card.Bertone che introdurrà i lavori.
- **Strategia di anticipazione di possibili problemi futuri :** Ho cominciato a discutere con il Ministro Tremonti le soluzioni di un prossimo problema che potrebbe preoccuparci e riguarda i problemi fiscali . Potrebbe esser utile pensare ad un trattato sulla tassazione .
- **Conclusioni:** credo sia necessario ora accelerare ogni procedura per entrare nella white list . Credo sia necessario incoraggiare ogni persona coinvolta perchè consideri prioritario detto impegno. (sono naturalmente pronto e disponibile a spiegare ogni ragione e dettaglio di questa esigenza)

Memo riservato e confidenziale .
Progetto San Raffaele – Aggiornamento al 15novembre 2011.

Vorrei evidenziare una nuova ,e ancor più complessa preoccupazione, riferita all'immagine della Santa Sede , conseguente alla evoluzione del progetto SanRaffaele.

Il problema che mi preoccupa è riferito al **"sospetto" di potenziale disimpegno** nell'azionariato del SanRaffaele da parte della Santa Sede. Detto sospetto si sta materializzando presso più parti coinvolte indirettamente nel progetto. L'ipotesi di disimpegno sta suscitando perplessità e preoccupazione presso dette parti coinvolte nel progetto (medici, docenti, banche) che stanno iniziando a chiedere spiegazioni (per ora riservatamente e informalmente) .La preoccupazione più evidente sta nel fatto che la Santa Sede stia (per questioni"morali"o altro) **permettendo, o facilitando, al socio privato di assumere una posizione di controllo** . Detto sospetto potrebbe esser stato alimentato da vari fatti .Ipotizzo che possano essere fatti conseguenti alle dimissioni dei due consiglieri della Fondazione (prof.Clementi e Pini) nonchè da visite, e discussioni, fatte da un rappresentante della SantaSede (Profiti) e dal socio privato(Malacalza) a più interlocutori , tra cui l'ArciVescovo di Milano e l'amministratore delegato di banca Intesa , Passera .

La mia percezione (ex conversazioni con i due primari e con l'amministratore delegato di banca Intesa) è che il **disimpegno della Santa Sede risulterà sgradito** . Mi preoccupa anche il fatto che non sia stata data attenzione a questa percezione,che sia stata sottovalutata o non sia stata condivisa .

Il nostro rischio è di apparire come chi ha coperto temporaneamente il progetto privato , illudendo gli organi della procedura e tutte le parti che a trattare fosse di fatto la Santa Sede, in primis, e creando in tal modo **aspettative strategiche** e operative per il futuro del SanRaffaele ben diverse dalla realtà successiva possibile.

Credo sia indispensabile riflettere sulla posizione ufficiale da mantenere con opportuna **trasparenza** . Credo non possano esser sottovalutati i rischi di immagine conseguenti ad un disimpegno lasciato gestire a terzi (...), e non deciso e controllato direttamente ,che potrebbe esser considerato pericolosamente, **mancanza di trasparenza .**

Il presidente dello Ior Ettore Gotti Tedeschi scrive una Memoria riservata e confidenziale sul progetto San Raffaele e il possibile ingresso della Santa Sede nell'azionariato, 15 novembre 2011.

FONDAZIONE VATICANA
"JOSEPH RATZINGER – BENEDETTO XVI"

CONTO ECONOMICO

	2012	30/11/11	31/12/10
Ricavi e proventi tipici	€ 1.500.000	€ 1.267.463	€ 85.893
Costi - Premio 2011 Fondazione Vaticana Joseph Ratzinger Benedetto XVI	€ (270.000)	€ (239.304)	€ -
Costi - Convegno Bydgoszczy Polonia	€ (100.000)	€ (90.428)	€ -
Costi - Sovvenzione Fondazione Joseph Ratzinger Papst Benedikt Stiftung	€ (30.000)	€ -	€ (290.009)
Costi operativi	€ (170.000)	€ (152.454)	€ -
Ammortamenti	€ (5.000)	€ (1.708)	€ -
Saldo gestione ordinaria	€ 925.000	€ 783.569	€ (204.116)
Proventi netti gestione finanziaria	€ 108.000	€ 100.883	€ 240.475
AVANZO DI ESERCIZIO	€ 1.033.000	€ 884.452	€ 36.359

* NOTA: la situazione al 31.12.10 non è riferita al solo 2010, bensì a tutta l'attività della fondazione a far data dall'apertura del conto 39887 avvenuta il 10.10.2007

Documento di bilancio della Fondazione Joseph Ratzinger.

CIFRATO RICEVUTO

Pagina 1/2

Da: Quito
A: Uff. Cifra
Cifr. N. 81
Data Cifrazione: 17/12/2010 Data Decifrazione: 17/12/2010

Con riferimento Cifr. N. 79 del 6 dicembre corrente, mi reco a dovere di riferire V.Em.R., circa le ultime notizie, riguardanti l'omicidio del Rev.do P. Miroslaw Karczewski, OFM Conv., religioso polacco, trovato morto (con la gola tagliata), il 6 c.m., presso la Casa parrocchiale, Parrocchia di San Antonio de Padua, in Santo Domingo de los Tsachilas.

L'Ecc.mo Mons. Wilson Abraham Moncayo Jalil, Vescovo della Diocesi di Santo Domingo in Ecuador, ha chiamato la sera del 15 dicembre scorso, ore 21.00, informandomi di essere stato visitato da alcuni agenti di polizia - incaricati di risolvere l'omicidio del Religioso - i quali lo hanno edotto circa i primi esiti dell'investigazione in corso. Appena terminato l'incontro, il Vescovo ha chiamato la Nunziatura.

A detta di Mons. Moncayo, che riferisce le dichiarazioni fattegli dalla polizia in base alle prove raccolte sulla scena del crimine, i primi risultati dell'indagine concordano nell'affermazione "casi segura" del "carácter pasional" dell'omicidio, escludendo così l'ipotesi dell'assalto o del furto.

Nella sua conversazione telefonica, il Vescovo ha tenuto a precisare i seguenti dati:

- *la vittima* conosceva i suoi uccisori; si ipotizza che fossero tre, perché il Religioso, prima dell'accaduto, ha chiesto alla domestica in servizio preso la casa parrocchiale di preparare tre stanze per i suoi ospiti;
- *sul luogo di crimine* sono stati trovati quattro bicchieri ed una bottiglia di un non meglio precisato superalcolico;
- *le prove*, secondo la relazione della polizia, rivelano che i soggetti avevano iniziato a consumare la bevanda alcolica, approssimamene, fin dalle ore 14.00 del giorno del crimine;
- *dalla scena del omicidio* si inferisce che il Religioso ed i suoi "ospiti" avrebbero avuto delle relazioni sessuali, dato che, sul luogo del delitto, si sono rintracciate macchie di sperma (Mons. Moncayo mi ha riferito che la polizia gli ha mostrato le foto relative a questo particolare);
- *il cellulare* del Religioso è in possesso della polizia, la quale, esaminando le chiamate, cerca di rintracciare i presunti assassini (dalle parole del Presule, si conferma anche la scomparsa la laptop della vittima);
- secondo quanto mi è stato riferito da Mons. Moncayo, pare che la polizia abbia individuato *la pista giusta per giungere ai colpevoli*;
- il Vescovo mi ha detto che la polizia ha ricevuto un *ordine "desde lo alto"* al fine di giungere alla soluzione di questo caso criminale (il Presule, mentre parlava, non nascondeva la sua preoccupazione per lo scandalo che si potrebbe creare appena le informazioni giungeranno a conoscenza dei *media*, soprattutto di quelli dedicati alla cronaca nera. Inoltre, mi ha commentato che in occasione del funerale di Religioso,

Documento riservato dell'ufficio cifra del Vaticano sul caso dell'omicidio di un sacerdote in Ecuador, 17 dicembre 2010.

egli, nell'omelia, ebbe ad accennare addirittura alla buona fama di cui il sacerdote generalmente godeva - infatti, la vittima era conosciuto come un buon parroco, vicino ai giovani, alle famiglie ed ai poveri, organizzando nella parrocchia numerose attività dirette a togliere i giovani dai pericoli della strada). Mi ha detto anche che gli agenti di polizia gli hanno garantito la segretezza circa lo svolgimento delle indagini. A tale proposito, ho chiesto al Presule di mantenere la confidenzialità e di vigilare sui prossimi sviluppi della vicenda;

- Mons. Moncayo mi ha avvisato che avrebbe informato la *Comunità dei PP. Francescani Conventuali polacchi* sui primi risultati dell'indagine.

Infine, alla mia richiesta di mettere per iscritto le informazioni raccolte concernenti all'accaduto (in via riservatissima), Mons. Moncayo mi ha risposto testualmente "*no voy a escribir nada*". Tuttavia, sempre su mia insistenza, mi ha assicurato che, appena riceverà qualche referto ufficiale da parte della polizia, non tarderà a inviarlo a codesta Nunziatura. L'ho anche invitato a venire in Nunziatura per chiarire personalmente, però, mi ha risposto che ha molto da fare, si sente molto male e non ha tempo disponibile.

Non mancherò di comunicare a V.Em.R. gli ulteriori eventuali sviluppi.

Rahinia, Inc. d'Aff. a.i.

CURIA GENERALIZIA DELLA COMPAGNIA DI GESÙ

Santo Padre,

Ho avuto il piacere e il privilegio di incontrare e conversare con Mr. Huber & Mrs. Aldegonde Brenninkmeijer, antichi e grandi benefattori della Chiesa e della Compagnia di Gesù.

Una delle cose che più mi colpiscono quando parlo con loro è il loro sincero e profondo amore per la Chiesa e per il Santo Padre, come pure il loro impegno nel fare qualcosa per venire incontro a quella che essi ritengono essere una grave crisi all'interno della Chiesa.

Mi hanno chiesto di garantire loro che questa lettera, scritta con il cuore, giunga nelle mani di Vostra Santità, senza intermediari. Per questo ho domandato al p. Lombardi di fungere da messaggero. Chiedo umilmente perdono se questo non fosse il modo appropriato.

Devo dire che condivido le preoccupazioni di Mr. & Mrs. Brenninkmeijer e che sono molto edificato dal fatto che questi fedeli laici prendano così sul serio la responsabilità di fare qualcosa per la Chiesa. Mi sento anche molto animato nel vedere e ascoltare da loro degli atteggiamenti e degli orientamenti interamente in armonia con le indicazioni che abbiamo ricevuto dal nostro Fondatore Sant'Ignazio nelle sue Regole per "sentire cum Ecclesia".

Come Lei sa, la Compagnia di Gesù continua a essere totalmente al suo servizio e a servizio della Chiesa.

Nella comunione del Signore Gesù,

Adolfo Nicolás, S.J.

VISTO DAL SANTO PADRE
14 NOV. 2011

Borgo Santo Spirito, 4 - 00193 Roma (Italia) | tel. (+39) 06 689 771 - fax (+39) 06 68 68 214 | curgen@sjcuria.org - www.sjweb.info

Adolfo Nicolás, il «papa nero» dei gesuiti, scrive al Santo Padre, 12 novembre 2011.

Vaticano, 19 ottobre 2011

GOVERNATORATO

DIREZIONE DEI SERVIZI DI SICUREZZA
E PROTEZIONE CIVILE

CORPO DELLA GENDARMERIA

Reverendissimo Monsignore,

vengo a disturbarLa, per chiederLe di valutare la possibilità che le sottoelencate personalità, che negli ultimi tempi si sono rivolte allo scrivente, possano essere ricevute dalla Signoria Vostra Illustrissima e Reverendissima, nelle modalità e nei tempi che riterrà più opportuni, in merito agli argomenti che vengo succintamente ad elencare:

- ***Prefetto Salvatore Festa***: vorrebbe conferire per argomentazioni di carattere personale e per nuovi incarichi legati al suo Ufficio.
- ***Gen. C. A. Corrado Borruso***: già Vice Comandante Generale dell'Arma dei Carabinieri e attualmente Consigliere della Corte dei Conti, vorrebbe incontrarLa per ringraziarLa al termine del servizio prestato come Ufficiale Superiore dell'Arma.
- ***Casa automobilistica Renault***: vorrebbe incontrarLa, possibilmente nei giorni 7 oppure 8 novembre p.v., per definire alcuni aspetti legati alla donazione di un veicolo elettrico con avanzati sistemi tecnologici da donare al Santo Padre e da utilizzarsi nella residenza estiva di Castel Gandolfo.
- ***Dr. Andreas Kleinkauf e Dr. Rubenbauer - Casa automobilistica Mercedes***: vorrebbero incontrarLa, possibilmente nei giorni dal 24 al 26 ottobre p.v., per definire alcuni aspetti legati alle migliorie tecniche da apportare alla nuova papamobile. Trattasi di un incontro urgente.
- ***Dr. Giuseppe Tartaglione - Casa automobilistica Volkswagen***: vorrebbe incontrarLa per definire alcuni aspetti legati alla donazione di una nuova autovettura PHAETON elaborata secondo le necessità del Santo Padre.

Da parte mia Le comunico che il giorno 24 ottobre, presumibilmente fino alle 17.00 circa, sarò a Perugia per il successivo incontro del Santo Padre.

Dal 29 ottobre al 3 novembre, sarò invece ad Hanoi (Vietnam) per l' annuale Assemblea Generale di Interpol.

Profitto della circostanza per inviarLe i sentimenti del più devoto, grato ed affettuoso ossequio,

IL DIRETTORE

Rev.mo Mons. **Georg Gänswein**
Segretario Particolare di Sua Santità
Appartamento Privato

Domenico Giani, capo della gendarmeria vaticana, chiede udienza al segretario particolare del papa per una serie di personalità ed elenca le ragioni della richiesta, 19 ottobre 2011.

Ringraziamenti

Grazie a chi ha permesso l'accesso ai preziosi documenti. E quindi alle fonti che vivono o lavorano in Vaticano. Hanno rischiato lavoro, affetti, vita pur di affidarmi i loro piccoli e grandi segreti: grazie.

Su tutti, grazie a «Maria» per il coraggio, la determinazione e la contagiosa serenità del giusto. Grazie anche a monsignor Renato Dardozzi, ai suoi esecutori testamentari: se il suo immenso archivio non fosse divenuto pubblico con *Vaticano S.p.A.*, mai avrei avuto occasione di percorrere questa nuova avventura.

Grazie a Massimo Prizzon per il cuore grande nelle fotografie, grazie a Daniela Bernabò per il coraggio quando faceva freddo. Da lassù entrambi ci sorridono. Grazie a chi mi ha aiutato a capire come Gian Gaetano Bellavia, Giacomo Galeazzi, la cui generosità è impagabile, Francesco Messina, Paolo Rodari.

Grazie a Martina Maltagliati e Alessandro Chiappetta per le ricerche. Grazie a chi, ufficiali della Guardia di Finanza, dei Carabinieri e dei Servizi di sicurezza, magistrati, cardinali e monsignori, diplomatici, sherpa delle istituzioni, hanno fornito formidabili contributi senza poter essere indicati con i loro nomi e cognomi per comprensibili motivi. Ad alcuni di loro, persone perbene e coraggiose, la mia amicizia.

Grazie a mia mamma per le pazienti traduzioni, a mia suocera per le vettovaglie, a mio suocero per la scrivania. Grazie a chi mi sopporta e soprattutto grazie all'energia libera dei miei figli, alla mia Valentina. Senza tutti voi questo libro non sarebbe stato possibile.

Grazie.

Indice dei nomi

I numeri in corsivo si riferiscono ai nomi citati in nota.
I nomi dei personaggi citati negli archivi sono riportati così come compaiono nei documenti originali: talvolta incompleti e imprecisi nella grafia o nella definizione degli incarichi.

Nella stessa collana

Paolo Biondani, Mario Gerevini, Vittorio Malagutti
CAPITALISMO DI RAPINA

Gianni Barbacetto, Peter Gomez, Marco Travaglio
MANI SPORCHE

Sandro Orlando
LA REPUBBLICA DEL RICATTO

Ferdinando Imposimato, Sandro Provvisionato
DOVEVA MORIRE

Peter Gomez, Marco Travaglio
SE LI CONOSCI LI EVITI

Salvatore Giannella
VOGLIA DI CAMBIARE

Marco Preve, Ferruccio Sansa
IL PARTITO DEL CEMENTO

Raffaele Oriani, Riccardo Staglianò
I CINESI NON MUOIONO MAI

Peter Gomez, Marco Lillo, Marco Travaglio
IL BAVAGLIO

Gianni Dragoni, Giorgio Meletti
LA PAGA DEI PADRONI

Stefano Lepri
LA FINANZIARIA SIAMO NOI

Davide Carlucci, Antonio Castaldo
UN PAESE DI BARONI

Giuseppe Lo Bianco, Sandra Rizza
PROFONDO NERO

Concetto Vecchio
GIOVANI E BELLI

Stefania Limiti
L'ANELLO DELLA REPUBBLICA

Gianluigi Nuzzi
VATICANO SPA

Peter Gomez, Marco Lillo, Marco Travaglio
PAPI, UNO SCANDALO POLITICO

Peter Gomez, Antonella Mascali
IL REGALO DI BERLUSCONI

Claudio Gatti
FUORI ORARIO

Nicola Biondo, Sigfrido Ranucci
IL PATTO

Riccardo Staglianò
GRAZIE

Giovanni Fasanella, Rosario Priore
INTRIGO INTERNAZIONALE

Ferruccio Sansa, Andrea Garibaldi, Antonio Massari,
Marco Preve, Giuseppe Salvaggiulo
LA COLATA

Giorgio Meletti
NEL PAESE DEI MORATTI

Luigi Grimaldi, Luciano Scalettari
1994

Ferruccio Pinotti
LA LOBBY DI DIO

Gianluigi Nuzzi, Claudio Antonelli
METASTASI

Nadia Francalacci
PAURA DI VOLARE

Giacomo Galeazzi, Ferruccio Pinotti
WOJTYLA SEGRETO

Ferdinando Imposimato, Sandro Provvisionato
ATTENTATO AL PAPA

Mario José Cereghino, Giovanni Fasanella
IL GOLPE INGLESE

Gianni Barbacetto, Davide Milosa
LE MANI SULLA CITTÀ

Marco Cobianchi
MANI BUCATE

Franco Stefanoni
I VERI INTOCCABILI

Gianni Dragoni
CAPITANI CORAGGIOSI

Riccardo Staglianò
TOGLIETEVELO DALLA TESTA

Gianfrancesco Turano
FUORI GIOCO

Gianni Barbacetto, Peter Gomez, Marco Travaglio
MANI PULITE

Giovanni Spinosa
L'ITALIA DELLA UNO BIANCA

Claudio Gatti, Ferruccio Sansa
IL SOTTOBOSCO

Finito di stampare
nel giugno 2012 presso
Rotolito Lombarda Spa - Seggiano di Pioltello (Milano)